Bernard Gravel

Un homme du peuple chez les grands

Je remercie toutes les personnes qui de près ou de loin ont contribué à la réalisation de ce livre, tout spécialement Luc L'Heureux, Me André Drouin, P. Charette et ma soeur, Thérèse Collins.

B.G.

Maquette de la couverture : Gilles Mérineau
Photographies d'époque : Jean-Claude Fortin

Copyright : Le Groupe Bomart en collaboration avec les Éditions Histoire Vivante, août 1997.

Les Éditions Histoire Vivante

Dépôt légal
ISBN : 2-9805176-1-5

 IMPRIMÉ AU CANADA

À mon épouse Rita,
mes enfants : Françine, Pierre,
Sylvain et Lucie
ainsi que mes petits enfants : Annick, Philippe,
Julie, Eric et Pascal.

INTRODUCTION

Au départ, ce récit ne devait être lu que par un nombre fort restreint de personnes. Les Éditions Histoire Vivante, après tout, publient, généralement des biographies familiales dont le tirage se limite à quelques exemplaires destinés à la famille et aux proches; un concept mis de l'avant en 1979. La biographie que vous vous apprêtez à lire n'échappe pas à cette règle. On y raconte la vie mouvementée d'un p'tit gars de Saint-Michel (aujourd'hui un quartier de Montréal) qui, en conjuguant intelligence et détermination, a su se tailler une place parmi les gens dont le succès étonne autant qu'il impressionne. En effet, Bernard Gravel est un homme qui a réussi malgré une époque, des origines et un cheminement qui ne laissaient pas prévoir un tel dénouement.

La vie de Bernard Gravel est intimement liée à l'industrie québécoise du camionnage. Pendant plus de 50 ans, par le biais de ses activités professionnelles, il a été le témoin de toutes les étapes de l'évolution de ce secteur de l'économie. Il a rencontré la plupart de ceux qui y ont joué un rôle, du plus humble au plus puissant. C'est pourquoi il est bientôt apparu à l'auteur et aux rédacteurs travaillant à la confection du présent ouvrage qu'il fallait en augmenter considérablement le tirage. Les personnes qui ont oeuvré ou oeuvrent encore dans l'industrie québécoise du transport ne manqueraient certainement pas de s'intéresser à ce récit emballant et souvent même épique.

Ceux et celles qui entreprendront ce passionnant voyage à travers la vie de l'homme d'action, du pionnier de l'industrie, en ressortiront convaincus que rien n'est impossible, ou presque, à qui ose croire en la victoire. Ce que Bernard Gravel nous propose ici, c'est l'histoire d'un homme courageux et la petite histoire méconnue des artisans d'une industrie qui a été, et demeure toujours, d'une importance capitale pour le développement économique du Québec.

Roger Desautels

LES ORIGINES

Le Québec peut être fier d'être la patrie des Gravel, car c'est une famille qui a toujours su s'impliquer dans la société. Ce sont des gens qui travaillent fort et qui ne sont pas indifférents au milieu où ils évoluent.

Pour ne donner que quelques exemples, pensons au patriote Nicolas Gravel ou à Louis Gravel, premier médecin à être attaché à l'Hôtel-Dieu d'Arthabaska; pensons aussi aux sept enfants de ce dernier qui ont fondé un village au Manitoba qui porte d'ailleurs leur nom, Gravelbourg.

Comme dans toute bonne famille québécoise, les Gravel comptent un bon nombre de gens d'Église. Parmi les plus connus, citons seulement Elphège Gravel, évêque de Nicolet en mémoire de qui un canton a été baptisé au nord de Mont-Laurier, Alphonse Gravel, grand vicaire de Saint-Hyacinthe, et Louis Pierre Gravel, fondateur de Gravelbourg.

Ce nom de famille est synonyme de courage et de ténacité, et Bernard Gravel ne fait pas mauvaise figure dans cette fière lignée.

MON ENFANCE

La Famille

C'est le 10 septembre 1928 que ma mère, Alexandrina Vézina, me donna naissance et je reçus le prénom de Bernard. Elle et mon père, Joseph Aimé Gravel, avaient déjà quatre bouches à nourrir : Maurice, Roger, Émile, René, mort à l'âge de trois ans et que je n'ai pas connu, et Thérèse. Je ne suis quand même pas le dernier de la famille, puisque après moi est née ma sœur Gertrude.

Mes parents ont convolé en justes noces à Montréal dans la paroisse du Sacré-Cœur, au coin des rues Plessis et Ontario. Ils ont eu leurs cinq premiers enfants à Montréal avant d'opter d'un commun accord pour la banlieue, soit Saint-Michel. Il leur apparaissait plus facile d'élever la famille au grand air, avec beaucoup d'espace extérieur et un moins grand risque d'accidents d'auto.

Du côté paternel, Joseph Gravel et Hosanna Martel étaient mes grands-parents. La famille Gravel se composait de sept enfants. Outre mon père, il y avait Émile, Adrien, Rose, Valérie, Simone et Alice.

Mon grand-père maternel se nommait Damas Vézina et ma grand-mère, Carmélite Leblanc. Je me rappelle très peu de mes grands-parents Vézina. Je ne les ai vus que quelques fois. Ma grand-mère était gravement malade et j'ai peu de souvenirs d'elle. Et quand je pense à mon grand-père, je le revois toujours allumer sa pipe avec une éclisse de bois qu'il venait de sortir du côté de la fournaise à bois.

3

Ma mère m'avait choisi comme parrain et marraine son frère Wilbrod -de qui je tiens mon deuxième prénom- et son épouse, Émerentienne. Quel nom! C'est une chance que je n'ai pas été une fille, car j'aurais pu en hériter. Mon premier prénom, Bernard, venait de la paroisse Saint-Bernardin-de-Sienne où mon père, menuisier de son métier, érigea une petite maison de trois pièces, rue Heney à Saint-Michel, aujourd'hui district de Montréal.

Ma mère avait aussi un autre frère, Osias, mort de la peste durant la Première Guerre mondiale, la guerre de 1914 à 1918, et une sœur qui s'appelait Germaine. Pleine de vie et boute-en-train dans les soirées de famille, cette dernière était fille-mère d'un garçon, Léo, ce qui gênait un peu ma mère. Elle épousa, quelques années plus tard, Jimmy Peters, charmant homme d'origine grecque, avec qui elle eut deux autres enfants, Georges et Hélène.

La vie de tous les jours

Somme toute, j'ai eu une enfance simple, sans grands incidents. Nous formions une famille unie qui essayait de survivre au jour le jour. Ma mère était une sainte femme. Elle vivait les épreuves et les souffrances de la vie quotidienne sans se plaindre. Comme les épreuves étaient toujours voulues de Dieu, les conseils du curé de la paroisse, l'abbé J.E. Bélair, étaient suivis à la lettre, peu importe les sujets. Mon père, lui, était un homme chétif et maladif de naissance. Aussi, l'argent ne rentrait-il pas régulièrement à la maison. Nos voisins, les Leblanc, McDonald, Saint-Maurice, Dagenais et Corbeil étaient tous comme nous : des familles nombreuses vivant dans la pauvreté mais la dignité.

Il n'y avait qu'un magasin général à Saint-Michel. Celui de madame Amanda Duval. Nous devions nous rendre rue Saint-Hubert à Montréal pour acheter notre beurre, chez Tousignant, et les biscuits, chez Oscar. Pour nous y rendre, nous devions prendre le tramway, au coin du chemin Saint-Michel (aujourd'hui la rue Jarry) et du boulevard Saint-Michel jusqu'à l'intersection des rues Bélanger et Iberville. De là, nous prenions le tramway Frontenac 95 en direction de la rue Saint-Hubert.

Un jour que j'accompagnais ma mère, l'abbé René Pesant, enfant de la paroisse Saint-Bernardin, vint s'asseoir près de ma mère. Il me regarda tout le long du trajet, me posant quelques questions. À la fin du parcours, il dit à ma mère: «Celui-là sera spécial. Il ira loin dans la vie, et j'espère qu'il prendra le bon chemin.» Ma mère venait d'avoir une vision d'avenir: il y aurait un curé dans la famille. Ouf!

J'avais sept ans lorsque mon père décida qu'une maison de trois pièces, c'était trop petit pour une famille de huit personnes. De plus, comme nous n'avions pas l'électricité, mes frères et sœur devaient faire leurs devoirs à la lueur d'une lampe à l'huile accrochée au mur.

Il vendit notre demeure à un couple de personnes âgées, monsieur et madame Allard, et nous devînmes les nouveaux locataires de madame Aline Corbeil, toujours à Saint-Michel. Elle était veuve, riche et d'un caractère rêche. Elle était propriétaire du seul clos de bois de la ville.

Les anciens locataires étaient des Italiens, les Spingola. Quand nous sommes arrivés, l'intérieur de l'appartement sentait l'ail, le piment fort et toutes les odeurs qu'une bonne famille italienne peut emmagasiner pendant des années.

Un changement d'appartement voulait aussi dire changement d'environnement et de milieu. Nos nouveaux voisins étaient les Cadieux, Généreux, Joly, Brochu, Saint-Louis et Beaudry. Ces derniers avaient la chance de posséder une vache. Ils venaient de la ville et le père était chauffeur de tramway.

Nous avions un grand jardin que nous cultivions avec amour. Nous pouvions ainsi manger une bonne quantité de légumes frais que nous n'aurions pas eus autrement. C'est à cette époque que j'ai eu mon premier chien. Il s'appelait Rex. Malheureusement, je n'ai pu le garder longtemps, car ça coûte cher d'avoir un animal et nous n'étions pas riches.

Notre résidence se trouvait de biais avec la carrière LaSalle. Or, certains jours de la semaine, vers 17 heures, nous devions rentrer rapidement à la maison, car des «coups de tonnerre» nous indiquaient que l'on faisait exploser de la dynamite dans la carrière. Certains jours, nous recevions des morceaux de roc dans notre parterre. Il n'était pas question de déposer des griefs à cette époque.

Les samedis soirs, tous les Michelois se rendaient sur le terrain de la Ville avec chaises, bancs ou coussins, selon les goûts de chacun. C'était la soirée «Molson» en plein air: *Félix le chat, Charlie Chaplin, Abbot et Costello,* trois films gratuits projetés sur le mur de l'Hôtel de ville. L'édifice situé au coin du boulevard Saint-Michel et de la rue Jarry abrite aujourd'hui un poste de pompiers et de police. Ceux qui pensent que les ciné parcs ont été inventés vers 1975 peuvent se rhabiller. Monsieur Molson le faisait en 1935.

L'année suivante, nous déménagions de nouveau. Madame Aline Corbeil n'était pas très patiente concernant le chèque du loyer. Notre nouvelle adresse, le 8024 du boulevard Saint-Michel, voisinait celle du magasin général de madame Amanda Duval. Notre logement lui appartenait, ainsi que celui de nos voisins de palier, les Lebrun. Nos amis de jeux étaient les Larivière, Gibeault, Saint-Louis, Constantineau, Roy, Généreux, Wolfe, Fournier et Bergeron (le père de notre Michel Bergeron national, ancien entraîneur des Nordiques de Québec, était l'un de mes grands amis).

Je pris conscience cette année-là de notre situation financière. Nous recevions 13 dollars par semaine du «Secours direct» de la Ville. Le coût du loyer de madame Duval était de 13 dollars par mois. À partir de ce moment, je me suis toujours dit qu'il ne fallait jamais payer un loyer plus cher que ce que vaut une semaine de salaire. Je revois mon père aiguiser ses lames de rasoir en les frottant à l'intérieur d'un verre vide, question d'économie.

Les menus travaux...

À neuf ans, je commence donc mon premier emploi. Je livrais *La Presse* à 32 clients sept jours par semaine. Le journal se vendait trois cents, et moi, j'étais payé cinq cents par semaine. Pour m'aider dans mon travail, j'avais sacrifié un patin à roulettes afin de visser les roues sur une planche de 3 x 4 d'une longueur de quatre pieds, sur laquelle je mis une boîte à beurre. Je pus ainsi livrer ma *Presse* plus rapidement et je n'avais plus de problèmes lorsqu'il pleuvait. L'hiver, j'utilisais un bon traîneau.

Une année, mon père obtint de la Ville le contrat de ramonage des cheminées avec son grand ami de toujours, Jos Marcheterre. Je conduisais le cheval de maison en maison, j'aidais à tenir l'échelle ou je transportais les outils. En échange de ces services, mon père et Jos me lançaient les balles, cerceaux ou autres articles de jeux perdus sur les toits. Je vous laisse imaginer le nombre de jouets que je me suis procurés ainsi. Si je ne les utilisais pas moi-même, je les vendais ou les échangeais contre d'autres objets.

Le 24 juin était une date importante dans notre vie. Tout d'abord, c'était la fin des classes et le début des vacances. C'était aussi le moment tant attendu d'aller rue Sherbrooke pour voir passer le défilé de la Saint-Jean-Baptiste. Chaque année, plus de 100 000 personnes se massaient tout le long de cette artère pour regarder le fameux défilé. Nous étions privilégiés, puisque mes cousins Léo et Jean-Paul Vézina nous réservaient des places vingt-quatre heures à l'avance.

Les chars allégoriques étaient fabriqués de papier mâché. Le concepteur de ces chars, Fleurimont Constantineau, vivait d'ailleurs à Saint-Michel et son fils Jean était mon meilleur ami. Je me souviens encore très bien de ces défilés. L'atmosphère était chargée d'un enthousiasme délirant. Je crois bien que mes premiers sentiments nationalistes se sont développés à ce moment-là. Le lendemain de la fête, plusieurs chars allégoriques étaient stationnés sur la ferme des Constantineau. Jean et moi étions alors les rois et maîtres de ces chars qui allaient être démolis.

C'est à la même époque de l'année qu'apparaissaient les fraises des champs. Nous partions tous avec ma mère pour la cueillette dans les champs vagues n'appartenant à personne. Nous remplissions des chaudières à miel complètes. Comme les fraises des champs ne sont pas plus grosses qu'un pois, il en fallait des quantités incroyables pour la fabrication des tartes, confitures et autres gâteries. On y retournait tant et aussi longtemps qu'il y en avait.

J'acceptais avec joie tout travail pouvant me rapporter quelques cents. Aussi, suis-je devenu en quelque sorte le jardinier du curé J.E. Bélair. Je cassais les pommes, coupais les asperges, râtelais les feuilles, cueillais les betteraves et les carottes. J'étais aussi son enfant de chœur. Pour chaque messe servie, je recevais 5 cents.

À l'occasion, j'étais «pompeur» d'orgue. En effet, l'orgue de l'église fonctionnait à vent; alors un enfant de chœur devait pomper continuellement pour que les sons puissent sortir de l'instrument. Imaginez ce qui arrivait lorsqu'on était distrait...

Nous n'avions aucun parc sportif ou récréatif à Saint-Michel. Nous nous contentions de jouer dans les champs qui s'étendaient entre Papineau et Pie-IX, et de la voie ferrée de Montréal-Nord au boulevard Métropolitain. Il n'y avait presque pas de maisons sur ce territoire et la plupart des terres étaient cultivées par les fermiers de Saint-Michel. Les Guinois, Pesant, Gagnon, Paradis, Lafitte, Spingola, Brassard et Palerme sont devenus de gros fermiers. Ils ont vendu leur terre à gros prix, et beaucoup d'entre eux se sont installés sur les meilleures fermes du Québec. Ils cherchaient tous de la terre noire, car le céleri, la laitue, les épinards et les radis poussaient mieux dans cette terre fertile.

Le temps des Fêtes

Le premier cadeau que je me souvienne d'avoir reçu était un char d'assaut. Il était placé près de mon bas de Noël. Il y avait aussi une orange -on en mangeait une par année, et c'était à Noël- une ou deux pommes, un sac de bonbons mélangés, trois ou quatre biscuits au chocolat. Mon frère Maurice avait glissé une pomme de terre à travers ces gâteries.

Quant au char d'assaut, il coûtait 39 cents. Je m'en souviens, car mes parents avaient oublié d'enlever le prix, n'ayant pas l'habitude de faire des cadeaux. Lorsque je remontais son mécanisme à l'aide d'une clé, il avançait d'une dizaine de pieds. Je l'ai fait avancer ainsi des milliers de fois. J'y tenais comme à la prunelle de mes yeux.

Chez nous, au jour de l'An, la coutume voulait que l'aîné de la famille, soit Maurice, demande la bénédiction paternelle. Nous nous agenouillions alors tous avec notre mère, et notre père procédait à un marmonnement que personne ne comprenait. Nous avions reçu notre bénédiction pour l'année.

Le premier de l'An de mes huit ans, une bonne grosse tempête de neige s'est abattue sur la région de Montréal. Ma mère croyait qu'il était préférable de rester à la maison, mais mon père en avait décidé autrement. Alors, malgré les bourrasques et la quantité phénoménale de neige tombée, et qui tombait toujours, nous prîmes la route vers Lachenaie, chez grand-papa Gravel.

Le gendre de notre propriétaire, Ralph Martineau, possédait une auto. Il s'était offert pour nous conduire jusqu'au bout de l'île de Montréal, passé Pointe-aux-Trembles. Le reste du trajet s'est fait dans un traîneau tiré par un cheval. Nous avions une longue distance à parcourir et nous avons eu toutes les misères du monde à nous rendre, mais mon père a reçu lui aussi sa bénédiction paternelle.

Les jeux

Lorsque je suivais mes cours à l'école primaire Saint-Bernardin, soit de la première à la septième année, nos jeux de groupe étaient la balle molle, le jeu du drapeau, le «branch-à-Branch» et, l'hiver, le hockey qu'on jouait avec une rondelle ou une balle de chamois. Parmi les jeux individuels les plus populaires à l'époque, il y avait le bolo. On en organisait même à travers tout le Québec.

Un autre jeu très répandu était le yo-yo. Le nombre de façons de le faire tourner dépassait l'imagination. Les moins talentueux préféraient le jeu de billes, qu'on appelait «smokes».

Tous les enfants jouaient aux «smokes», mais il y avait un problème : il fallait les acheter. Alors moi, j'ai vite compris qu'il était plus avantageux de spéculer que de jouer aux billes. Je me tenais près des gagnants. Leur sac débordait et ils étaient bien fiers de leurs prouesses. Je leur offrais alors d'acheter leur surplus de billes. Je les payais une cent pour dix billes.

Par la suite, je me tenais discrètement près des perdants en étant aussi malheureux qu'eux de leur défaite. Je leur «offrais» mes smokes à raison de cinq ou six pour une cent, selon la quantité qu'ils achetaient. Je faisais le tri de mes «smokes» et celles qui avaient des couleurs vives devenaient des chanceuses, le prix grimpait à trois pour une cent.

Le jeu du moine était aussi très populaire. C'était une espèce de toupie de bois autour de laquelle on enroulait une corde. On lançait le moine sur une surface plane, soit du ciment ou de l'asphalte, et à tour de rôle, on essayait de frapper le moine de son adversaire.

On passait des heures et des heures à tous ces jeux sans jamais se fatiguer. Ça ne coûtait pas cher et tout le monde était tellement heureux! Aujourd'hui, les jouets ne durent pas une journée et si ils coûtent moins de 50 dollars, on veut à peine les regarder.

Les filles avaient leurs propres jeux. Un des plus populaires était très certainement la marelle, tracée avec une craie blanche sur l'asphalte. Le jeu consistait à sauter d'un carreau à l'autre en évitant certains numéros.

Un autre jeu très populaire était la corde à danser. La corde, tenue à chaque extrémité par quelqu'un, tournait et il fallait passer à travers sans toucher à la corde. Les filles y jouaient pendant des heures sans jamais se fatiguer. Par contre, certains parents n'aimaient pas tellement la corde à danser, car à leur avis, les souliers s'usaient plus vite. C'est dire comme la pauvreté était présente.

Le hockey a toujours été le sport de prédilection des Québécois et de la famille Gravel aussi, il va sans dire. Mon frère Roger était le meilleur de la famille. Il faisait partie de l'équipe de Saint-Michel, parrainée par Roméo Masson, propriétaire du restaurant qui faisait face à la patinoire.

Les problèmes d'argent ne nous lâchant pas, nous n'avions ni bâtons, ni rondelles ni jambières. Alors, pour nous fabriquer de l'équipement, nous avions des idées assez originales. À l'époque, des brosses mécaniques étaient fixées sur les tramways et servaient à déblayer la neige accumulée sur le chemin de fer (le tramway passait devant notre maison). Cette brosse était faite de joncs solides d'environ 16 pouces de long et d'un demi-pouce de grosseur. En frottant la rue devant le tramway, ces joncs finissaient par se détacher. Je passais des heures à les ramasser pour les ramener à ma mère. Avec une bonne pièce de coton et une machine à coudre, nous fabriquions les meilleures jambières du village.

Sur la patinoire de la localité, il y avait des heures pour le patin libre et des heures pour jouer au hockey. Le sergent Albert «Minou» Lauzon venait la fin de semaine pour faire respecter ces heures. Il confisquait pour une semaine les bâtons de ceux qui étaient pris en défaut. Les plus rapides sautaient par-dessus la bande ou cachaient leur bâton dans deux ou trois pieds de neige pour éviter la punition, mais souvent, ils ne pouvaient pas les retrouver par la suite.

Plusieurs groupes jouaient en même temps. Les grands étant les meilleurs, il leur arrivait souvent de lancer leurs rondelles en dehors de la glace, et plus souvent qu'autrement, ils ne pouvaient pas les retrouver. Je crois que vous me voyez venir...

Dès la première fonte des neiges, je me faisais un devoir, avec mon ami Lionel Bernier, de me rendre aux abords de la patinoire après la classe. On trouvait des rondelles à la douzaine. Je vendais celles qui n'avaient aucune rainure à mes frères et leurs amis, et je gardais pour moi les moins bonnes. Les bâtons de hockey retrouvés m'amenaient aussi quelques profits.

Finalement, j'appréciais beaucoup les interventions du sergent Minou Lauzon sur la patinoire. Je crois bien que je n'ai jamais eu à m'acheter de gourets de hockey, de rondelles ou de jambières. Merci, sergent!

Nous avons eu notre premier poste de radio, un appareil *RCA Victor* neuf, alors que j'avais neuf ans, mes frères seize et dix-sept ans. Nous pouvions enfin écouter *Un homme et son péché*, *Madeleine et Pierre* et le hockey avec les Maurice Richard et Émile Bouchard.

Le travail pour la famille

Mon père et mes frères Roger et Maurice se sont un jour lancés dans l'élevage du lapin. J'avais dix ans à l'époque. Ils ont eu jusqu'à 300 lapins dans leur élevage. J'étais chargé, moyennant quelques cents, de nourrir les lapins et de nettoyer les cages le samedi. Mon père élevait aussi des poules et des pigeons. Le samedi, à la demande de ma mère, nous allions choisir une belle grosse poule ou quelques pigeons pour le souper du lendemain (oui, vous avez bien lu : des pigeons). Fait étrange, nous n'avons jamais mangé de lapin. Ma mère en avait horreur, aussi n'ai-je jamais mangé de lapin de ma vie.

À la même époque, M. Ralph Martineau, notre voisin, m'avait apporté un jeune lièvre qu'il avait ramené d'un voyage de... pêche. J'ai élevé mon lièvre pendant quelques mois, mais il était vraiment malheureux dans sa cage. Un jour que j'allais lui donner des soins, je me suis aperçu que la cage était ouverte. On lui avait redonné sa liberté à mon insu. J'ai pleuré quelques jours.

Lorsque mes frères Maurice et Roger ont commencé à travailler, l'un a été engagé chez Duval, l'épicière. Il livrait les commandes à raison de 4 dollars par semaine. De temps en temps, il recevait un pourboire de 5 cents, des fois 10 cents. Mon autre frère travaillait chez les cultivateurs Roger Gagnon et André Lafitte. Mon frère Émile et ma sœur Thérèse ont commencé à travailler à différents endroits vers l'âge de quinze ou seize ans. Les salaires n'étaient pas élevés, mais ils étaient remis à la famille. En retour, de 25 à 50 cents leur étaient données chaque semaine pour leurs petites dépenses.

C'est de cette façon que nous avons eu notre première machine à laver. Il s'agissait d'une cuve en bois sur pattes munie d'un petit banc renversé qui s'agitait lorsque l'un de nous tournait la roue à l'extérieur. Donc, ça ne fonctionnait pas à l'électricité, mais à «l'huile de coude». C'était quand même une évolution, ma mère devait auparavant laver le linge de huit personnes à l'aide d'une planche de bois garnie d'une feuille de métal ondulée. L'année suivante, mes parents ont acheté une *Beaty Electric* d'occasion. Nous avons en même temps commencé à courir les réparateurs, et ce très régulièrement.

Le repassage du linge aussi se faisait à la dure. Ma mère déposait un fer sur le poêle à charbon pour qu'il devienne chaud. C'est ainsi qu'elle réussissait à repasser notre linge. Cette méthode était quelque peu ennueuse l'été...

Débrouillardise

Lorsque venait le temps de nous couper les cheveux, ma mère nous amenait chez le barbier de la paroisse, le bon monsieur Arthur Lambert, lui-même père de six enfants. À l'époque, une coupe de cheveux coûtait 10 cents, mais ma mère avait réussi à nous obtenir trois coupes pour 25 cents. Avec les 5 cents économisées, on pouvait s'offrir un pain de plus ou une boîte de sardines du Nouveau-Brunswick. Pour le bain aussi, il fallait puiser dans nos ressources. Comme nous n'avions pas d'eau chaude, on faisait chauffer l'eau dans de grands récipients sur le poêle à bois. Une fois versée dans le bain, l'eau chaude ne devait pas être gaspillée. La même eau servait à deux ou trois, un à la suite de l'autre. Évidemment, l'eau était moins chaude pour le dernier.

La vie publique...

En 1938, les paroissiens de Saint-Bernardin demeuraient aussi loin que sur les rue Jean-Talon et Bélair, entre Papineau et Pie-IX. C'est alors que des citoyens se sont réunis pour fonder la paroisse Sainte-Bernadette-Soubirous. Pendant quelques années, monsieur Louis Lafortune, un grand fervent et dévot catholique, prêtait son sous-sol pour que la messe y soit célébrée. Cet homme était un grand ami de mon père et j'assistais de temps en temps à la messe dans son sous-sol. Je me souviens d'avoir assisté à la pose de la première pierre de l'église Sainte-Bernadette avec mes parents. J'avais dix ans. C'était ma première activité publique.

J'ai fait mes études primaires à l'école Saint-Bernardin sise au 2650 de la côte Saint-Michel (aujourd'hui rue Jarry). Monsieur Hector Lavigne est le premier professeur dont je me souvienne. Il enseignait la 4e année. Il était père de sept enfants et habitait Saint-Léonard-de-Port-Maurice, près de Saint-Michel. Monsieur Lavigne était un vrai maître. Il avait une discipline à toute épreuve et connaissait ses matières. J'ai gardé un bon souvenir de lui.

Par la suite, il y a eu une transition. Nous avons reçu un groupe des frères du Sacré-Cœur. Une partie du troisième étage de l'école a été transformée en résidence pour les frères, qui ont pris le contrôle de toute l'école.

En ce temps-là, les frères du Sacré-Cœur étaient très nombreux au Québec. On en comptait plus de 3 000. Leur maison-mère était en France et un bon nombre d'entre eux enseignait aux États-Unis. Ils avaient choisi Granby comme pied-à-terre dans la région de Montréal et Arthabaska pour le reste du Québec. Ils géraient des dizaines d'écoles au Québec, dont l'école Saint-Bernardin, l'école Richard à Verdun, l'école Meilleur rue Fullum et l'Académie Roussin dans l'est de Montréal.

En 5e année, le frère Georges Albert devint mon titulaire. Il m'a profondément marqué par sa simplicité, son savoir et sa grande foi en Dieu. Je n'ai pas rencontré beaucoup d'hommes ou de femmes qui m'aient influencé à ce point. Que de qualités chez un même homme!

Il me parlait souvent de la vie religieuse, de ses avantages, de ses inconvénients, du bien qu'il y avait à faire, des sacrifices aussi reliés à cette vie. Jamais il ne me bousculait ou me pressait. Il avait une approche en douceur. Il me procurait différents écrits et livres sur la vie religieuse, et il gardait un bon contact avec moi. Ce frère n'était pas gros, mais il était un joueur de hockey aussi rapide que Henri Richard. Ce n'est pas peu dire!

J'ai passé les 6e et 7e années avec le frère Laurien, un homme «d'un seul morceau». Il était grand, bien bâti, sévère et très honnête. Pour lui, seul le succès scolaire de tous ses élèves comptait. Cette année-là, j'ai fini premier de la classe, mais moi, je disais que j'étais le premier de l'école, puisque les cours se terminaient à la 7e année.

En 1942, la Banque d'Épargne de la Cité et du District de Montréal me remettait la médaille d'honneur pour le «Prix d'ordre et d'économie». À l'endos de la médaille, il y avait leur logo, une ruche d'abeilles, et leur slogan: «Une place pour chaque chose, chaque chose à sa place.» Curieusement, j'ai conservé cette médaille ainsi que le titre qui l'accompagnait. J'en ai toujours été fier.

Durant sa jeunesse, ma mère avait songé à être religieuse. Elle aurait certainement vécu une vie moins rude, mais ses six enfants et vingt-huit petits-enfants lui ont procuré, en contrepartie, beaucoup de joie et de bonheur jusqu'au dernier jour de sa vie. Elle était d'une piété à toute épreuve. Chaque jour, elle récitait son rosaire, c'est-à-dire trois chapelets.

Souvent, je me rendais dans ma chambre à l'étage et je la surprenais agenouillée, les bras en croix, devant l'image de la Sainte-Vierge. Elle n'aimait pas être surprise dans cette position, car elle ne faisait pas cela pour être vue, mais plutôt par dévotion.

Pendant les quarante jours du carême, avec ma mère et ma sœur Thérèse, je me rendais à l'église tous les matins pour la messe de 7 h 30. Pour pouvoir communier à la messe, il fallait être à jeun depuis minuit. À l'époque, à jeun signifiait ni manger, ni boire. Aussi, lorsqu'il neigeait ou qu'il pleuvait, on ne pouvait pas parler en se rendant à l'église de peur d'avaler de l'eau ou de la neige.

Durant l'année, chaque paroisse avait ses «40 heures», c'est-à-dire l'exposition du Saint-Sacrement. L'hostie consacrée était ainsi exposée dans l'ostensoir durant 40 heures, et chaque famille de la paroisse était assignée pour une heure d'adoration. Ça se passait durant la fin de semaine, de jour comme de nuit. La famille Gravel se faisait un devoir d'être là la première pour l'heure qui lui était assignée.

Ma mère consacrait beaucoup de dévotions au frère André. Nous allions ainsi plusieurs fois par année à l'Oratoire Saint-Joseph. Le dimanche, ma mère, mes sœurs Thérèse et Gertrude et moi nous rendions à l'église à 3 h 00 de l'après-midi pour les vêpres. Il ne fallait pas manquer cela, mais ça nous coupait drôlement notre après-midi.

Parfois, ma sœur Thérèse et moi allions dans le salon implorer le frère André pour que ma mère nous donne la permission de nous rendre rue Chambord. C'est là qu'habitaient maintenant nos amis Larivière avec lesquels nous avions gardé une bonne amitié, surtout avec Lucien, Normand, Jacques et Jacqueline. Nous obtenions parfois notre permission grâce à la foi que ma mère avait envers le frère André, mais pour nous, c'était plus une ruse qu'une dévotion.

Le travail à la ferme

Vers l'âge de douze ou treize ans, l'été, j'ai aussi travaillé chez les fermiers. Le salaire était de 10 cents l'heure. Je travaillais de 8 heures le matin à 6 heures du soir. J'apportais mes sandwichs au jambon cuit avec une tomate et parfois une banane et un gros «Kik Cola». Nous étions une douzaine d'enfants de mon âge à faire ce travail chez le cultivateur André Lafitte, un vrai nationaliste s'il en fut un. Jean Filiatrault faisait partie de ce groupe. Il est devenu par la suite avocat, puis a été nommé juge à la Cour supérieure. Il venait d'une famille de Montréal-Nord qui comptait 25 enfants. Son père était policier et s'était marié à deux reprises.

Mon frère Roger était le patron de tout ce monde-là et l'homme de confiance de André Lafitte. Le travail consistait à sarcler et bêcher autour des légumes. Nous coupions la laitue, les épinards et les bouquets de persil que nous emmagasinions dans de petits coffres de bois. Notre travail numéro un consistait à attacher des radis. Saint-Michel était le «grenier de Montréal» en ce qui a trait à plusieurs légumes. À la fin de l'été, nous allions d'abord rue Sainte-Gertrude, à Montréal-Nord, armés de couteaux tranchants. Là, nous coupions des centaines de branches de petits arbustes. Nous utilisions ces branches pour attacher les pieds de céleri. Roger, assis sur son tracteur, coupait la racine et faisait pencher le pied de céleri. Nous l'équeutions et le placions sur une branche. Quand nous avions réuni une botte de 12 pieds, nous refermions la branche autour. La botte était lavée prête à partir pour le marché Bonsecours à 3 h 30 du matin avec les radis et autres légumes. Les fermiers travaillaient très fort pour réussir.

21

Roger a travaillé aussi chez un autre cultivateur, Osias Pesant. Ce dernier avait hérité de la ferme familiale, puisque ses frères et sœurs étaient presque tous des gens d'Église. Dans la famille, il y avait deux religieuses et deux prêtres, un autre était frère du Sacré-Cœur et l'un d'eux n'était nul autre que le prêtre qui avait fait des prédictions à ma mère dans le tramway. Vous vous souvenez?

Roger aidait donc Osias Pesant sur la ferme. Après la récolte des pommes de terre, il fallait faire un dernier labour afin de préparer la terre pour le printemps. Alors, mon père et toute la famille, nous glanions derrière la charrue, c'est-à-dire que nous ramassions les pommes de terre qui faisaient surface après le passage de la charrue. Nous récoltions ainsi suffisamment de patates pour tout l'hiver et faisions de même sur les champs de carottes pour nourrir nos lapins tout l'hiver.

Autres faits de la vie quotidienne

Mon père travaillait pour la Ville durant les périodes de chômage. Il distribuait les coupons de ravitaillement aux chômeurs. Un jour, le chef de police, Wilfrid Parenteau, qui contrôlait tout le va-et-vient de la Ville au nom du conseil municipal avisa mon père qu'il fallait couper de moitié les coupons de monsieur Girard, un indésiré politique, même si la chose n'a jamais été dite tout haut. Il faut préciser que ce monsieur Girard était père d'une famille de huit enfants. Pouvez-vous vous imaginer la suite?

Lorsque monsieur Girard s'est présenté au guichet pour recevoir ses coupons -naturellement, le chef de police avait quitté les lieux-, il a pris la nouvelle comme une claque dans la face et s'en est pris à mon père. Il ne voulait rien savoir. Il avait des bouches à nourrir, un point c'est tout. D'autres chômeurs se sont mêlés de la discussion et il s'en est suivi une bataille générale où mon père a été blessé.

On a fait venir ma mère sur les lieux, mais attention, elle était féroce comme une lionne. Elle a vite analysé la situation et compris que tout cela n'était qu'une manigance du chef de police pour mieux diviser les esprits et ainsi avoir plus de pouvoir sur les familles pauvres de la localité. Lorsque le chef de police est arrivé sur les lieux de la bataille, ma mère l'a apostrophé vertement, lui dit ses quatre vérités et lui a promis qu'il ne s'en tirerait pas à si bon compte avec la famille Gravel. Promesse que j'ai d'ailleurs tenue quelques années plus tard, comme vous le verrez.

Les samedis après-midi d'hiver, des films étaient présentés à l'école des frères du Sacré-Cœur. Le prix d'entrée était de 10 cents. Pour pouvoir me payer cette sortie, je faisais quelques travaux à l'école. Avec un de mes professeurs, le frère Laurien, je ramassais les bouteilles vides de boissons gazeuses ou de bière. J'allais les vendre et, avec le revenu, je pouvais voir le film.

Dès la 8e année, j'ai dû continuer mes études à l'extérieur de Saint-Michel, soit à l'école Saint-Arsène, rue Christophe-Colomb, près de la rue Bélanger. Cette école était dirigée par les frères Saint-Gabriel, dont la maison-mère était à Saint-Bruno. J'ai vite réalisé que je venais d'un petit village tranquille et que je faisais le saut dans une grande ville. Ce fut un choc pour moi. Les gars étaient plus *tough*. Ils fumaient la cigarette, sacraient, etc. Moi, j'étais le petit gars sage et tranquille.

Je suis vite devenu bien malgré moi, l'élève modèle de la classe. J'ai été nommé chef brigadier à la traverse des écoliers au coin de Christophe-Colomb et de Bélanger. C'était un travail très important. Je portais la ceinture blanche croisée de rigueur et j'étais en charge de quatre brigadiers. C'était ma première responsabilité bénévole et humanitaire. Il fallait que tous soient à l'heure, ceinturon propre et bien ajusté, et polis avec les automobilistes ainsi qu'avec les élèves.

Le frère Télesphore était mon professeur attitré. Il me parlait de sa vie heureuse, de la vie religieuse en général, et il me faisait lire beaucoup de livres sur le sujet.

Une retraite fermée fut organisée au juvénat situé à Saint-Bruno pour une fin de semaine de trois jours. Je fus un des premiers à qui on demanda de faire partie du groupe. Nous étions une vingtaine d'élèves en tout à faire partie du voyage. La première chose qui me frappa en arrivant au juvénat, c'est que tous les juvénistes avaient la tête rasée. À cette époque, ma chevelure était plutôt épaisse et bouclée.

24

Pendant ces trois jours, chacun de nous était confié à un juvéniste qui nous dirigeait ou nous conseillait. La visite m'avait énormément marqué et j'avais aimé cette retraite. L'endroit était paisible, agréable, les jeunes pleins d'enthousiasme et de savoir-vivre.

LE COLLÈGE

Une volonté de fer

Alors que, moi, j'étudiais, à la maison, mes frères et sœurs ont quitté l'école après la 5e ou la 6e année. Ils avaient tous des emplois de famine comme livreur, fermier ou dans des manufactures. Mes parents étaient obligés de «réquisitionner» leur salaire pour survivre. Je voyais mon avenir avec beaucoup de pessimisme et de craintes, car logiquement, je devais aussi me mettre à travailler. Mais j'avais cette force de caractère et cette vision des choses du futur qui font ma personnalité.

Déjà, je n'acceptais pas l'autorité paternelle que je jugeais trop sévère. Je voyais mon frère Maurice, dix-huit ans, remettre son salaire en entier aux parents et ne recevoir que 50 cents pour lui-même, et je n'avais aucune envie de suivre la même voie.

À cette époque, les parents de grosses familles -à tort ou à raison, je ne peux émettre un jugement impartial sur ce sujet- avaient connu tellement de misère qu'à un moment de leur vie, ils arrivaient à la conclusion suivante : «Nous avons élevé une famille de peine et de misère. Eh bien, il faut utiliser cette famille pour nous en sortir une fois pour toutes. Les études, les collèges, c'est pour les familles riches. Utilisons toute cette marmaille pour atteindre un nouveau mode de vie assez rapidement, comme toutes les autres familles qui ont agi de cette manière. » C'était les us et coutumes du temps.

Mais dès l'âge de treize ans, je ne marchais pas dans ce sillon. Je voulais continuer mes études. J'aimais l'école et je pensais devenir quelqu'un plus tard. Pour ce faire, les études étaient nécessaires. J'ai fait quelques rencontres instructives avec le frère Georges Albert. Je dois dire que j'avais plus d'affinités avec les frères du Sacré-Cœur qu'avec les frères de Saint-Gabriel. À ce moment-là, les idées de vocation religieuse revenaient continuellement.

J'en avais parlé avec ma mère et avec ma sœur Thérèse, qui était ma confidente. Bien sûr, ma mère me laissait absolument libre de ma décision, mais un religieux dans la famille, ça haussait le *standing* dans la paroisse et aussi dans le reste de la famille. J'avais aussi de temps à autres des conflits de personnalités avec mon père. Nous n'étions pas sur la même longueur d'ondes et c'était nouveau pour lui. J'étais le premier à le contredire sur certains principes. Il travaillait à 80 cents l'heure comme menuisier. Moi, je lui disais d'entrer dans l'*union*.. Il aurait eu le double en plus d'une sécurité d'emploi.

C'est dans cette situation que j'ai atteint mes quatorze ans. Je me suis dit que ma vocation était peut-être de devenir un frère enseignant. J'étais marqué par le manque de nourriture et de choses nécessaires à la vie. Je voulais aider les plus faibles que moi. Au cours des ans que je venais de vivre, ma mère m'avait formé et m'avait inculqué des principes de base qui m'ont toujours suivi. Je me suis dit que je continuerais mes études. Là-bas, je serais bien traité, et je verrais au fil des années si j'avais véritablement la vocation. Il ne serait jamais trop tard pour changer d'orientation.

À ma demande, le frère Georges-Albert s'est présenté chez moi pour obtenir de mes parents la permission de me faire entrer au juvénat. Certains arrangements devaient se faire, car il fallait payer 10 dollars par mois pour la nourriture, les études, le logement, les livres, etc. Comme mes parents n'avaient pas cet argent, ils ont refusé. Quelques jours plus tard, le frère est réapparu dans la cuisine avec un grand sourire et, me lançant un clin d'œil, a annoncé à mes parents que son père se portait responsable de moi pour les trois années à venir, c'est-à-dire pour la durée du juvénat.

Ma première blonde s'appelait Lorraine Saint-Louis. Son père et sa mère travaillaient chez Macdonald Tobacco. Elle avait un frère qui s'appelait Marcel. Je n'ai jamais connu personne qui bégayait autant que lui, mais quel bon gars! Lorraine était du genre *Tom Boy*. Elle jouait avec les garçons au baseball ou au hockey. Un jour, elle m'a donné un coup de hockey en plein front. C'était un accident, mais j'ai quand même eu un œil au beurre noir. C'était peut-être sa façon de se venger de me perdre comme ami, car dix jours plus tard, je la quittais pour faire mon juvénat au collège.

La vie au collège

Le 4 février 1943, le grand jour est arrivé. Je quitte mes frères et sœurs, mon père ma mère, mes amis, mes lapins et mes activités journalières pour une nouvelle vie. Une vie de collège mais de collège spécial. Une vie que je choisis en toute liberté. Une vie que je voulais connaître, que je voulais expérimenter. À quatorze ans, je savais déjà ce que je voulais, et j'agissais en conséquence.

Lorsqu'un élève décidait de suivre cette voie, il devait faire trois ans de juvénat (sans aucune visite à la parenté, même durant les vacances d'été), puis six mois de postulat. Il devait porter en tout temps un crucifix à son cou, sur la chemise ou le chandail. C'est ce qui différenciait cet élève postulant des juvénistes. Sur un groupe de 150 juvénistes, après trois ans, il devait rester entre 30 et 45 postulants.

Après leur stage, les postulants quittaient l'aile du juvénat pour aller vivre dans celle du noviciat. Le seul contact que pouvaient avoir les novices avec les autres élèves, c'était à la chapelle. À l'arrivée au noviciat, c'était la prise d'habit, c'est-à-dire le port de la soutane. Le noviciat durait un an, et il n'était plus question d'étudier l'arithmétique ou la géographie durant cette année-là.

Les études étaient consacrées à l'histoire sainte, aux règles de la communauté, etc. Tous les novices devaient faire une retraite de 21 jours sans dire un mot à personne, sauf au maître des novices ou à son confesseur. C'est ce que j'ai trouvé le plus dur d'ailleurs, et c'est là que j'ai décroché! Treize mois plus tard, son stage terminé, le novice prononçait ses voeux d'obéissance, de pauvreté et de chasteté. Il devenait scolastique pour un an.

Ce 4 février 1943, jai donc pris l'autobus avec ma valise en compagnie du frère Georges-Albert, mon professeur de 5e année qui a également été mon recruteur pour le Mont Sacré-Cœur, à Granby. En arrivant là-bas, j'ai été ébahi par la beauté du domaine. C'était vraiment une partie du ciel sur la terre, véritable bijou collé au flanc d'une montagne, près du mont Shefford. Je n'avais que 14 ans.

L'édifice comptait 150 juvénistes, 30 novices, 70 scolastiques, 40 professeurs administrateurs et 40 religieux retirés, malades ou en récupération. Ça faisait du monde à la messe!

En arrivant, j'ai été présenté au frère Maxime, directeur du juvénat, et on m'a jumelé avec un ange gardien, c'est-à-dire un juvéniste de notre patelin ou un modèle à suivre, un juvéniste positif, patient, qui aidait le nouvel arrivé dans tous les domaines. Moi-même, j'ai été ange-gardien sept fois durant mon séjour au juvénat. Un seul de mes protégés venait de Saint-Bernardin. Il s'appelait Gérard Bisson. Il est resté trois ans avant de décider de nous quitter.

Mon ange gardien à moi, Jean-Pierre Fournier, était un **vrai** ange gardien. Il venait de Saint-Michel, comme moi. Nous étions d'ailleurs dans la même classe les années auparavant, mais il était entré au juvénat un an avant moi. À mon avis, il est l'exemple même du saint homme, dans toute la force du mot. Aujourd'hui encore, il est religieux. Il vit maintenant à Rosemère. J'ai donc poursuivi ma 8e année avec le frère Théophane. Je n'ai que de bons souvenirs de ce religieux. Il était aussi comique que Gilles Latulipe peut l'être à ses heures.

À Saint-Bernardin, j'avais terminé premier de ma classe, mais là, je faisais face aux premiers de classe de Verdun, Saint-Césaire, Saint-Hyacinthe, Sainte-Agathe et Maniwaki, car naturellement, on recrutait les meilleurs éléments de toutes les écoles. J'avais de la difficulté à me classer parmi les cinq premiers, mais à force de travail, j'y parvenais.

Les visites au parloir étaient permises une fois par mois. Il en était de même pour les lettres. Dès notre arrivée, on nous faisait un «lavage de cerveau» sur nos parents, frères et sœurs. Il fallait à tout prix les sortir de notre pensée. Après un an, c'était fait. La famille religieuse devenait donc notre seule famille, alors que notre vraie famille devenait un vague souvenir. Il fallait travailler très fort. La discipline était parfois dure à suivre. Tous les vendredis soirs, à l'oratoire, nous nous mettions à genoux à tour de rôle, et si un juvéniste avait remarqué de l'indiscipline, un travers, un manque de charité, les autres se levaient parfois à cinq ou six, les uns après les autres, et paf! Le coupable se faisait planter en pleine face. Mais nous étions un certain nombre de juvénistes à nous tenir serrés. Parfois, durant une partie de hockey, le délateur se faisait rentrer dans la bande de la patinoire, avec mille excuses, bien entendu.

Les activités

Il va sans dire que les sports et autres activités ne manquaient pas : hockey, ski, patinage, baseball, tennis, natation, ping-pong, échecs, cartes, scoutisme, etc. J'avoue que j'étais un sportif très ordinaire quand il s'agissait de hockey, de ski, de baseball ou de natation, mais il en était autrement pour le tennis, où je m'étais classé troisième sur les cent cinquante élèves du collège. Pour ce qui est du ping-pong, j'étais absolument imbattable. Encore aujourd'hui d'ailleurs, je défie n'importe qui sur ce «terrain». Il y avait un autre domaine qui me donnait beaucoup de satisfaction : les échecs. J'avais obtenu le trophée du meilleur joueur de tout le collège après avoir éliminé plus de soixante-quinze adversaires. Cette victoire reste un de mes meilleurs souvenirs de cette époque.

Chacun de nous se voyait assigner une tâche bien précise, dont il devait s'acquitter après chaque repas, sans exception: laver la vaisselle, épousseter, nettoyer les dortoirs, repasser le linge, mettre la table, nettoyer les toilettes... Cette assignation changeait chaque mois. Certains travaux étaient plus détestables que d'autres, mais quand on embrasse la vie de moine, on ne rechigne pas.

Comme tous les élèves devaient avoir les cheveux courts, le métier de coiffeur revenait à quelques juvénistes, qui le conservait tout au long de leur séjour. D'autre part, étant donné que la tonte des cheveux ne se faisait pas dans la noirceur, ils ne travaillaient pas après le repas du soir, ce qui laissaient du temps pour les loisirs.

Naturellement, j'ai postulé l'emploi de coiffeur après deux mois de séjour au juvénat. Pour être sûr d'obtenir le poste, je me suis mis à m'intéresser à l'art du dessin, puisque c'était le professeur de dessin, le frère Césaire, qui désignait le juvéniste chargé de cet emploi. Tous mes loisirs ont donc été consacrés au dessin pendant quelque temps. À tout bout de champ, je demandais crayons, papier ou conseils au professeur. J'ai occupé le poste pendant trois ans, et j'ai passé mes soirées à jouer au ping-pong ou aux échecs.

En neuvième année, mon professeur était une vieille connaissance, le frère Laurien. Celui-là même qui m'avait aidé à vendre des bouteilles pour voir des films. C'était un homme sévère mais juste et compétent. Je l'estimais beaucoup et il m'a beaucoup aidé durant tout mon séjour à Granby.

Nous avions notre cabane à sucre. Nous ramassions l'eau d'érable par groupes de vingt-cinq élèves. Parfois, nous allions luncher à la cabane. Quel plaisir, quelle joie, quels beaux souvenirs!

Le maire de Granby de l'époque, Horace Boivin, universellement connu pour son zoo et ses fontaines publiques, était très près des frères du Sacré-Cœur. Une personnalité qui visitait Granby avec le maire aboutissait invariablement au Mont. Monsieur Boivin nous honorait de sa présence lors de nos festivités, de pièces de théâtre, etc.

Comme le juvénat ne possédait pas de piscine, le maire libérait celle de la municipalité une fois par semaine pour que nous puissions aller nager comme nous le voulions. Nous étions un peu comme les quintuplées Dionne à l'époque. Les gens s'entassaient le long de la clôture pour nous regarder nager. Un ami originaire de Granby, Réal Touchette, me pointait parfois une dame à l'extérieur de la clôture. C'était sa mère, mais il fallait l'ignorer complètement. Aucun signe, aucun sentiment... Notre Seigneur avait dit: «Tu quitteras ton père et ta mère pour me suivre.»

Les voeux

Les années passaient et je constatais que le vœu d'obéissance m'était de plus en plus insupportable. Chaque année, le provincial dictait ses obédiences, mais pas toujours dans le sens du... bon sens. Souvent, on plaçait comme portier pendant cinq ans, un membre de la communauté jugé orgueilleux ou trop charismatique plutôt que de lui confier la direction d'une école de trente religieux.

C'était pour le punir, pour le corriger de sa vanité. Pour moi, c'était ridicule. C'est comme si des vengeances se réglaient au détriment de la communauté.

Pour ce qui est du vœu de pauvreté, je n'avais aucun problème. Je me sentais tellement riche de pouvoir manger tous les jours sans sacrifice et de pouvoir dormir au chaud...

Le vœu de chasteté ne me fatiguait pas non plus. Nous allions communier tous les matins, les confessions avaient lieu toutes les semaines et la prière était tellement intense que nous n'avions pas de «mauvaises pensées».

Bref retour à Montréal

Pendant mon séjour à Granby, ma mère est tombée gravement malade. Mon frère Roger a donc appelé le frère Maxime pour l'en informer et on m'a convoqué au bureau. On m'a remis un billet pour le train Granby-Montréal et d'autres de tramway et quelques dollars à toute éventualité. J'ai passé quatre jours auprès de ma mère à l'hôpital Notre-Dame.

Je pense n'avoir jamais autant prié la Sainte Vierge de ma vie. Je disais à ma mère que son frère André l'avait laissé tomber et qu'elle devrait faire la même chose et implorer la Sainte Vierge à la place. La santé est revenue, mais je n'ai jamais su si c'était l'œuvre de la Sainte Vierge ou du frère André.

J'ai profité de cette «sortie» pour visiter, avec ma soeur Thérèse, quelques tantes et oncles qui demeuraient dans les environs de l'hôpital. Ce fut une vraie joie de nous retrouver, elle et moi, pendant quatre jours. Mais le lavage de cerveau religieux avait fait son oeuvre et je brûlais d'envie de retourner à Granby.

Le noviciat

Quelques mois après notre arrivée, la direction du juvénat choisissait les plus sérieux juvénistes et les enregistrait à l'Université de Montréal. Durant l'été, nous passions les examens, les plus faciles (anatomie, astronomie) et accumulions les notes. Nous retournions en classe tous les mardis et jeudis après-midi.

En 10e et 11e année, mon professeur était le frère Urcize. Le nom allait avec le gars. J'ai eu une année d'enfer avec ce religieux : conflit de caractères total. Vœux d'obéissance... mon œil! Un jour, ma patience a atteint sa limite et j'ai «balancé» le frère par-dessus un bureau dans la classe. Après enquête, on a trouvé que je n'avais pas complètement tort... mais il ne fallait pas recommencer.

L'année suivante, le frère en question a été muté à l'école Meilleur, rue Fullum. L'année s'est bien terminée. J'ai reçu mon diplôme et mon nom a été inscrit au tableau d'honneur au cinquième rang de la classe. C'était en 1945. Le juvénat et le postulat terminés, je laissais derrière moi de belles années d'adolescence. J'en garde encore d'excellents souvenirs. Le 24 août 1945, je suis donc entré au noviciat. Quelques jours plus tard, c'était la prise de l'habit et mes parents sont venus à la cérémonie.

Le choc a été terrible pour moi. J'aurais voulu rester au juvénat encore cinq, dix ans... Quelle belle vie! Je n'avais rien à décider, je n'avais qu'à vivre pleinement. Au noviciat, au contraire, c'était l'année des décisions, des réflexions continuelles. On apprenait à devenir responsable devant les vœux que l'on allait faire au Seigneur.

Après quelques semaines, j'ai compris que la vocation religieuse n'était pas pour moi. Juste avant de passer au noviciat, mes parents m'ont rendu visite au parloir. Le nouveau curé de la paroisse Saint-Bernardin, le père Provost, des Oblats de Marie-Immaculée, avait confié une lettre personnelle à ma mère pour moi.

Dans cette lettre il me disait qu'un frère enseignant demeurait toute sa vie dans l'ombre de la société. Il précisait que c'était du «9 à 4» dans la classe, et c'est tout. Il fallait oublier les promotions, avancements, leadership et tout ça. Le vœu d'obéissance m'obligerait à enseigner, et la maison mère, en France, déciderait de mon avenir, de mes repas, de mes vêtements, etc. Le père Provost me suggérait d'abandonner les frères du Sacré-Cœur et d'entrer au noviciat des Oblats avec une possibilité d'avancement à l'intérieur de la communauté, etc. On aurait dit que la Providence m'envoyait cette lettre pour que je prenne une décision finale quand au noviciat.

J'ai donc rencontré mon frère-maître, le frère Cyprien Monty, dont le père était propriétaire de plusieurs salons funéraires à Montréal. C'était un religieux d'une intelligence supérieure. Il avait un charisme extraordinaire. Nous avons eu de bons échanges. J'ai aussi rencontré le frère Albertinus, supérieur général de la communauté, un Français.

Déjà, je réalisais notre situation de «colonisés» : une colonie de 3 000 religieux québécois gouvernés par un Français. Je me rappellerai cependant toujours des derniers mots qu'il m'ait dis : «Que sert à l'homme de gagner l'univers s'il vient à perdre son âme?»

De ces trois ou quatre années, je garde des souvenirs inestimables. On m'y a inculqué certains principes et on m'a surtout donné la force de caractère que j'utiliserai d'ailleurs toute ma vie.

Nous disions alors que le meilleur professeur de tout le juvénat était le frère Florentien. Même si je ne l'ai jamais eu comme professeur, je me suis trouvé beaucoup d'affinités avec lui durant mon séjour là-bas. Il a essayé de me battre aux échecs à maintes reprises, mais il n'a jamais réussi. J'ai conservé avec lui, ainsi qu'avec le frère Yvon, une relation amicale à toute épreuve. Je les ai vus et revus pendant 50 ans.

Je fais partie de l'Amicale des anciens du Sacré-Cœur à titre d'élève de Saint-Bernardin et à titre d'ancien novice. Annuellement j'assiste au congrès des frères du Sacré-Cœur. Un jour, j'ai reçu une lettre de... Rome. Le frère Florentien m'annonçait qu'il avait été nommé provincial pour tout le Québec.

J'aimerais ici ouvrir une parenthèse très importante. Vous réalisez que j'ai fait partie d'une communauté religieuse pendant plus de trois ans. On me considérait comme un bel adolescent, vif, enjoué, taquin et moqueur. Et j'affirme solennellement que jamais un religieux ne m'a fait des avances sexuelles ou quelque toucher que ce soit. De plus, je n'ai jamais été témoin de quoi que ce soit de la sorte, ni rien entendu à ce sujet, d'ailleurs.

Je sais que certains ont vécu de mauvaises expériences ailleurs, mais moi, je n'ai rien subi de la sorte. Je trouve simplement regrettable la mauvaise réputation qui se bâtit en ce moment autour des communautés religieuses, alors que la plupart des gens qui en font partie sont parfaitement honnêtes, dévoués et sains d'esprit.

En guise d'exemple, je dirai que durant les deux premières années de mon juvénat, j'avais des problèmes de reins. Je mouillais souvent mon lit. Alors, un religieux me réveillait chaque nuit pour que j'aille uriner. Jamais il ne m'a touché. Il brassait simplement mon oreiller pour me réveiller. C'était très gentil de sa part, et il n'a jamais eu aucun geste déplacé.

Retour à l'école

Mon retour à la maison a été plutôt pénible. Seule ma mère en avait été informée et elle n'avait pas osé le dire au reste de la famille. On venait de perdre le religieux de la famille. Quelle déception! Il fallait l'annoncer aux tantes, aux oncles, aux cousins, aux voisins, aux amis, etc. J'ai refusé de parler de ce sujet pendant des années tellement j'avais été affecté par cette réception. Les deux plus vieux de la famille étaient mariés, et ceux qui restaient travaillaient. Mes parents étaient devenus propriétaires d'un duplex que mon père avait bâti. À 17 ans, comme je n'avais aucune expérience de la vie civile je décidai de retourner aux études. Je me suis présenté à l'école Saint-Stanislas, à Montréal. C'est en rencontrant le directeur que j'ai réalisé combien les communautés religieuses du Québec avaient rendu un bien mauvais service à des milliers de jeunes comme moi.

Les communautés religieuses, qui enseignaient à l'élite du temps, ne touchaient pratiquement pas à certaines matières comme la physique et la chimie pendant la 8e, la 9e et la 10e années. Toutefois, les cours suivis durant l'été à l'université n'étaient donnés dans les écoles de Montréal qu'en 11e et 12e années.

À la suggestion de la direction de l'école, je me suis inscrit en 10e année, mais après quelques mois, j'ai constaté que c'était peine perdue. J'en savais plus que les professeurs dans certaines matières, mais mon retard était impossible à rattraper dans d'autres domaines. J'en ai souvent fait le reproche à mes amis qui étaient frères du Sacré-Cœur. Enfin, que de talents perdus! Que d'ingénieurs, médecins, physiciens, intellectuels le Québec a perdus! Je me suis toujours demandé si ce n'était pas voulu de la part des communautés : si tu ne restes pas avec nous, arrange-toi avec ton avenir.

La guerre

De la Deuxième Guerre mondiale (1939-1945) je n'en ai que de vagues souvenirs. J'étais alors trop jeune. Mon plus grand «souvenir de la guerre», est avant mon départ pour le collège: un facteur passait chaque matin de porte en porte pour livrer le courrier, et à chaque matin ma mère se mourrait d'inquiétude pour ses gars. L'armée appelait sous les drapeaux tous les jeunes aptes à servir le pays et trois de mes frères risquaient de partir pour la guerre d'une journée à l'autre.

Mon père, qui faisait de la politique active au sein du Parti libéral, avait quelques contacts. Il avait réussi à exempter Émile et Roger du service militaire, ces derniers travaillant pour des cultivateurs reconnus. Mais l'inévitable est arrivé. Un matin, le facteur s'est présenté avec une lettre d'Ottawa «invitant» Maurice à se rapporter à l'armée. Il a servi longtemps à Kiska, dans les îles Aléoutiennes, au nord du Yukon.

Maurice m'a écrit tous les mois durant son séjour dans l'armée. J'ai conservé toutes ses lettres dans mes archives. Il est venu me visiter à quelques reprises, et j'étais très fier de lui. J'ai toujours eu beaucoup d'estime pour mon grand frère. C'était un gars toujours prêt à aider les autres, un exemple à suivre. Entre autres occupations, il a servi pendant 16 ans, la Ville de Sainte-Catherine, non loin de Montréal, à titre de conseiller municipal.

Une autre école...

Après mon désapointement à l'école Saint-Stanislas, j'ai fait mon entrée au Business College Châtelain, rue Saint-Denis, près de Bélanger. Je me suis inscrit aux cours d'anglais, de dactylo et de comptabilité. Là, les élèves étaient des durs pour la plupart. Plusieurs avaient été rejetés de leur école et s'inscrivaient uniquement pour faire plaisir à leurs parents fortunés. J'en suis quand même sorti avec un bagage de connaissances me permettant de faire face à la musique. Durant mon séjour au Business College, des citoyens de la paroisse ont fondé la Caisse populaire Desjardins de Saint-Bernardin. Monsieur Joseph Robin en était le président et monsieur J.-Louis Huot, le secrétaire-gérant. Ce dernier était également secrétaire-trésorier de Ville Saint-Michel.

Après entente, la Caisse populaire a ouvert ses portes dans les bureaux de l'hôtel de ville les mardis et vendredis soirs seulement, entre 19 h et 22 h. Monsieur Huot m'a alors approché pour participer à la fondation de la Caisse.

J'y ai travaillé bénévolement deux soirs par semaine pendant un an. J'étais fier et heureux de prendre part à cette entreprise. Monsieur Huot a été un véritable professeur de finances pour moi. Un dimanche par mois, je me rendais chez lui et nous balancions les comptes de la Caisse à nous trois, lui, son épouse et moi. À mon départ de la Caisse populaire, on m'a remis 25 dollars en guise de remerciement de mes services. Celle qui m'a remplacé n'était nulle autre que ma première blonde, Lorraine Saint-Louis.

Recherche de l'emploi idéal

C'est d'ailleurs cette dernière qui m'a offert mon premier emploi. À dix-huit ans, je voulais travailler comme commis de bureau, mes capacités physiques ne me permettant pas autre chose. Ma première idée avait été de devenir barbier. Après tout, j'avais trois ans d'expérience dans le domaine. Pourtant, le seul client que j'ai eu pendant cinq ans a été mon beau-père, Henri Massy.

Dans le village, on a su rapidement que je cherchais un emploi. C'est alors que Lorraine est venu m'offrir un poste dans une compagnie d'assurances, La Beloise, située au 360 de la rue Saint-Jacques, à Montréal, à raison de 11 dollars par semaine. J'ai classé des polices d'assurances pendant plus de trois mois.

Après cette période, j'ai eu l'idée de demander une augmentation de salaire, ce qui a eu pour effet d'insulter le patron, monsieur Ted Johnson, au plus haut point. Il m'a répondu, en anglais, que les Canadiens-français voulaient la lune sans avoir aucune expérience. Il ne parlait pas un mot de français. Pauvre Lorraine! Elle en a été très peinée.

Étant actif dans différentes organisations paroissiales, je commençais à connaître beaucoup de monde. Entre autres, monsieur Alfred Dionne, qui était devenu président de la Société Saint-Jean-Baptiste (SSJB). Il m'a suggéré de me rendre avec lui au CN où il était télégraphiste depuis plus de 20 ans. J'ai donc rencontré monsieur John Taylor, responsable de l'engagement des nouveaux employés. Sans un mot de français, il me remis une fiche à remplir... en anglais. Francophone comme je l'étais, je n'ai pu répondre à certaines questions difficiles.

Lorsque monsieur Taylor est revenu me voir, je lui ai demandé une fiche en français, puisque le CN était une société canadienne. Sa réponse a été simple : il a pris la fiche que j'avais commencé à compléter, l'a levé à la hauteur de mes yeux et l'a déchiré en me suggérant aussi d'aller apprendre mon anglais avant de repostuler un emploi dans l'entreprise.

Ma fierté en a pris un coup. Je pense que c'est à ce moment précis que je suis devenu «nationaliste à haut voltage». Je n'ai plus eu alors qu'une idée en tête : montrer à ces Anglais ce qu'un petit Québécois peut faire dans la vie.

Pour monsieur Dionne, le désapointement a été encore plus grand. Même s'il était président de la SSJB, combien de fois il avait été obligé de s'abaisser devant les Anglais afin de conserver son poste. Mais il avait une femme et cinq enfants à faire vivre...

Comme il faut bien avoir quelques sous en poche, mon frère Roger, qui était alors papa de trois enfants, m'a aidé à décrocher un emploi dans l'épicerie où il travaillait comme livreur. Je suis donc entré chez Basil Bros, située rue Saint-Laurent près du boulevard Dorchester aujourd'hui boulevard René-Lévesque, tous les samedis de 8 h 00 à 21 h 00 pour la modique somme de cinq dollars par jour. Le midi, j'avalais un hot-dog à 5 cents sur Saint-Laurent et le soir, je mangeais du spaghetti chez *American Spaghetti*, Coke inclus pour 35 cents. J'ai conservé cet emploi pendant près de deux ans.

La politique

Mon père était un homme politisé jusque dans la pointe des cheveux. Il était «rouge» sans limite. Il ne comprenait pas qu'un «bleu» de l'Union nationale puisse aller recevoir la communion le dimanche, tellement il était partisan. Il faut dire que le parti de Maurice Duplessis était corrompu jusqu'à la moelle.

Alors, dès mon retour du juvénat, j'ai suivi les activités politiques, assistai aux assemblées publiques et aidé mon père, responsable du Parti libéral pour le secteur Saint-Michel.

Dès l'âge de 20 ans, je me suis joint à l'Association de la jeunesse libérale de la circonscription Honoré-Mercier. Le 9 décembre 1950, une soirée dansante s'est tenue sous la présidence d'honneur de monsieur Marcel Monette. L'Association de la jeunesse libérale m'avait confié la responsabilité de l'organiser.

Le samedi 3 mars 1951, j'ai été invité à rencontrer, à la salle paroissiale Sainte-Madeleine-Sophie, monsieur Georges-Émile Lapalme, chef libéral provincial du temps. Tout un honneur pour moi, car monsieur Lapalme a été l'un des chefs les plus honnêtes, les plus vrais et respectés que le Parti libéral ait connus.

Papa était demeuré actif en politique. Il était de toutes les élections fédérales, provinciales et municipales. Il était toujours du côté du Parti libéral, toujours du côté des perdants. Alors que Duplessis régnait sur le Québec, nous, nous subissions défaite après défaite avec le pauvre Georges-Émile Lapalme. Toute la famille participait au travail électoral. Le soir des défaites, la famille Constantineau venait nous narguer en faisant brûler un bonhomme de paille devant notre porte.

C'était d'ailleurs un Constantineau qui contrôlait, dans le secteur de Saint-Michel, les travaux de construction du pont de l'autoroute du Nord (l'autoroute 15) reliant Montréal à Laval. Il avait décidé de faire payer aux Gravel leur allégeance politique en congédiant mon frère Émile qui travaillait à la construction de ce pont.

Émile, qui travaillait dans les caissons au fond de la rivière des Prairies, a été sommé de remonter à la surface pour laisser la place à un «bleu». Cet événement s'est passé vers 10 heures. Vers 15 heures, la même journée, il a eu un accident et les deux employés qui se trouvaient à l'intérieur du caisson sont malheureusement restés au fond de la rivière, y compris celui qui avait remplacé mon frère... On peut dire que les allégeances politiques d'Émile lui ont sauvé la vie.

Par la suite, j'ai été nommé président de la section jeunesse du Parti libéral. J'organisais des assemblées publiques à la salle paroissiale où je présentais les candidats au micro lors des élections. J'étais également très actif à l'intérieur du parti. On m'avait d'ailleurs remarqué pour mon ardeur, mon habileté et mes ruses.

Lorsque le temps des élections municipales est arrivé, le maire de Saint-Michel, Paul Racette, a eu un concurrent de taille en la personne de Charles Lafontaine. Au départ, ce dernier n'avait pas grand chance de gagner puisqu'il était inconnu dans la ville. Tout ce qu'on savait de lui, c'est qu'il était gérant général de la Carrière LaSalle dont les bureaux faisaient face à la boulangerie Robin. Il demeurait dans le nouveau Rosemont rue des Épinettes. Il était voisin de Jean Drapeau. Afin d'avoir un peu plus de cartes dans son jeu, il a fait le tour de la ville et conversa avec à peu près tout le monde. Partout où il allait, on lui conseillait de s'adresser à la famille Gravel s'il voulait avoir un bon soutien. Nous connaissions tous les résidents de Saint-Michel par leur petit nom. Nous savions qui était «bleu» et qui était «rouge», qui avait eu des problèmes avec le maire sortant, qui se cherchait un emploi, où travaillait le monde, etc.

Toujours est-il que monsieur Lafontaine a rencontré mon père pour lui demander le soutien de la famille lors des élections municipales. Ce dernier lui a conseillé de s'adresser à moi, lui promettant que mes décisions dans cette affaire seraient respectées par toute la famille.

J'ai ainsi rencontré «Charlie», qui m'a demandé froidement ce que je voulais en échange de l'aide que ma famille lui apporterait durant la campagne électorale. Un emploi pour mon père? mes frères? une somme d'argent pour toute la famille? Mais moi, ce n'était pas cela qui m'intéressait. J'avais enfin une chance de régler certains vieux comptes de famille. Vous vous rappelez l'incident des coupons aux chômeurs où mon père avait été frappé à cause des agissements du chef de police? J'ai alors raconté les événements du passé à Charlie, et lui ai demandé comme seul salaire, la démission du chef de police -qui était toujours en poste- et, si possible avec fracas. J'ai aussi demandé qu'un voisin puisse reprendre son emploi -qu'il avait perdu dans le Service de la police parce qu'il était un ami de la famille- avec promotion, s'il vous plaît.

L'entente a été conclue d'une bonne poignée de main, et toute la famille Gravel s'est mise à l'ouvrage dès le lendemain. Jour et nuit, nous avons posé des affiches sur les poteaux, fait du porte-à-porte, une vraie cabale contre le maire Racette. Le jour des élections, tout s'est passé dans le calme, sans bavure. Charles Lafontaine a été élu maire de Saint-Michel.

Trois jours plus tard, il me téléphona, me priant de passer à son bureau le plus vite possible. Il avait envoyé des agents de la police provinciale en civil à la maison du chef Parenteau pour lui proposer une entente avant les changements qui s'annonçaient à la mairie.

49

Il semblait que le chef de police avait accepté de bonne grâce l'argent offert, mais malheureusement pour lui, l'argent était marqué et des policiers attendaient à la porte. Dans la même vague de règlements de comptes, deux échevins avaient dû donner leur démission à la suite d'une histoire de pot-de-vin. Charlie avait largement respecté l'entente conclue d'une simple poignée de main.

Par la suite, à la veille des festivités de Noël, il m'a demandé d'organiser une visite à l'orphelinat situé boulevard Saint-Michel, près de Jean-Talon; tout le monde l'appelait la Crèche Saint-Michel. Il a fait remplir un camion plein de cadeaux pour les 400 enfants orphelins, leur prodiguant ainsi un peu de bonheur. Charlie était devenu un héros dans l'esprit de bien des gens. Cependant, après quelques années de pouvoir, nous avons vite réalisé qu'il n'était pas un enfant de chœur. Nous avons donc cessé complètement toute relation avec lui.

Le 17 septembre 1946, j'ai été élu trésorier de la Société Saint-Jean-Baptiste de Saint-Michel. Alfred Dionne était alors président, Marcel Marois secrétaire et André Lafitte, vice-président.

Entrée dans le monde du transport

À la suite de mon expérience au CN, je me suis rendu avec ma sœur Thérèse au bureau de placement pour voir M. Wilfrid Boisvert. Je lui ai raconté une partie de ma vie. Il a regardé ses dossiers un par un, et m'a dit qu'il avait ce qu'il fallait pour moi : une maison canadienne-française en activité depuis 1899. Il n'y avait pas d'erreur dans l'esprit de monsieur Boisvert : c'était exactement le job pour moi. Et il ne s'était pas trompé.

Il a pris un rendez-vous pour moi avec J.B. Baillargeon Express Ltée, située au 423 de la rue Ontario Est, à l'angle de Saint-Denis. C'était la plus grosse entreprise de transport au Québec avec trois services complètement indépendants : le transport longue distance, l'entreposage et les transports lourds en tous genres. La compagnie avait besoin d'un jeune (en 1947, j'avais 19 ans) sérieux pour classer des milliers de factures, en deux exemplaires, par ordre numérique, ainsi que les connaissements des envois; avancement possible mais non garanti. J'ai flairé la bonne affaire, et en plus, il fallait bien que je commence quelque part.

Je suis donc allé chez J.B. Baillargeon pour y rencontrer le gérant du bureau, M. Marcel Mercure. À mon sens, il s'agit de l'homme le plus complet que j'aie jamais rencontré de toutes mes années dans l'industrie du camionnage. Après deux heures d'une discussion chaleureuse, monsieur Mercure s'est levé et m'a tendu la main en me lançant : «Tu es le jeune que je cherche. Tu commences lundi, 8 heures, à 18 dollars par semaine. Je suis certain que tu vas aller loin dans l'industrie.»

Un compagnon de travail s'est joint à moi deux semaines plus tard. Raymond Villeneuve a passé sa vie entière dans l'industrie, comme moi, mais je me suis toujours fait un malin plaisir de lui rappeler que j'avais plus d'ancienneté que lui (15 jours pour être précis).

Chez J.B. tout le monde était un peu parent : neveu, oncle, fils de... J'étais à peu près le seul à ne pas avoir de lien de parenté avec les autres employés. Plusieurs passaient des heures à la taverne du coin le midi, et chacun d'eux me demandait de faire un bout de travail pour compenser sa perte de temps. Alors, pendant deux ans, j'en ai pris, de l'ouvrage : m'occuper des réclamations, faire la facturation, répondre au répartiteur etc. Moi, je ne prends pas un coup, je travaille.

Un jour, le grand patron -directeur général de la vente et du trafic, P.A. Marchand -m'approche et me confie qu'il n'y a aucun Canadien français au Québec qui connaisse les rouages des taux de l'industrie ou la classification de la marchandise, et qui sache les lire et les expliquer. Il voulait faire de moi un spécialiste dans l'industrie du camionnage au Québec. Mon salaire est passé à 35 dollars par semaine. Je travaillais deux ou trois soirs de 19 heures à 22 h30 comme substitut pour faire la facturation à la machine à écrire. J'y gagnais 2,50 $ par soir. En plus de ça, je travaillais toujours chez Basil le samedi.

À ce moment-là, monsieur Jean-Baptiste Baillargeon, propriétaire de J.B., voyait beaucoup plus loin que la majorité de ses compétiteurs. Il avait été le seul au Québec à obtenir un permis de transport entre Montréal et Toronto.

Les taux de transport interprovinciaux étaient très bien structurés, contrairement aux taux provinciaux. J'ai alors été désigné à 22 ans pour suivre les assemblées à Toronto, Ottawa et Montréal. J'étais le seul employé canadien-français. Mes professeurs du temps étaient Harry et Ted Smith -deux vrais pionniers du transport-, propriétaires de Smith Transport, Wilf Gareau de Kingsway, Earl Noel, propriétaire de Overnite Express, Mort Kreadon, propriétaire de Reliable, et Joe Perkins, propriétaire de Taggart Service. Faisait aussi partie du groupe Albert Desrosiers, propriétaire de Montréal-Ottawa Express, considéré comme l'un des meilleurs jeunes opérateurs du temps. Tous me traitaient aux petits oignons, car on voyait en moi l'un des seuls gars capable d'apprendre les rouages rapidement et d'être ensuite en mesure de former un bureau de tarif au Québec. Toutes ces compagnies desservaient beaucoup de villes québécoises, mais la langue était un obstacle pour eux. À part Albert Desrosiers, aucun de leurs dirigeants ne parlait un mot de français. À ce moment-là, les contacts entre camionneurs québécois et interprovinciaux étaient à leur plus stricte minimum. Les Guilbault, Thibodeau, Beaulieu, Dumont, Bellechasse et Dolbec faisaient leurs transports au Québec et ne se souciaient pas tellement des gars de l'Ontario.

Le sens des affaires

J'ai alors conclu une entente avec ma mère : je lui payais une pension de 10 dollars par semaine et je payais toutes mes affaires moi-même. Les autres n'avaient jamais «marchandé» comme ça. De mon côté, je ne faisais aucune dépense superflue, et j'ai ouvert un compte à la Caisse populaire Saint-Bernardin.

Pendant ces trois années, j'ai quand même fait autre chose que travailler. J'avais tellement vu la pauvreté, jeune, tellement vu mes frères travailler dur pour quelques dollars que moi, j'avais décidé de faire beaucoup de choses en même temps, tout en accumulant rapidement des économies.

Pour moi, à cette époque-là, les sports, le golf et les tournois, la danse, c'était du temps perdu, et tout mon temps était employé à produire quelque chose, à rapporter de l'argent ou à apprendre quelque chose de nouveau. J'ai fondé mon premier commerce avec Jean Constantineau, qui était mon meilleur ami depuis l'enfance. Il est devenu artiste-peintre comme son père, Fleurimont Constantineau. Vous avez pu admirer ses créations à la télé de Radio-Canada pendant plus de vingt-cinq ans.

Fleurimont Constantineau nous a acheté une tonne de plâtre en poches, et nous, nous avons fourni la gélatine et le talc nécessaires à la fabrication de figurines. Nous nous sommes concentrés sur les représentations de la Vierge et de Saint Joseph, personnages toujours très populaires, et avons vendu ces figurines partout dans la ville.

En fait, nous avons littéralement envahi tout ce qui s'appelait activité paroissiale de quelque nature qu'elle soit, sans parler de nos familles respectives ainsi que les voisins. Notre commerce a bien prospéré pendant plus d'un an, mais après cette période, notre marché était saturé et nous avons dû arrêter.

Implication au travail

Après mon entrevue avec monsieur P.A. Marchand, je me suis inscrit à des cours par correspondance à l'Université LaSalle, de Chicago. J'ai ainsi suivi des cours reliés strictement au transport : trafic, manipulation de marchandises, tarifs, ventes... Pendant deux ans, je me suis fait un horaire très stricte, mon dictionnaire anglais à mes côtés. J'ai obtenu une mention honorable, et mes résultats ont impressionné mes patrons. Ce geste de ma part devait m'aider énormément plus tard. J'avais payé tous les frais de ces cours de ma poche, mais pour moi, c'était un bon placement.

Juste pour donner une petite idée : en 1947, il en coûtait 50 cents pour faire la collecte d'un paquet de moins de 100 lb à Montréal pour être livré à Québec. Aujourd'hui, il en coûte plus de 30 dollars pour envoyer une enveloppe à Québec. En 1944, nos plus grandes remorques mesuraient 33 pieds, alors qu'aujourd'hui, elles en mesurent plus de 55. Quelques années avant mon arrivée dans l'industrie, une partie de la route entre Québec et Montréal était fermée l'hiver à cause du manque d'équipement et de budget pour le déneigement.

Le vendredi à 17 heures, je descendais par la ruelle Joly, coin Ontario, avec une boîte contenant de 50 à 60 payes en argent comptant. Les chauffeurs gagnaient alors un dollar de l'heure et travaillaient 10 heures par jour. Le samedi, ils travaillaient jusqu'à 15 heures. Les représentants visitaient les clients en tramway. Raymond Villeneuve a été un de ceux-là. Il ne se passait pas trois mois sans qu'on nous annonce qu'un de nos chauffeurs longue distance, bien connu de tous, avait été victime d'un accident.

Très souvent, l'accident était mortel. L'équipement n'était presque jamais vérifié et roulait sans arrêt. Durant la période de dégel, le poids de chaque remorque était limité, alors il fallait doubler les départs. Personne ne se sentait responsable. C'est avec l'arrivée des syndicats ouvriers que les améliorations sont apparues.

Première maison

J'ai été élevé dans une famille d'ouvriers de la construction. Étant le plus jeune des garçons, j'écoutais chaque jour mon père et mes frères parler de terrains et de maisons. Petit, j'aidais souvent mon père à tenir la planche qu'il sciait et, vers 18 ans, c'est moi qui faisais les plans de toutes les maisons que mon père bâtissait. Tous ces plans étaient faits à l'échelle et je n'avais jamais de difficulté à les faire approuver à l'hôtel de ville.

Un jour, nous décidons, ma sœur Thérèse et moi, de bâtir notre première maison sur la 10e avenue, à Saint-Michel. Nous faisions toujours de grands rêves pour notre avenir elle et moi. De plus, nous avions chacun de notre côté quelques économies. Comme je n'avais pas encore 21 ans, je ne pouvais pas emprunter, mais Thérèse, elle, le pouvait, et comme mes contacts étaient bons à la Caisse populaire, cela nous a permis d'emprunter mille dollars et d'acheter le terrain pour 50 dollars. Nous pouvions entreprendre la construction.

La politique aidant beaucoup, nous avons fait creuser le sous-sol et fait couler le ciment du solage à très bon prix. Je connaissais Gérard Miron, de Miron & Frères, car j'étais à ses côtés à l'assemblée du conseil municipal de Saint-Michel lorsqu'il a obtenu du maire Charles Lafontaine le permis d'exploitation d'une carrière à cet endroit. André Collins, mon futur beau-frère -un Irlandais pure laine -, m'aidait dans toutes les phases de la construction sous l'œil attentif et fier de mon père. Alors, ce qui devait arriver arriva : mon père nous offrit un prix très généreux pour notre première maison. Thérèse et moi la lui avons vendue illico, car nous manquions de capital pour la terminer.

Durant la construction, j'ai été à même de constater que les clous étaient très rares. Comme je travaillais toujours chez Basil Bros. le samedi, j'ai fait la rencontre d'un client, M. Louis Leboeuf, qui travaillait chez Omer De Serres à l'angle des rues Saint-Denis et Sainte-Catherine. Je n'ai pas été long à conclure une entente avec lui : il me trouvait des clous et je lui trouvais du beurre, autre denrée difficile à trouver à ce moment-là et dont il était grand consommateur.

Le mariage

Les affaires allaient bien, la politique aussi. Il y avait autre chose qui commençait à bien aller aussi... Les jeunes de l'époque, gars et filles, se donnaient rendez-vous au restaurant du coin, chez Roméo Masson. Le vénérable établissement était situé à l'avant du stade Masson, c'est-à-dire au coin de Jarry et du boulevard Saint-Michel, là où les grands lutteurs du temps se rencontraient.

C'était l'époque de Sam Chuck, de la Merveille masquée, des Dufresne, père et fils, Henri et Émile, des frères Bob et Paul Lortie et combien d'autres! Au restaurant, on achetait un Coke et on pouvait bavarder pendant des heures. C'était aussi l'endroit pour faire des rencontres...

C'est ainsi que mon cœur a fait la connaissance de celui d'une jolie jeune fille de 17 ans, Madeleine Massy. Nous aimions aller au cinéma le dimanche après-midi, au Théâtre Rivoli ou au Château, et nous nous fréquentions à travers toutes mes activités professionnelles et paroissiales. Plus de cent personnes ont assisté à nos fiançailles près de deux ans plus tard. Lorsque j'ai eu mes 21 ans, nous avons annoncé notre intention de nous marier.

Les parents de Madeleine, Henri et Rose-Anna Massy, n'ont pas lésiné pour le mariage de leur fille unique. Cette date mémorable, c'est le 13 août 1949. Plus de cent cinquante invités ont assisté à notre mariage. Pour notre voyage de noces, nous nous sommes rendus en train jusqu'au lac Vert, près de Mont-Laurier, où nous avons habité un chalet situé tout près du lac.

Notre vie de couple a commencé à l'étage, au 8428 de la rue Nicolet. Nous nous sommes installés en neuf : ensemble de meubles de chambre, de cuisine, de salon, glacière, poêle... Nous étions pressés de monter dans l'échelle sociale, de nous faire des amis, d'élever une famille.

Toujours le boulot

À peine revenus du voyage de noces, la course de la vie a recommencé : je me suis occupé du recensement lors d'une élection fédérale. J'allais de porte en porte à raison de 11 cents du nom. La journée du vote arrivée, j'étais en charge du bureau de votation. Les revenus amassés par mon travail à ces élections m'ont permis de payer mon poêle comptant.

De son côté, Madeleine a travaillé pendant un an à l'usine de fabrication de chemises Van Heusen. Par la suite, elle a ouvert avec sa mère un salon de coiffure qu'elles ont exploité pendant quelques années. Après entente avec sa mère, nous sommes déménagés en face de chez elle.

Une usine de fabrication d'ensembles de cuisine chromés s'était établie à l'arrière du logement que j'habitais au 8428 de la rue Nicolet, à Saint-Michel. Des problèmes de permis forçaient Mobilier Moderne Enr. à déménager, et le propriétaire, André Legault, n'en avait tout simplement pas les moyens. Voyant une autre bonne occasion d'affaires, je l'ai approché et lui fait une proposition : je plaidais sa cause à l'hôtel de ville -ce ne devait pas être un problème, puisque je connaissais bien le maire-, et il me donnait le droit d'acheter ses ensembles de cuisine au prix de gros pour les revendre avec profits.

Je pris donc rendez-vous avec Charles Lafontaine pour lui parler des problèmes de mon voisin. Il m'a conseillé fortement de faire signer une pétition pour faciliter les choses.

Pétition en main, je suis revenu le voir 24 heures plus tard et le conseil municipal a accordé à André Legault le droit de rester dans ses locaux deux ans de plus. Je me suis fait vendeur sur demande en m'associant avec Jean-Noël Côté, employé de Mobilier Moderne et ami d'enfance. Le 19 octobre 1949, nous avons pris une raison sociale afin de légaliser nos ventes : Ameublements Saint-Michel Enr.

Pour nous faire connaître, nous avons organisé un tirage avec comme prix, un ensemble de cuisine. Les profits allaient être remis à la paroisse Saint-Bernardin. Nous faisions du porte-à-porte pour vendre nos billets et pendant nos visites dans les demeures, nous avions bien soin de prendre note des endroits où un nouvel ensemble de cuisine serait le bienvenu. Comme pour les statuettes de plâtre, j'ai réussi à vendre mon matériel à tout mon entourage (famille, amis, voisins).

A l'heure du lunch, je quittais l'édifice de J.B. Baillargeon pour me rendre au magasin Dupuis & Frères, rue Sainte-Catherine, dans le rayon des meubles. Je dépistais les gens qui se cherchaient de l'ameublement de cuisine et je leur donnais ma carte de visite aussitôt qu'ils sortaient du magasin. Grâce à mes prix plus que compétitifs, je vendais à tout coup.

La Maison Baillargeon avait aussi son magasin de meubles. Son gérant des ventes, Yvon Baillargeon, m'appelait lorsqu'il avait raté une vente de ses propres ensembles de cuisine. J'allais alors à la rencontre de mes futurs clients, leur vendais ma salade et le tour était joué. Mon frère Maurice nous aidait à faire la livraison avec son camion.

On pouvait faire jusqu'à 100 $ de profit sur un ensemble de cuisine. À côté de ce lucratif commerce, mon pauvre salaire de chez Baillargeon (35 $ par semaine) ne faisait pas le poids.

Première vente de terrain

C'est mon beau père Henri Massy qui m'a permis de faire l'acquisition de mon premier terrain. Un soir de 1950, il prenait un verre avec Louis Ahern, qui possédait un terrain rue Nicolet (10e avenue) à Saint-Michel. Ce dernier avait des problèmes familiaux et désirait vendre son terrain 350 dollars comptant. Naturellement, mon beau-père a pensé à moi et m'a téléphoné le lendemain pour me faire part de cette offre. J'ai donc rencontré cet homme et lui ai offert 300 dollars. Affaire conclue.

Deux ans plus tard, la rue était devenue un lieu privilégié des Italiens venus s'installer en grand nombre dans le secteur. Je leur prêtais mon terrain pour leur permettre de jouer à la pétanque. Je ne voyais pas d'inconvénients à ce qu'ils l'utilisent, puisque ça le gardait propre et prêt à être vendu en tout temps.

Lorsque j'ai commencé à bâtir ma maison à Roxboro, j'ai vendu ce terrain 2 000 dollars à Rocco, le leader des Italiens qui jouaient à la pétanque. Soit dit en passant, je crois qu'il ne participait pas seulement à des jeux très inoffensifs, car il a été retrouvé mort quelques années plus tard dans un champ abandonné.

Toujours est-il que cette transaction m'avait fait prendre conscience que l'achat et la vente de terrains était le meilleur moyen de se faire de l'argent en dehors de son travail régulier, surtout qu'aucun impôt n'était retenu sur les profits de transactions immobilières. Je crois que j'ai fait autant de transactions que de voyages. Il faut dire que les unes payaient les autres.

Promotion bien méritée

Chez J.B. Baillargeon, un beau matin de printemps, deux Anglais arrivent directement de Toronto. Tous les employés sont convoqués. On nous annonce que le Service du transport longue distance a été vendu à la maison Direct Winters de Toronto, filiale de la maison Dupont de Nemour New York. C'était pour moi l'occasion rêvée de bâtir mon avenir.

Nos nouveaux propriétaires, Direct Winters, avaient baptisé leur succursale du Québec J.B.B. Motor Express. Dans l'approbation de l'entente, la Régie du transport du Québec avait obligé la nouvelle entreprise à avoir son bureau chef à Montréal ou Québec. Cette décision de la Régie semblait de peu de conséquence, mais elle a été d'une importance considérable et vitale pour l'ensemble des employés. Ils ont donc construit un immense entrepôt très moderne sur Côte-de-Liesse, et toutes les opérations de comptabilité, de réclamations et de vente sont restées à Montréal. J'avais assisté avec fierté à la première pelletée de terre en compagnie de P.A. Marchand, W. Smith (président de Direct Winters Toronto), du maire de Saint-Laurent, monsieur Maurice Cousineau, de J.B. Baillargeon et de plusieurs autres personnalités.

Mon avenir dans la compagnie n'avait qu'un seul handicap : ma difficulté à parler anglais couramment. Je me suis donc inscrit au cours d'anglais qui se donnait tout près du bureau pendant plus d'un an. Mon avantage, c'était le bilinguisme. Comme ces messieurs, Cecil Hatton et Wild Male, ne parlaient pas un mot de français, ils avaient besoin de Québécois pour survivre au Québec.

À l'ouvrage, ça se précipitait : les nouveaux propriétaires étaient là pour faire des profits et les liens parentaux n'étaient plus valables, non plus que les visites à la taverne. Par contre, mon étoile à moi était au beau fixe : j'étais diplômé du LaSalle de Chicago. À la demande de P.A. Marchand, j'avais commencé à assister aux assemblées des taux à Montréal, Toronto ou Ottawa. Je devenais de plus en plus responsable de l'établissement des tarifs des succursales de Québec, Trois-Rivières et Shawinigan.

Mon chef de service, à cette époque, s'appelait Ulric Robert. Il avait sous ses ordres une quinzaine d'employés, comprenant secrétaire, commis à la facturation, employés à la vérification des factures, etc. Je voyageais de temps en temps avec lui. Comme je n'avais pas de voiture, je devais faire du pouce pour me rendre au bureau matin et soir, entre Côte-de-Liesse et Saint-Michel.

Ma première visite à Las Vegas, je l'ai faite à l'âge de 24 ans, c'est-à-dire en 1952. Las Vegas était alors une petite ville américaine, mais elle attirait déjà les vedettes internationales qui allaient s'y produire pendant des mois. Mon patron, Ulric Robert, avait des contacts là-bas par son frère médecin et nous avions été reçus, Madeleine et moi, dans la loge de Line Renaud, l'une des artistes françaises les plus connues à travers le monde à cette époque. Un garde-du-corps gardait la porte de sa loge et ne laissait pas passer n'importe qui, mais il nous a laissé entrer, nous. Madame Renaud connaissait beaucoup d'artistes montréalais elle s'informait de leurs carrières. Durant notre séjour, nous avons été hébergés par l'oncle de Madeleine, Gérard Leduc, qui avait émigré à Los Angeles quelques années auparavant.

Un lundi matin, Ulric Robert est passé au bureau pour me donner les instructions de la journée avant de se rendre à Trois-Rivières et Shawinigan -j'étais son assistant-, mais on n'a jamais vu Ulric Robert à Trois-Rivières ni à Shawinigan ce jour-là... Il était parti sur une cuite pour une énième fois.

La journée se passait comme à l'habitude, mais en revenant de dîner, j'ai senti qu'il y avait de la fébrilité dans l'air. J'étais à peine assis à mon pupitre que tous les employés se sont mis à applaudir. Qu'avais-je fait de spécial?

Durant l'heure du lunch, un avis officiel de la compagnie avait été affiché et tout le personnel avait eu le temps de le lire... sauf moi. Je ne comprenais toujours pas le pourquoi de ces applaudissements. Monsieur Hatton est alors apparu dans le cadre de la porte et nous a annoncé le départ de Ulric Robert ainsi que ma nomination au poste de «Trafic Manager» de Direct Motor Express (le nom de la compagnie avait été changé) pour tout le Québec. J'avais 23 ans.

Je me retrouvais ainsi avec une secrétaire, un bureau privé, un droit de regard à toutes les assemblées de la compagnie, un compte de dépenses, beaucoup de déplacements en perspective, la responsabilité de quinze employés, un droit de regard au Service des ventes... Ouf! Que de choses arrivaient en même temps! Après le départ de monsieur Hatton, je me suis assis et me suis mis à pleurer tellement les efforts que j'avais faits me revenaient tout à coup en mémoire.

Je me retrouverais au même échelon que P.A. Marchand, qui devait d'ailleurs demander mon autorisation avant d'accorder un tarif spécial à un client. Nous étions quand même de grands amis. Nous allions faire du ski ensemble dans le Nord en compagnie de nos épouses. J'allais dîner chez lui de temps à autre. Il me considérait un peu comme son fils.

Naturellement, après une telle promotion, je me devais de livrer la marchandise, et je l'ai fait. J'ai organisé le Service de trafic le plus efficace du Canada. Tellement efficace qu'on venait de partout pour prendre exemple sur mon système de gestion.

À 55 dollars par semaine, je n'étais pourtant pas très bien payé comparativement à d'autres employés de la compagnie qui résidaient à Toronto, qui avaient moins de responsabilités que moi et qui recevaient le double de mon salaire. Ce n'est qu'une fois le Service bien établi que j'ai bénéficié d'une augmentation hebdomadaire de 5 dollars.

Après deux années à suivre les assemblées du Bureau des tarifs de l'Ontario, j'ai été la première personne du Québec à composer et à rédiger une table de tarifs comparatifs au chemin de fer. Le dépliant avait été posté à plus de 2 000 clients au Québec; il contenait huit pages de clés et de renseignements concernant tous les points desservis par Direct. On ne m'a pas permis de signer cet ouvrage et j'ai été blessé par ce manque de délicatesse. Je n'étais pas trop jeune pour le rédiger, mais j'étais trop jeune pour en être l'auteur, disait-on.

Il va sans dire que tous les transporteurs importants du Québec s'étaient fait un devoir de se procurer un exemplaire de mon répertoire par toutes sortes de subterfuges plus comiques les uns que les autres. Tout ce beau monde, les transporteurs et expéditeurs, utilisaient ma table comme base. Il faut se rappeler qu'à ce moment-là, il n'existait rien sur les tarifs. J'avais convaincu mes patrons de Montréal et de Toronto que quelqu'un se devait de dépenser quelques centaines de dollars en temps, paperasse et timbres pour lancer dans le milieu l'idée de se grouper dans ce domaine. J'ai fait le même travail quelques années plus tard, à mon arrivée chez Montréal Ottawa Express.

Francine

À travers tout ce travail, je trouvais quelques moments pour la vie familiale, et après deux années de mariage, la cigogne nous a apporté une jolie poupée rose, le 2 août 1951. Qu'elle était désirée, cette enfant! Ma belle-mère et mon beau-père étaient aux anges. C'était la plus belle petite fille du village et de la famille. Nous l'avons baptisée Francine, mais je l'ai toujours appelée France.

Un peu de sport

Après ma sortie du collège, ma vie sportive avait été ralentie considérablement par les études, le travail, la politique et la famille. Cependant, mon oncle Jimmy Peters était en charge de tous les terrains de tennis de la Ville de Montréal, y compris ceux du parc Lafontaine, et il me permettait d'y entrer gratuitement.

À ce moment-là, le parc Lafontaine était le plus bel endroit du Québec pour jouer au tennis. C'est là que j'ai eu la chance de faire la connaissance des Rochon, Godbout, Laverdure et Murray, les plus grands as de la raquette que le Québec ait produits. J'ai joué deux ans sur les courts de la Ville de Montréal grâce à l'oncle Jimmy. Ce dernier était d'ailleurs reconnu comme étant l'homme le plus compétent du Québec pour ériger et entretenir les courts de tennis. Ce fut d'ailleurs sa vocation pendant plus de trente-cinq ans.

Influence maternelle

Un jour, ma mère m'a appelé pour m'apprendre que mon beau-frère Donat Duquette avait laissé la ferme de son père à Saint-Augustin-des-Deux-Montagnes. Il cherchait un emploi à Montréal et il ne connaissait personne. Elle m'a signalé rappela que j'étais bien chanceux d'avoir un plein emploi, un salaire toutes les semaines et tout et tout. J'ai fait engager mon beau-frère de nuit chez Direct Motor à la plate-forme. Il devait entre autres conduire les tracteurs et de garer les camions.

Quelques mois plus tard, j'ai reçu un autre coup de fil de ma mère -elle faisait toujours ces choses-là par téléphone- m'annonçant que mon père ne travaillait plus. Elle m'a répété encore une fois que j'étais bien chanceux d'avoir un emploi, et tout et tout. J'ai rencontré le responsable des opérations, Philippe Saucier, qui me devait quelques services. On a déplacé un employé, et j'ai fait entrer mon père exactement pour le travail que ma mère m'avait demandé : faire le nettoyage, le balayage et l'époussetage des bureaux la nuit. Tout allait bien. Tout le monde était heureux.

Cependant, trois semaines plus tard, autre téléphone de ma mère, désespérée. Mon père n'était plus intéressé au travail et il ne rentrait pas le lendemain. J'ai donc appelé mon frère Roger à toute vitesse et je lui ai demandé de m'aider. Le samedi matin, nous nous sommes rendus au bureau, avons fermé à clé toutes les portes avons baissé les rideaux -il ne fallait pas qu'on me voit, j'étais quand même un des cadres de la compagnie- et c'est nous qui avons lavés, ces maudits planchers.

Petit farceur

Le 8 décembre 1951, les chefs de service chez Direct Motor Express de Montréal et leurs assistants, une vingtaine d'employés, étaient invités au Royal York Hotel de Toronto pour le 15e anniversaire de la maison-mère, la Direct Winters Transport.

Tout le groupe a pris le train le vendredi soir à la gare Windsor et le «party» a commencé. Tout était aux frais de la compagnie : le wagon-restaurant et les deux wagons-lits qui nous étaient destinés, ainsi que la boisson, bien entendu. J'étais le seul à ne rien boire -j'ai pris mon premier verre d'alcool à l'âge de 24 ans et mon dernier à l'âge de 53 ans-, mais j'en ai profité pour jouer quelques tours.

Mon ami Jean-Pierre Gagnon (responsable des réclamations) et moi, nous avons enlevé les matelas de ceux qui avaient un peu trop bu. Nous avons également mélangé quelques paires de souliers. Comme il y avait deux wagons, nous attachions un soulier du wagon A, à un soulier du wagon B. Cette nuit-là, certains ont trouvé que les matelas du CN n'étaient pas très confortables et les autres ont eu quelques maux de tête à retracer leurs chaussures.

Mon voisin de couchette, Lucien Sauvé, s'était bien promis de jeter par le châssis celui ou ceux qui avaient fait le coup. Je lui ai répondu en toute candeur: «Ne le manque pas,» lui ais-je répondu sur un ton innocent. Je dois avouer qu'arrivé à destination, je n'étais pas très fier de mon groupe aux festivités de Toronto.

Les Aviseurs en taux de transport

Toujours en 1951, messieurs P.A. Marchand, Raymond Vachon (propriétaire de Dumont Express) et Camille Archambault (vice-président exécutif de l'Association du camionnage du Québec) se sont rencontrés lors d'un repas d'affaires et ont parler de la situation désastreuse dans laquelle se trouvait toute l'industrie du camionnage au Québec. Situation due au manque de contrôle sur les tarifs par l'ensemble des transporteurs : chacun d'eux avait ses taux préférentiels pour les clients et ainsi de suite. Par exemple, quatre expéditeurs de chocolat avaient des taux complètement différents pour la même destination. Un véritable marasme.

Ces messieurs étaient d'accord sur le fait qu'il y avait un problème, mais ils ne savaient pas par où commencer pour le régler. Ils ne savaient pas comment structurer et organiser toute cette affaire. Monsieur P.A. a alors pris la parole pour proposer un jeune homme, celui qui, à 23 ans, était le plus grand spécialiste des taux du transport au Québec : Bernard Gravel. Wow! Quel défi!

Ma première suggestion a été d'attaquer la question du transport entre Montréal et Québec. Si l'on réussissait avec cette zone-là, le reste de la province suivrait sûrement. L'idée était que les transporteurs mettent cartes sur table. Chacun devaient ainsi révéler ses prix spéciaux devant ses compétiteurs.

de rancunes que l'on mettait sur la table. Étaient présents : Paul Lafrance et Antonio Portelance, de Guilbeault; Wilf Gareau et Paul Dagenais, de Kingsway; Ted Smith et J.P. Parent, de Smith; René Bussières, de Bellechasse; Yvon Dolbec, de Dolbec Transport; Lucien Thibodeau, de Thibodeau Transport; et Raymond Vachon de Dumont Express.

Dès le début de cette ère nouvelle, je jouissais d'un certain respect de la part de mes amis de l'Ontario qui ne demandaient pas mieux que de me voir faire ce travail. Ils savaient que je venais de leur école, alors ils ne voyaient aucun inconvénient à notre projet, puisque je surveillais indirectement leurs intérêts.

J'avais d'abord exigé que toutes les assemblées se fassent en français. Je voyais là la possibilité pour les nôtres de monter dans l'échelle du transport au Québec chez les transporteurs ontariens. Quelques-uns des mes amis ontariens ont eu de la difficulté à accepter cette proposition. On ne m'avait pas vu venir à ce sujet-là, et pourtant, on aurait dû. Au cours des années, plusieurs nouveaux joueurs se sont joints à nous: Léo Charron, Marcel Tremblay, Raymond Villeneuve, Denis Moreau, Réjean Demers, Pierre Mercure, Pierre Paquette et Paul Dumas.

Camille Archambault, alors vice-président de l'Association, assumait la responsabilité administrative. Il était le mieux placé pour gérer cette nouvelle formation. Nous avions engagé Georges Roy, qui était à l'emploi des chemins de fer, pour diriger nos assemblées et notre paperasse. Plusieurs années plus tard, son fils Léo -un de mes grands amis- a pris la relève.

On notera que plusieurs années plus tard, un autre de mes grands amis créera son propre bureau de tarifs : Gaston Pelletier. Quel caractère! Quel homme! Que de générosité chez ce personnage! Nous avons passé ensemble une semaine de vacances en Floride avec nos épouses. Je me souviens encore des coups pendables qu'il pouvait faire...

Quelque temps après avoir mis en marche le système de taux entre Montréal et Québec, toutes les entreprises concernées du Québec se sont regroupées au sein du Bureau des tarifs. Nous avions une assemblée chaque mois pour accepter ou rejetter les demandes des membres transporteurs de baisser ou d'augmenter les taux de leurs clients.

Certains petits transporteurs venaient à ces assemblées uniquement lorsqu'ils étaient concernés. Alors, ils n'étaient nullement au courant des règlements du Bureau et de la façon de présenter leurs demandes. A titre de membre fondateur, j'en connaissais toutes les facettes. Tous ces petits camionneurs me connaissaient et venaient s'enquérir auprès de Paul Dagenais ou moi-même sur les raisons liées à l'augmentation ou la diminution de leurs tarifs. Dans certains cas, des clients voulaient profiter de l'ignorance des petits transporteurs pour exiger des baisses de tarifs. Des baisses susceptibles de diminuer leurs revenus de 10 000 dollars par année.

Avec l'aide de J.-P. Parent, de Smith, j'essayais de les conseiller pour le bien de leur maison. Dans certains cas, nous leur disions de se battre pour obtenir une réduction de tarifs pour que le client le sache et, de notre côté, nous faisions en sorte que la proposition soit défaite. Mon gars partait bien heureux de sa visite à Montréal.

Tous ces petits contacts m'ont beaucoup aidé plus tard, au moment où j'ai acheté le *Guide du transport.* Quand j'allais voir les transporteurs, j'avais toutes les portes ouvertes devant moi et je n'avais aucune peine à vendre des espaces publicitaires pour le *Guide.*

Après plusieurs années de travail, c'est avec un grand plaisir que nous avons appris la nomination de Pierre Paquette et de Paul Dumas à titre de commissaires à la Régie des transports. Ces deux hommes apportaient avec eux des années d'expérience dans le transport et ils ont pu, à leur façon, aider grandement l'industrie du transport en général.

Revenons à Marcel Mercure, celui qui m'a donné ma première chance dans l'industrie en m'engageant chez J.B. Baillargeon. Il avait quitté J.B. pour travailler chez Champlain Express, dont le propriétaire était Maurice Parenteau, considéré comme le meilleur administrateur de son temps. Eh bien, monsieur Mercure avait fondé sa propre compagnie de transport, Mercure Express. Il avait un permis pour faire le transport entre Montréal et Trois-Rivières et un autre permis pour le transport entre Trois-Rivières et Québec. Cependant, il faisait du transport Montréal-Québec.

Il prétendait que ses deux permis lui donnaient ce droit. Cette situation créait un conflit au nouveau Bureau des tarifs : il ne pouvait participer aux réunions, car il n'avait pas de permis. J'ai alors demandé à être mandaté par le groupe pour rencontrer Mercure et lui faire une offre formelle : il obtiendrait son permis Montréal-Québec sans aucune objection de la part du groupe et il deviendrait membre du Bureau des tarifs, ou on le traduirait devant la Régie et il perdrait le droit qu'il prétendait avoir, mais qu'il n'avait pas vraiment. La proposition a été acceptée.

J'ai ainsi pris rendez-vous avec lui et je lui ai exposé les faits. Prompt comme un éclair, il m'a indiqué la porte. Il ne voyait en moi que le jeune morveux de 18 ans qu'il avait connu qui se mêlait de lui donner des leçons de permis. J'ai eu beau le supplier de me faire confiance et son père qui était présent lui a demandé de m'écouter, rien n'a servi. Quelque trois mois plus tard, le permis qu'il croyait posséder lui permettant de faire Montréal-Québec était annulé par la Régie des transports et plusieurs de ses véhicules remisés.

Un certain nombre d'années plus tard, je l'ai rencontré à une partie d'huîtres au Traffic Club of Montréal. Il m'a regardé dans les yeux et m'a dit qu'il avait toujours regretté de m'avoir mal reçu lorsque j'étais venu lui tendre la main. Il a reconnu qu'il n'avait vu en moi que le petit gars en culottes courtes, mais pas l'homme de confiance que j'étais devenu dans l'industrie. J'ai toujours été peiné de cette aventure. Peut-être aurait-il fallu qu'un autre que moi se présente à son bureau ce jour-là, mais enfin...

Marcel Mercure a été le père d'un brillant jeune homme du transport, Pierre Mercure. Ce dernier a occupé les plus hauts postes dans l'industrie. Il a été président du Club des professionnels en 1994. J'ai connu Pierre alors qu'il avait cinq ans.

Et le travail continue

Au bureau, malgré tous les efforts réalisés, messieurs Male et Hatton n'étaient pas satisfaits des résultats. À leur avis, on réduisait trop les taux et les bénéfices s'en ressentaient. Comme j'avais élaboré un système permettant de dépister facilement les clients les moins payants, ces messieurs m'ont demandé de faire la «job de bras» : éliminer les clients qui demandaient beaucoup de volume, mais qui généraient peu de profit ou trop de réclamations.

Mais jouer avec les clients, c'était jouer dans les plates-bandes de P.A. Marchand, qui n'a pas mis de temps à remettre sa démission. Dans l'industrie, il était devenu une espèce de dieu. Très flexible avec les Anglais, il avait été président du Traffic Club of Montréal en 1949, tout un exploit dans le temps, pour un francophone. Il était habile pour gérer ses comptes tout en se faisant des amis. Une petite fête a été organisée en son honneur. La compagnie lui a remis un téléviseur, ainsi que plein de bons vœux pour le futur, tous plus hypocrites les uns que les autres.

Je réalisais peu à peu que j'étais arrivé dans la «Ligue nationale» et que ça jouait dur. Mais je voyais venir les coups à l'avance. Peut-être que mon goût du jeu d'échecs m'avait permis de développer certaines aptitudes de déduction.

Donc, au départ de P.A., j'avance d'un pion, mais je ne me sens vraiment pas reconnu pour le rendement que je donnais. Les patrons prennent mes rapports, les signent à ma place et les envoient à Toronto sans même mentionner mon nom.

Je vivais ma vie à toute vitesse. Je voulais arriver aux plus hauts niveaux et je n'avais qu'une vie pour le faire. J'ai toujours eu peur de manquer de temps. La gloire du titre, du bureau privé, du respect des employés, des voyages ne me suffisaient plus. J'étais l'employé le mieux placé du Québec pour apprendre les rouages les plus subtils du transport dans tous les détails, et mes patrons de Toronto étaient passés maîtres dans l'art de gérer ce secteur. Mais moi, je n'avais pas l'intention d'attendre 25 ans pour avoir une montre en or et un téléviseur.

Un jour, mon père est venu me visiter à mon bureau. Il a manqué perdre connaissance quand la réceptionniste lui a demandé s'il avait un rendez-vous. Il n'a pas hésité à répondre qu'il n'avait pas besoin de rendez-vous pour voir son fils, et quand ma secrétaire l'a amené dans mon bureau, il regardait de tous les côtés d'un air gêné. Il est retourné à la maison tout décontenancé. Il ne me croyait pas les capacités d'avoir un job aussi important, avec bureau privé et secrétaire. À son avis, je devais faire très attention de ne pas perdre ma place, parce que je ne pourrais pas en trouver une autre. Il était certain que quelqu'un me protégeait. Il était difficile pour mes parents de penser qu'ils avaient mis au monde des gens d'affaires et je les comprenais très bien.

Chevalier de Colomb

Le 1er juin 1952, en compagnie de cinq autres employés de Direct Motor, dont Raymond Villeneuve, j'ai subi avec succès mon initiation chez les Chevaliers de Colomb du Conseil 3480. Notre parrain, Alban Boissonneau, était un chauffeur longue distance de la compagnie. La cérémonie a eu lieu dans la paroisse Notre-Dame-des-Victoires, dans l'est de Montréal, où résidait monsieur Boissonneau.

L'initiation a été difficile dans mon cas. Mon passé de juvéniste, de grand catholique et, surtout, de patriote, s'est quelque peu retourné contre moi. Je me suis retrouvé debout sur une table en train de prêcher mon nationalisme à un Anglais qui ne comprenait absolument rien de ce que je disais. Ça m'a complètement vidé. Je suis resté chez moi trois jours sans bouger après cette expérience. J'y avais goûté, croyez-moi!

Mais loin de me décourager, cet événement a constitué pour moi un élément déclencheur. Je savais maintenant que je m'impliquerais toujours plus dans le monde où je vivais, dans tous les domaines. Par la suite, j'ai participé à la fondation du Conseil des Chevaliers de Colomb de Saint-Michel. Il a fallu plus d'un an à raison de deux réunions par semaine pour l'avoir notre Conseil, qui portait d'ailleurs le numéro 3833.

Notre aumônier était l'abbé Alide Lessard; notre Grand Chevalier était Paul Neveu; moi, j'étais intendant. Notre première initiation s'est faite à l'école Saint-Bernardin le 27 juin 1954, et plusieurs autres ont suivi par la suite.

L'organisme en est un de générosité chrétienne et nous semions le bien autour de nous par des visites aux malades et l'organisation de bingos ou de tombolas pour amasser de l'argent qui servait à aider nos prochains, etc.

Les plus beaux souvenirs que je garde de mon séjour chez les Chevaliers de Colomb, c'est sans contredit la distribution des paniers de Noël aux familles défavorisées. En plus d'être très actif à la cueillette des denrées, je me faisais un devoir d'aller visiter une quinzaine de familles. Je ressortais des maisons parfois complètement bouleversé par la misère que j'y avais vue. Je restais marqué pour les semaines qui suivaient, et je me sentais plus obligé que jamais de travailler plus fort au redressement de certaines injustices de la société.

À 25 ans, j'accédais au niveau supérieur de la chevalerie, le 4e degré. Il va sans dire que j'étais le plus jeune du groupe et tout le monde était surpris de me voir là, mais comme j'en avais pris l'habitude, j'étais pressé de gravir les échelons. Il fallait que ça bouge. En tout, je me suis investi pendant 15 ans dans cet organisme et j'en garde d'excellents souvenirs. De cette époque j'ai toujours ma cape noire et rouge de 4e degré ainsi que le chapeau dur qui complétait le costume. C'est mon fils Sylvain qui conserve religieusement l'épée du chevalier que j'ai été.

L'Ordre de Jacques-Cartier

À la suite de toutes mes actions bénévoles -et malgré mon amitié pour son adversaire Charles Lafontaine- Paul Racette, ancien maire de Saint-Michel, m'a approché pour faire partie de la «Patente», tout un honneur, vous pouvez me croire. La «Patente», c'était l'Ordre de Jacques Cartier, un organisme qui avait pris naissance dans la région de Hull.

Il s'agissait ni plus ni moins que d'un organisme de solidarité canadienne-française instituée. Il y avait très peu de membres, et ces derniers étaient triés sur le volet. Il fallait être Québécois, nationaliste «tricoté serré», grand catholique, avoir un bon passé de bénévole dans une organisation reconnue et avoir acquis une certaine notoriété. N'entrait pas qui voulait.

Société secrète, la «Patente» avait été fondée en réaction au pouvoir anglais omniprésent dans nos vies. Ses membres juraient fidélité à la cause, se devait de s'infiltrer partout. Quand une paroisse naissait, les membres, en harmonie avec le curé de la place, s'organisaient pour qu'y soit créée une branche de la SSJB, une caisse populaire et un Conseil des Chevaliers de Colomb, bref pour que les Canadiens français aient une place où exprimer leurs valeurs. On disait que des gens aussi connus qu'André Laurendeau, Gérard Filion, Émile Girardin et Jean Drapeau en faisaient partie.

Montréal-Ottawa Express

Au fil des mois, lors des assemblées des taux, je m'étais lié d'amitié avec Albert Desrosiers, fils de Joseph et de Marguerite Desrosiers, de Desrosiers Cartage, compagnie créée en 1924. On se rencontrait souvent aux assemblées et j'avais eu l'occasion de lui donner une couple de raclées concernant les taux, étant donné qu'il était plutôt expert en l'exploitation.

Malheureusement, le jour où son père a été victime d'un grave accident sur les terrains de la compagnie et a été écrasé entre deux semi-remorques, je n'avais pas d'auto et que j'avais une grippe effroyable. Je n'ai donc pu me rendre au salon funéraire et l'ai appelé pour lui offrir mes condoléances. Il en a profité pour me fixer un rendez-vous le mercredi suivant à midi chez Dagwood, restaurant très couru situé à Saint-Laurent, dont le propriétaire était Émile Paquette.

Il m'a alors déclaré qu'en raison du déçès de son père, il devenait responsable de Montréal-Ottawa Express et de Desrosiers Cartage, deux grosses entreprises de transport, l'une spécialisée en longue distance et l'autre en transport local. Il avait besoin d'un directeur de la vente et du trafic pour les deux compagnies... «Est-ce que ça t'intéresse?» m'a-t-il demandé. Je n'avais aucune expérience comme vendeur sur la route. J'avais fait de la vente par téléphone, mais jamais sur la route.

Quelques semaines auparavant, j'étais parvenu à obtenir une augmentation de cinq dollars par semaine chez Direct Motor Express, soit un salaire de 60 dollars par semaine. On m'avait bien averti de ne pas en demander plus, à cause du budget. Ma première question à Albert Desrosiers a ainsi eu trait au salaire, puis je lui ai rappelé que je n'avais pas d'auto. Il m'offrit sur le champ 10 000 dollars par année chez M.O.X. et une commission de 5 % du chiffre d'affaires pour chaque nouveau client amené chez Desrosiers Cartage. Il m'a proposé finalement d'acheter la Meteor rouge décapotable de son père avec mes commissions.

Alléguant le besoin de quelque temps de réflexion, je lui ai demandé les numéros de téléphone où je pourrais le rejoindre. Il aurait sa réponse deux jours plus tard. Deux jours qui m'ont semblé une éternité. J'ai demandé à rencontrer M. Cecil Hatton et lui ai remis ma démission. Par la même occasion, je lui ai conseillé de mieux traiter les Canadiens français, parce qu'ils étaient probablement son meilleur atout. Le lundi suivant, à 9 heures, je me suis présenté au bureau de M.O.X. C'était une cambuse : il n'y avait qu'un pupitre que personne ne prenait jamais et une chaise à laquelle il manquait des barreaux. Pas de secrétaire, pas de bureau privé : un gros départ modeste. J'avais en tête de changer tout cela.

J'ai rapidement fait le tour de M.O.X. Albert Desrosiers était un vrai gars de transport. Les véhicules (camions, tracteurs et remorques), plus de 100 unités de transport, étaient en parfait état ce qui aide pour donner du service à sa clientèle. La compagnie possédait un bureau et un entrepôt flambant neuf au 148 de la rue Spruce, à Ottawa. Le personnel était très compétent, tant à Ottawa qu'à Montréal.

La seule faiblesse de M.O.X. était son Service de la vente. À vrai dire, il n'existait tout simplement pas. Celui du trafic n'était guère mieux. J'ai commencé par poser des questions à tout le monde et à prendre des notes. Je faisais un peu peur aux employés, car je n'avais que 25 ans et n'avais aucune expérience de la route. Mais je me suis attaqué au problème sans plus tarder.

Un représentant de compagnie rencontrait en moyenne de cinq à six clients par jour. Moi, j'en rencontrais dix à douze sans arrêt. Tous mes compétiteurs devaient consulter leurs patrons de Toronto avant de prendre certaines décisions, et ils devaient souvent se battre pour faire valoir leur point de vue. Moi, j'avais pleine autorité pour régler les problèmes sur-le-champ, que ce soit pour le service, les taux ou une réclamation, et j'avais aussi pleine autorité sur tout le personnel, à Montréal comme à Ottawa. J'avais la confiance pleine et entière d'Albert Desrosiers.

Quand je suis entré en fonction, le chiffre d'affaires de l'entreprise oscillait entre 200 000 et 300 000 dollars. Trois ans plus tard, il avait dépassé le million.

Pour mon nouvel emploi, j'avais à me rendre régulièrement hors du Québec pour visiter mes clients à Toronto, Hamilton et Niagara Falls. Je devais donc me rendre souvent à l'aéroport de Dorval. C'est là que m'attendait un triste spectacle le lundi matin : les «boss» de Toronto arrivaient à plein avion.

Il fallait voir les Canadiens-français qui se présentaient à l'aéroport une heure à l'avance pour ne pas déplaire au patron. Le représentant, l'assistant, le directeur local de Montréal se précipitait sur la valise et la malette des maîtres.

Le soir venu, le plus haut placé de la divison Montréal se faisait un devoir d'inviter le grand patron de Toronto à dîner chez lui, et même à passer la nuit. C'était la façon d'obtenir des promotions, des augmentations de salaire. Aussi, quand j'engageais un représentant à temps partiel à Toronto, je m'assurais qu'il vienne me chercher à l'aéroport et je lui tendais ma valise, me disant à moi-même que c'était 1 à 1. Quel triste souvenir, n'est-ce pas? Heureusement, les temps ont changé... et certains nationalistes n'y sont pas étrangers!

Roxboro

L'année 1953 restera toujours pour moi une des plus fertiles en émotions. C'était l'année des bouleversements et du renouveau. Tout d'abord, j'ai eu mon nouvel emploi à titre de directeur général de la vente et du trafic chez M.O.X. et Desrosiers Cartage. Ensuite, j'ai fait mon entrée au Traffic Club of Montreal, au Motor Truck Club (on n'utilisait pas les traductions françaises, mais ça viendra) et au Ottawa Transportation Club. C'est également cette année-là qu'on débuté les travaux de construction de ma première maison, au 63 de la 4e avenue, à Roxboro.

J'avais toujours été locataire à Saint-Michel, j'avais décidé de bâtir ma propre maison. Je me suis mis à consulter les petites annonces de *La Presse*, surtout la rubrique «Bois usagé à vendre». Pendant des semaines, j'ai acheté tout le bois annoncé. Je m'étais procuré une vieille remorque que j'attachais à ma décapotable et j'allais chercher mon bois moi-même. Je classais mon bois selon le type de planches que j'avais, les 4 x 4 d'un coté les 2 x 8 de l'autre, etc.

J'avais également installé une lumière à l'extérieur afin de pouvoir travailler le soir. Alors, de 18 heures à 22 h 30, j'arrachais et je redressais les clous qui se trouvaient dans mes planches. J'en ai ramassé deux barils pleins. Les clous étaient toujours aussi difficile à trouver, je le rappelle.

Mon nouveau lieu de travail était à Lachine et je voulais bâtir une maison dans l'ouest de l'île. Je savais que pour arriver au sommet de la hiérarchie des affaires, il fallait résider dans l'ouest. Roxboro m'intéressait à première vue, mais il n'y avait à peu près aucun service : pas d'aqueduc, pas de réseau d'égouts, pas d'école, juste une petite chapelle. La ville était à bâtir au complet. J'ai quand même acheté un terrain entre le boulevard Gouin et la rivière des Prairies pour 425 dollars. Il y avait une plage tout près qui m'intéressait pour mes enfants.

J'y ai transporté mon bois dans une remorque semi-ouverte de 38 pieds de longueur par 7 pieds de hauteur; je n'ai pas eu besoin d'en acheter, j'en avais plus qu'il ne m'en fallait. J'ai fait approuver mon propre plan par la Ville et j'ai enfin pu commencer la construction par mon solage de blocs de ciment.

J'ai fait creuser mon puits artésien à l'avant et ma fosse septique à l'arrière. Chaque fin de semaine, j'organisais des corvées dans la famille; mon beau-père, ma belle-mère, ma sœur Thérèse et mon beau-frère André Collins venaient nous donner un coup de main. La semaine, un menuisier et son fils, Louis et Paul Fréchette de Saint-Michel, venaient continuer l'ouvrage.

Pour finir ma maison avant l'hiver, il me manquait 4 000 dollars. Pour arriver à mon échéance, je me suis adressé à Régina Desautels, qui demeurait rue Botrel, dans le quartier Notre-Dame-de-Grâce, à qui j'avais vendu un ensemble de cuisine chromé. Après une petite visite à Roxboro, elle a accepté de m'aider. Cette aide comportait certaines conditions, et je les ai acceptées bien volontiers.

C'est donc ainsi que j'ai dit adieu à Saint-Michel, ville où il faisait bon vivre et où j'avais tant de souvenirs et d'amis de longue date. Je suis resté cinq ans dans ma maison de Roxboro. Ce n'était pas le grand confort, mais nous étions chez nous. Je connaissais chacun des recoins de la propriété pour l'avoir bâtie de mes propres mains.

Une des raisons qui m'avaient incité à construire à Roxboro, c'était le désir d'avoir un milieu bilingue où les enfants pourraient grandir. Je voulais qu'ils possèdent aisément les deux langues, avantage qui m'a toujours manqué dans ma carrière.

Une fois installé à Roxboro, je n'ai pas mis de temps à comprendre que la ville était à ses débuts et que c'était le temps d'en profiter. Il y avait beaucoup de terrains à vendre, soit par le fondateur, Roland Bigras, soit par ceux qui en avaient acheté un et qui avaient changé d'idée. Le samedi, alors que tous mes amis allaient à la pêche, jouaient au golf ou profitaient de leur piscine, je partais me promener dans les rues de Roxboro avec Francine. J'en profitais pour prendre en note les terrains à vendre puis, de retour à la maison, j'appelais de dix à quinze vendeurs potentiels. Le lundi suivant, je rendais visite à celui qui offrait le meilleur prix.

Les deux premiers terrains que j'ai achetés étaient adjacents à ma propriété. J'avais ainsi une cour immense pour ériger une patinoire l'hiver et, l'été, j'avais mon terrain de golf miniature avec neuf trous. J'avais aussi de l'espace pour faire l'élevage de chiens avec un grand enclos. Je ne pouvais pas toujours payer d'un seul coup les terrains que j'achetais -leur prix variait entre 300 et 400 dollars-, alors je donnais un acompte de 50 dollars et je payais ensuite par versements de 10 à 20 dollars les mois suivants.

C'est ainsi que je me suis retrouvé avec une quinzaine de terrains, pratiquement tous libres au sud du boulevard Gouin. Parmi eux, il y en avait trois adjacents que j'avais payés 800 dollars. Un certain Réal Patenaude m'a offert 3 000 dollars pour un terrain et demi. Marché conclu! Par la suite, le Père Lefebvre, de la Maison Querbes (aujourd'hui le restaurant «Les Trois Arches») voisine des terrains, voulait acheter le reste des terrains, mais j'ai refusé, prétextant que j'en avais besoin.

Il a fini par m'en offrir 6 000 dollars, offre que je ne pouvais refuser, bien sûr. J'avais également mis en vente cinq terrains différents avec cinq numéros de téléphone différents. J'avais donné comme instructions de répondre que chaque terrain valait 3 000 dollars.

Naturellement, les premiers à appeler ont été ceux qui avaient des terrains à vendre et, dans les jours qui ont suivi, les prix des terrains de la ville avaient tous doublé.

Motor Truck Club

Je m'en voudrais de ne pas faire état du Motor Truck Club (en français : le Club de la traction sur route), dont j'ai été un membre très actif. À titre de directeur général de M.O.X., je devais faire partie de ce club très sélect avec ses 350 membres, tous des propriétaires d'entreprises de transport, des fournisseurs, des directeurs de vente et d'exploitation, bref toute la grosse gomme de l'industrie. Une assemblée avait lieu à chaque mois. Le Club avait également sa soirée de danse annuelle, sa partie d'huîtres et son tournoi de golf. C'était l'endroit à fréquenter pour espérer faire sa marque dans l'industrie. C'est là que les contacts se faisaient et que les relations d'affaires s'épanouissaient.

La première année où j'en ai été membres, je n'ai pas raté aucun dîner ou autre activité du club. Les dîners avaient d'abord lieu au Club de Réforme, rue Sherbrooke, à Montréal. Anecdote intéressante, un jour que Camille Archambault rendait visite à Maurice Duplessis au nom de l'Association du camionnage, ce dernier lui aurait demandé : «Camille, comment pouvez-vous venir me demander un service alors que vous tenez vos assemblées de camionneurs au Club de Réforme, chez mes adversaires libéraux?» Par la suite, nous avons déménagé nos pénates chez Ruby Foo's. Je multipliais mes contacts. J'ai voulu être de tous les comités qui avaient besoin de bénévoles. J'étais le premier arrivé au Club de golf de Lachute pour y recevoir les invités du Tournoi. Je donnais des poignées de main à tout le monde. Mon objectif était simple : faire partie de la direction du Motor Truck Club.

J'ai rapidement constaté cependant qu'il y avait un hic majeur à mes projets : mon nationalisme. Sur un total de neuf directeurs, deux seulement étaient francophones, dont un avait épousé une anglophone. Malgré une majorité de francophones (60 %), tout se passait en anglais, que ce soit les assemblées, les procès-verbaux, le *toast* à la Reine, le drapeau, le bulletin du mois ou les activités du Club.

Si un membre se présentait au micro, il devait parler en anglais, même si ceux à qui il s'adressait n'était pas anglophones. Moi, membre de la Société Saint-Jean-Baptiste, j'arrivais comme un chien dans un jeu de quilles. Et je les ai renversées, les quilles. Maudit qu'on était colonisé!

Trois mois avant la nomination d'un nouveau directeur du Conseil, les anciens présidents se réunissaient et, le jour venu, un des leurs était nommé sans autre opposition. Des élections, il n'y en avait jamais eu. Comme le mandat de la direction arrivait à son terme en 1959-60, je me suis mis en tête de faire élire un vrai francophone au prochain Conseil, quelqu'un qui ferait respecter la majorité francophone (rappelons qu'il y avait 60 % de francophones dans le Club).

Alors, trois mois avant l'Assemblée générale, lors d'un dîner du Club, j'ai réuni dix membres francophones autour d'une table afin de les sensibiliser au manque de français au Club et leur demander leur appui dans mes projets. Il suffirait que cinq membres en règle signent un formulaire prouvant qu'ils supportent un candidat et, trois mois plus tard, les premières élections du Club auraient lieu. Le problème, c'est que personne n'osait affronter les grosses compagnies anglaises et risquer de perdre des clients ou son emploi.

Mes collègues m'ont mis au défi de me présenter moi-même. J'acceptai à la condition que chacun signe le formulaire nécessaire et qu'ils fassent tous cabale en ma faveur pendant les trois mois qui suivraient. Le tout était accepté 15 minutes plus tard et le formulaire s'est retrouvé entre les mains du président à la table d'honneur. Toute une insulte pour le comité des nominations!

Bien sûr, leur candidat était déjà choisi. Ils ont voulu crever l'abcès dès le départ et ont demandé à trois de mes plus gros clients de me convaincre de retirer ma candidature, me menaçant de changer de compagnie de transport si je refusais de revenir sur ma décision. Je n'ai cependant pas reculé et j'ai avisé les personnes concernées que les dés étaient jetés : «Vous n'avez qu'à me battre aux élections.»

Le soir du scrutin, mes signataires avaient fait leur travail et moi, de mon côté, j'avais exigé un vote secret pour éviter de mettre certains de mes partisans dans l'embarras. Le moment venu, le président du comité des nominations s'est levé et a annoncé que j'étais le seul candidat, puisque mon adversaire avait démissionné du Club. Insulté, il avait demandé à sa compagnie d'être transféré à Toronto. Les gens se sont levés pour m'applaudir, mais à dire vrai, il y avait beaucoup de remous dans la salle. Le nouveau directeur devait dire un mot au micro. Moi, dans mon enthousiasme, je leur ai tout simplement déclaré : «Faites-moi de la place, car un jour, je serai président de ce Club.» J'ai reçu une ovation debout, mais pas de tous...

Aujourd'hui, on ne réalise pas la peur collective qui caractérisait les Québécois francophones. Se présenter à un poste et se faire battre pouvait signifier la fin d'une carrière dans l'industrie du transport. Il y avait un risque même lorsque le candidat gagnait ses élections.

Ma mère, Alexandrina Vézina,
et mon père, Joseph-A. Gravel

Ma mère à 19 ans.
Comme elle était belle!

Mon parrain, Wilbrod Vézina
(le frère de ma mère)
et sa charmante épouse
Émérentienne, ma marraine.

Moi à cinq ans, au premier plan
à côté de ma sœur Thérèse.
À l'arrière, mes frérots Maurice,
Émile et Roger.

La seule photo que j'aie de mes grands-parents
Gravel, avec mes parents au premier plan.
2e rangée : Roger; son épouse Marie-Marthe;
moi; ma belle-sœur Hélène (épouse de
Maurice); son fils Bernard II; Maurice.
À l'arrière : ma sœur Thérèse.

La Sainte Famille dans toute sa splendeur, à
Saint-Michel, quelques temps avant mon
départ pour le juvénat. Ma sœur Gertrude,
mes parents, ma sœur Thérèse, mes frères
Maurice, Émile et Roger, et moi-même.

►

Quelle belle photo! À l'avant, Thérèse, puis
Roger, Émile, Maurice, moi et Gertrude
dans les bras de mes parents.

Le Mont Sacré-Cœur, sur le flanc de la montagne, à Granby.
Le juvénat où j'ai passé quatre années inoubliables.

Ma classe de 9^e
année au juvénat
de Granby
(je suis le 3^e
à partir de
la droite,
2e rangée).

À la cabane à sucre. Cherchez le plus beau et
vous m'aurez trouvé, accompagné des frères
Stéphane et Laurien.

Un juvéniste modèle :
heureux, sûr de lui!
L'avenir lui appartient.

Je suis accompagné de mes grands frères Roger, Maurice et Émile avant de partir pour le collège.

Mes parents sont venus me voir au collège. Même «Finette» les accompagnait. Mon père était un amateur de chien «Boston Bull».

Mes soeurs Thérèse et Gertrude étaient venues me rendre visite.

Le sportif en pleine action.

La famille a grandi.
1re rangée : ma sœur Gertrude, ma
mère, mon père et ma sœur Thérèse.
2e rangée : Maurice, Roger (décédé),
Émile et Bernard.

Une tradition lancée pendant mon
mandat à la Commission scolaire de
Roxboro : faire des heureux à Noël
de façon discrète. On reconnaît Lou
Clément, Jacques Rolland, René
Lusignan, Jean-Claude Lagacé, Bernard
Gravel, Jos Gareau et Fernand Labelle.

Voici à quoi ça ressemblait un 4^{e}
degré des Chevaliers de Colomb dans
les années 1960.

Francine à sa première communion.
L'homme qui m'a probablement le
plus impressionné dans ma vie, le
Cardinal Paul-Émile Léger, officiait la
cérémonie.

Chaque famille a son artiste.
Chez nous, c'est Lucie,
au micro des Jeunes talents
du Motor Truck Club.

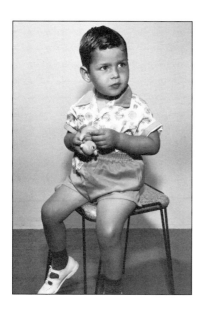

Sylvain, un beau garçon sérieux,
pensif, qui fait son chemin dans
la vie.

Fiez-vous à moi, les temps ont
beaucoup changé! Mon fils Pierre.

Mon premier emploi chez J. B. Baillargeon Express Ltée. Voyez la beauté de ce bureau tout de marbre. Cette photo a plus de 50 ans. Sur la photo apparaissent (de mémoire) : Ulric Robert, Lucien Doumery, Fernand Bertrand, Adrien Baillargeon, Yvon Baillargeon, Bernard Gravel (5e à droite), Raymond Villeneuve, Eusèbe Nolin, les sœurs Jeanne et Fleurette Labelle, Corinne Tremblay, A. Guillemette, Yvon Baillargeon, Mlle Thibault, Matt Kosow, Jacques Nolin, Jean-Pierre Gagnon, Lucien Legros et Marcel Rochon. En haut : Pierre-A. Marchand et Roxanne Perras.

Direct Motor Express (J.B.B. Motor) : la première pelletée de terre sur Côte-de-Liesse. Une des très rares photos de Jean-Baptiste Baillargeon. On me reconnaît derrière lui (22 ans) ainsi que Pierre-A. Marchand et son épouse Marguerite, monsieur le maire de Saint-Laurent, Maurice Cousineau, monsieur Den Smith, président de Direct Winters Transport, et son épouse.

Voici le bel entrepôt que nous avions sur Upper Lachine Road.
La tenue était toujours impeccable.

Un groupe d'employés lors de la construction d'un nouvel entrepôt de Direct Motor Express sur Côte de Liesse. De gauche à droite : Bernard Gravel, Benoit Paul, Philippe Saucier, Louis Bertrand, Jacques Nolin et trois de nos valeureux chauffeurs.

Après 18 mois de profits, je reçois 21 tracteurs de la maison International Harvester. De gauche à droite : Alex Mc Comb, directeur général de la vente me félicite de mon achat et de mon choix, et Claude Ruel reçoit les clés des mains de Jeff Grafton, représentant chez International Harvester.

Quelques mois plus tard, un des directeurs anglais est transféré à Toronto et il faut en élire un nouveau. Pour moi, il faut absolument que ce soit un autre francophone. Il était d'usage à l'époque qu'un directeur accueille une assemblée exécutive chez lui, alors j'ai proposé très naïvement que la prochaine réunion se tienne chez moi, à Roxboro. J'avais tout pour impressionner ces messieurs de l'Ouest. J'avais vendu ma première maison et j'avais bâti une grosse maison avec piscine, foyer extérieur et, surtout, un bar bien garni. C'était très important pour la réussite de mon plan.

Le soir de la réunion du Conseil, les verres sont bien remplis, toute la compagnie est joyeuse, pour ne pas dire pompette, et la réunion se déroule sans heurt jusqu'au moment des élections. J'avais demandé à un directeur, Ed Maquinaz, directeur de la vente chez GMC, de m'appuyer lorsque je proposerais un candidat. J'étais un de ses gros clients.

Le moment venu, le président lève en titubant quelque peu et demande à ce qu'on propose un nom à titre de nouveau directeur. Ne ratant pas ma chance, je me leve et propose celui de René Brossard, président de Location Brossard, proposition appuyée par Ed Maquinaz. Les autres sont pris au dépourvu, puisqu'ils ont déjà choisi leur candidat.

Le vote s'est pourtant fait sur ma proposition et un nouveau francophone a été élu directeur à l'unanimité. René Brossard était un ami sûr et partageait mes idées de changement dans le Club. Son fils Guy est aujourd'hui président de Transport Coupal et de Location Brossard. Il a suivi les traces de son père et est devenu à son tour, président du Club en 1986.

La même année, une autre élection a été déclenchée lorsqu'un directeur a dû remettre sa démission. Il avait quelques difficultés à expliquer certaines sorties d'argent qui s'étaient faites alors qu'il était trésorier. Par un pur hasard, les livres de comptabilité du Club avaient été expédiés par le CN à Toronto et ils avaient été égarés en chemin. Par l'entremise d'un ami anglophone, j'ai fait proposer Ron Flannery, un nom à consonance anglaise au titre de directeur. La proposition a été appuyée par un francophone, ce qui se faisait régulièrement et le tour a été joué. Ron était un Québécois fier. Il avait vécu cinq ans à Toronto avant de revenir aigri de son expérience. Il était l'homme tout désigné pour me supporter. J'étais devenu un membre respecté au sein du Conseil. Après avoir été élu, il prit le micro pour dire : «À partir *d'à soir,* on va parler français dans le Club».

C'est le 30 septembre 1964 que je suis arrivé à mes fins en me faisant élire à la présidence du Motor Truck Club à l'unanimité. À 35 ans, j'étais le plus jeune président de l'histoire du Club. Bien sûr, il a fallu que je me force pour parler anglais, mais eux aussi ont dû faire des efforts. À la suite de mon élection et avec l'aide de Roger Tremblay, tous les procès-verbaux des assemblées ont été rédigés en français, et aux tables d'honneur, il y avait six francophones et six anglophones. De toutes les associations dont j'ai fait partie, je peux dire que le Motor Truck Club a été mon deuxième chez-moi.

Un soir que les membres du Club se réunissaient au restaurant «Le Chateaubriand», sur Côte-de-Liesse, on vint me prévenir que Daniel Johnson père (il était alors chef de l'opposition à l'Assemblée nationale) était en bas en train de prendre un verre avec l'avocat Jean-Paul Cardinal, son bras droit. «Il faut que tu ailles lui parler de politique et que tu le fasses "monter" un peu», m'a-t-on lancé. J'étais reconnu pour mes connaissances en politique et mon goût des bravades. Ayant fait mes classes au Parti libéral, j'avais acquis une certaine notoriété.

Je me présente donc à monsieur Johnson à titre de membre de l'organisation de Claire Kirkland-Casgrain. À partir de là, il sait à quoi s'en tenir et la discussion s'anime. Mes copains Gilles Tellier, Guy Dufour et Guy Séguin s'amusent bien à écouter les répliques qui fusent de part et d'autre. À un moment donné, Daniel Johnson sort de la poche de son veston une épinglette qu'on porte à la boutonnière et qui représente un petit drapeau du Québec. Il me déclare alors : «Mon Gravel, lorsque je serai premier ministre de la Province, tu seras fier de porter ce drapeau et de dire à tes amis libéraux que c'est moi qui te l'ai donné.» «Daniel, que je lui réponds, jamais tu ne seras premier ministre du Québec de ta sainte vie!» Quelques années plus tard, je me promenais avec mon drapeau et je déclarais à qui voulait l'entendre : «C'est Daniel Johnson, le premier ministre du Québec, qui m'en a fait cadeau!»

La vie prend souvent de drôles de tournants. Cinq ou six ans ont passé. J'assiste à une fête pour marquer le départ à l'étranger d'un membre de ma famille. Parmi les invités se trouve Jean Éthier, attaché de presse de Pierre-Marc Johnson alors ministre de la Justice et candidat à la direction du Parti québécois.

Un peu plus tard, je reçois une carte signée de la main de Pierre-Marc avec quelques mots et... un petit drapeau du Québec. À peine quelques mois plus tard, il devint premier ministre du Québec. J'ai pu alors dire de nouveau à mes amis : «C'est Pierre-Marc Johnson, le premier ministre du Québec... » Si j'arrive à rejoindre Daniel Johnson junior, ma collection sera complète.

En 1964, alors que j'étais président du Club, j'avais suggéré à mon Exécutif d'inviter à titre de conférencier le nouveau président de la Régie des transports, le juge Gérard Larochelle. À ce moment-là, le président de la Régie était l'homme le plus important du Québec pour chacun des camionneurs. Il pouvait décider des taux, des permis et tout autant de ne rien faire. Ce dîner mensuel a attiré près de 200 membres de partout à travers la province, un record.

J'avais obtenu l'approbation de l'Exécutif de présenter notre invité en français, alors que Ted Holt, notre vice-président, gérant du trafic chez Standard Brand, remercierait le conférencier en anglais. C'était une première. Jamais un président du Club n'avait osé présenter un conférencier, un artiste ou qui que ce soit en français. Lorsque je me suis présenté au micro pour présenter le juge Larochelle, une voix venant de la salle m'a interrompu dès mes premières paroles: «Parle en anglais, maudit séparatiste! » Quel affront! Celui qui venait de m'invectiver de la sorte était le directeur du transport chez Catelli, Joe Laurin, l'un des plus importants expéditeurs du temps. Tous les camionneurs de l'époque le craignaient tout en le flattant pour rester dans ses bonnes grâces.

J'ai décidé de l'ignorer et j'ai terminé ma présentation comme si de rien n'était, en français. Par contre, ma crainte et ma gêne étaient au sujet de notre conférencier. Avant le dîner, le juge m'avait fait part qu'il venait de Québec et que l'anglais n'avait jamais été sa matière préférée à l'école. Il avait donc préparé 20 minutes de son discours en français et 10 minutes seulement en anglais. Heureusement, tout s'est bien déroulé pour le reste de la soirée, aucune autre intervention malveillante n'a été faite. Par la suite, j'ai su que le juge avait apprécié mon intervention en français lors de ce dîner, car je n'avais jamais aucun problème lorsque je devais passer devant la Régie pour le bien de ma compagnie.

Je n'ai quand même pas laissé passer cet incident sous silence. J'ai convoqué tout mon état-major et je leur ai bien fait comprendre que ce genre de comportement était inadmissible. C'est alors que Ted Holt, l'un des meilleurs amis de Joe Laurin, et Tom Taylor m'ont demandé de quitter la salle pour la durée de la délibération sur le cas Laurin. À mon retour, Guy Lavallée, le secrétaire, m'a informé que les membres du Conseil avaient à l'unanimité, décidé d'envoyer une lettre de réprimande à monsieur Laurin (j'en ai encore le double dans mes dossiers). Le Club venait de faire un autre pas en avant et moi, je m'en sortais avec les honneurs de la guerre, bien qu'un peu écorché quand même.

J'avais avancé dans l'estime de tout le monde ce soir-là. Je dois ajouter que Jos Laurin était un client et un ami personnel. Il avait pensé faire plaisir à quelques amis dans la salle. Sa fille Lise était ma secrétaire de vente chez Dumont Express à ce moment. Maudite boisson!

Je rapporte ce fait uniquement pour montrer comment le milieu des affaires était difficile à cette époque pour tout le monde qui voulait simplement parler sa langue et se tenir debout. Nous n'étions pas nombreux.

Par la suite, j'ai été nommé gouverneur, puis membre honoraire du Club. J'en suis maintenant un des doyens et je m'y sens toujours chez moi. Jusqu'en 1977, le nom de Motor Truck Club était utilisé, le nom français étant un peu trop long et compliqué : le Club de la traction sur routes. Un jour, je me suis retrouvé membre d'un comité spécial chargé de trouver un nouveau nom français pour le Club.

La guerre était déclarée, les membres en faveur du changement étaient nombreux. Messieurs Camille Archambault, Jean-Marie Gagnon, Robert Goyette, Jean-Guy Tondreau, Albert Dionne, Luc L'Heureux, André Lefebvre, Robert Lefebvre, Roger Tremblay, Jean-Guy Bernier, Gilles Tellier, Jean-Noël Courte et plusieurs autres sont venus à la rescousse et, après plus d'une année de tiraillements, monsieur Larry Paquin, qui était devenu un spécialiste de la langue française, nous est arrivé avec la suggestion suivante : Club des professionnels du transport (Québec). Ce nom a tellement bien été accepté que les nouveaux membres du Club n'ont aucune idée de son ancienne appellation.

Je dois dire ici que mon ami Luc L'Heureux a toujours été à mes côtés durant les batailles que j'ai livrées, aussi bien au Motor Truck Club qu'au Traffic Club of Montréal, et cela pendant plus de 30 ans. Merci, Luc.

le 14 décembre 1964.

M. Jos Laurin,
Catelli-Habitant Ltée,
6890 est, rue Notre-Dame,
Montréal 15, Que.

Monsieur,

Lors de la dernière assemblée mensuelle du Club
tenue au Holiday Inn le 30 novembre dernier, et à laquelle
l'invité d'honneur était M. le Juge G. Larochelle, vous avez
été l'auteur de remarques pour le moins désobligeantes,
fait es en présence de nombreux témoins.

Les Directeurs insistent pour mettre à l'honneur
l'aspect bilingue de notre Club, ceci dans l'intérêt même
de tous et chacun des membres, mais il va de soi que des
oublis et des lacunes, bien involontaires, surgiront de
temps à autre. Les critiques constructiges seront toujours
le bienvenu, mais devront être faites selon les formes.

Le but de cette lettre est donc de vous aviser,
qu'à la dernière assemblée des Directeurs, duement convoquée
et tenue le 3 courant, les Directeurs présents ont unanimement
censuré votre conduite et vos propos et m'ont prié de vous
en aviser. C'est avec regrets que le Bureau de Direction
a pris cette décision, mais il croit fermement que les
assemblées du Club ne doivent pas servir à la promotion de
la mésentente entre les membres mais doivent plutôt viser
à les unir.

Nous espérons n'avoir plus à déplorer la répétition
l'incident de ce genre qui ne saurait qu'amener des réper-
cussions et des sanctions beaucoup plus graves.

Bien à Vous

LE CLUB DE LA TRACTION SUR ROUTES (QUEBEC) INC.

par_____
A. Guy Lavallée, Sec.

Au cours de toutes mes années de travail dans le monde du camionnage, je participais à tous les tournois de golf, qu'ils soient organisés par le Motor Truck Club, le Traffic Club of Montreal, l'Association du camionnage ou d'autres tournois privés. Je n'en manquais pas un. Cependant, mon travail et ma famille passaient avant ce sport, alors je n'étais qu'un joueur à temps partiel, c'est-à-dire pour les tournois seulement. On ne devient jamais bon golfeur de cette façon et les mauvaises manies nous suivent toute notre vie.

J'ai donc connu deux carrières au golf, c'est-à-dire celle de l'administrateur et celle du joueur. Il y a pourtant un trophée qui relie ces deux carrières. En 1970, j'avais gagné la coupe du Motor Truck Club des anciens présidents, et vingt-cinq ans plus tard, en 1995, j'ai gagné la même coupe des anciens. Il faut croire que ce n'était pas un accident.

Mon petit-fils Pascal avait tellement été impressionné devant ce trophée géant, et surtout de voir mon nom inscrit à deux reprises, qu'il m'avait dit spontanément :« Tu l'as, l'affaire, grand-papi!» Je pense bien qu'il avait été le seul impressionné par ce trophée.

Luc L'Heureux et moi-même avons certainement établi un record de persistance pour les tournois de golf du club. En effet, nous avons été partenaires pendant plus de vingt-deux années consécutives. Nos compagnons de golf pendant longtemps furent Jean-Paul.P. St-Laurent, président de H. Smith Transport (et fils du premier ministre canadien Louis St-Laurent) et Ron Flannery, président de Bandag Canada. Ce dernier nous a quittés pour devenir citoyen américain. Il n'aimait pas la neige... ni René Lévesque.

Par la suite, se sont joints à nous Marcel Chartier et Gilles Lefebvre, deux grands joueurs de golf devant l'éternel, surtout Gilles avec son handicap de 26. Vous savez, l'argent ne peut acheter le talent.

Une fois le tournoi de golf terminé, il y avait toujours des parties de Black Jack organisées durant la soirée. Encore là, c'était une occasion de se détendre avec des amis tels Gilles Marseille, Maurice Bertrand, Luc l'Heureux, Réjean Bellemare, Gilles Tellier, Albert Dionne, Guy Dufour, Gilles Lefebvre, Barry Durocher, Jean-Guy Lemire et Guy Séguin. Ce dernier aimait bien observer les parties, mais il ne jouait jamais. Nous n'avons jamais su si c'était parce qu'il ne savait pas jouer ou s'il avait peur de perdre.

Seuls les plus anciens membres se souviendront de nos fameuses croisières sur le Saint-Laurent. La Canada Steamship Line organisait ces voyages mémorables sur l'un de ses trois bateaux : le *Saguenay*, le *Tadoussac* et le *Malbaie*. Tous les ans, le Club des professionnels du transport prenait part à l'une de ces croisières. Le président du Club avait sa suite. Le vendredi soir à 17 heures, nous partions pour Charlevoix, une quarantaine de braves, pour ne revenir à Montréal que le lundi matin à 9 h.

Les Guy Lavallée, Guy Lefebvre, André Fugère, Gilles Lacerte, Gaston Lapalme (et son épouse), Paul Laframboise (et son épouse), W. Canning, Ralph Yale, Raymond Vaillancourt, Yvon Larocque, Camille Archambault, Albert Desrosiers et Max Slakof faisaient partie du groupe. Aucune photo n'était permise. Le cocktail du président avait lieu le samedi soir. Le tout pour 115 $ par personne (boisson non comprise). Inimaginable aujourd'hui.

Je pourrais en raconter des histoires sur ces «aventures» sur le fleuve. Certains membres, probablement plus fédéralistes que les autres, aimaient bien mettre en pratique la devise du Canada, «D'une mer ... à l'autre».

Ces croisières attiraient des chorales de toute la province. Ces gens mettaient de côté 2 $ par semaine et, au mois de juillet, tous embarquaient pour un voyage sur le fleuve. Nous faisions un arrêt au manoir Richelieu, à l'époque fréquenté surtout par les Américains et les Canadiens anglais. On en profitait pour faire saucette dans la piscine. Ensuite, Bagotville et retour à Montréal.

Les chorales donnaient des récitals sans arrêt, de 13 heures à 17 h 30. Je m'assoyais dans l'escalier et je les écoutais religieusement, sans broncher. Que de talent le Québec gardait caché dans ses églises. Le soir, lorsque nous arrivions devant la statue de la Vierge accrochée au flanc de la montagne, ces gens entonnaient l'Ave Maria de Schubert. Certains soirs, j'ai pleuré... de joie. Que de beaux souvenirs! Il existait alors une amitié, une camaraderie qu'on ne voit plus aujourd'hui, je pense.

Traffic Club of Montreal

En plus de faire partie du Club des professionnels du transport (CPT), je devais faire partie du Traffic Club of Montreal. J'y fis donc mon entrée en 1953. Les membres de ce Club étaient les gérants de trafic et les membres de l'industrie du camionnage, mais aussi du chemin de fer, du transport aérien et maritime. Tout le monde du transport y était représenté.

Parmi tous les clubs qui existaient en Amérique du Nord, le Traffic Club of Montreal était considéré comme l'un des mieux structurés et des plus performants avec plus de 1 800 membres en règle année après année.

Au Traffic Club, plus de 100 membres étaient affectés à différents comités organisateurs. La veille de Noël, les enfants des membres étaient reçus dans un hôtel et recevaient toutes les gâteries imaginables. Les tournois de golf remportaient aussi un succès incroyable.

Je me faisais un devoir d'assister à toutes les réunions (une fois par mois) afin d'y rencontrer mes clients actuels et potentiels. À l'occasion du dîner annuel, je réservais trois ou quatre tables pour y installer mes clients et je réservais également la plus grande suite de l'hôtel Reine-Elizabeth pour permettre à ces derniers d'être plus à leur aise après la soirée.

Malheureusement, tout se passait en anglais. Moins de 20 % des membres des comités étaient francophones. Aussitôt qu'il y avait un anglophone dans le groupe, tout devait se passer en anglais, même si sept ou dix autres parlaient français. Malgré toute ma bonne volonté et mon besoin de faire du bénévolat dans ce milieu, je n'avais pas grand chance de passer, malgré -ou peut-être à cause- de la renommée que je commençais à avoir au CPT. J'incitais tous mes clients à devenir membre et, souvent, je leur envoyais moi-même leur carte de membre par la poste.

De plus en plus de gens me poussaient à me présenter à un poste de direction, car là, le système des élections était bien implanté. Le vote se faisait secrètement par la poste, mais le comité était composé uniquement de lieutenants nommés par le comité des nominations et les candidats n'avaient pas le droit d'être présents lors du dépouillement des bulletins de vote qui étaient d'ailleurs détruits immédiatement après le décompte.

Je me suis quand même présenté à titre de directeur du Club, mais comme je n'avais pas été invité par le comité des nominations, je n'ai pas pu être admis. J'avais un grand nombre d'appuis, tant du côté des anglophones que des francophones; la plupart de mes clients et la «gang» du Motor Truck Club faisaient cabale pour moi (Guy Girard et Yvon Coutu étaient mes organisateurs), mais il en aurait fallu plus que ça. Lorsque les groupes du CN et du CP décidaient de voter contre un candidat, ce dernier était cuit. John Fraser, de Steelco, m'a téléphoné pour me dire que j'avais été défait, mais par quelques votes seulement. Je savais que j'avais eu la faveur de tous les francophones, mais je ne pouvais pénétrer les groupes anglo-saxons.

Pour assister aux réunions de la direction, il fallait être président d'un comité. Je me suis donc arrangé pour faire partie de l'un d'eux. J'ai choisi celui des divertissements. À chaque souper mensuel, le Club engageait des artistes pour égayer la soirée, et au grand dîner annuel, un budget de 3 000 dollars était alloué pour une heure de spectacle.

Soit dit en passant, le comité n'engageait que des artistes anglophones venus de Las Vegas, New York ou Toronto.

101

Je ne me souviens plus quelle astuce j'ai utilisée pour arriver à mes fins, mais je suis devenu président de ce comité en 1968. Mon comité était formé de Gérard Cadieux, gérant du trafic chez Dosco; Jean D. Nadeau, gérant du trafic et de la clientèle chez RCA Victor; Roger Tremblay, assistant gérant à la distribution chez Canadian Breweries Eastern, et Roger Huet, directeur du trafic à Hydro-Québec. Tous les artistes francophones de l'époque ont été engagés, les uns après les autres : Joël Denis, Les Jérolas, Danièle Dorice, Louise Lecavalier, Georges Coulombe, Murielle Millard, Yolande Dulude et Yoland Guérard, pour n'en nommer que quelques-uns. Ces invités faisaient salle comble et recevaient même des engagements par des compagnies anglophones par la suite.

Au cours de ma dernière année comme président du comité, un dénommé Robert Lemieux, architecte de Saint-Léonard, avait organisé dans les rues de la ville une manifestation pour réclamer la radio, la télé et les journaux dans une seule langue au Québec, le français. Le lendemain de cet événement, il y avait réunion de l'Exécutif. Je me suis mis derrière le bar et je me suis assuré que tout le monde avait bien pris ses trois verres de scotch.

Durant toute l'heure du cocktail précédant la réunion, j'ai parlé de la manifestation de monsieur Lemieux, mais pas en termes très élogieux. Mon ami Luc L'Heureux, éditeur du journal, était présent afin de donner un compte rendu dans sa prochaine édition du *Montraffic News*. Luc, qui m'a toujours appuyé dans les moments critiques, était assis à mes côtés. Il sentait bien que quelque chose allait se passer, mais quoi?

102

Durant la réunion, lorsque mon tour est arrivé de faire le rapport de mon comité, je me suis levé pour m'adresser au président, monsieur Mel Beaupré, unilingue anglais. À sa grande surprise, je lui ai fait lecture de la liste des injures que les membres présents avaient faites à cet homme de Saint-Léonard qui demandait que le français seul soit utilisé au Québec, répétant même la condamnation à la pendaison, commentaire qui avait été fait par un membre du Club.

J'ai alors souligné que le Club ne valait guère mieux que ce maniaque de la langue française, puisque tout était fait en une seule langue, l'anglais, sans aucun respect pour ses quelque 600 membres francophones. Quelle douche froide, mes amis! Je crois qu'un train défonçant un mur ou un tremblement de terre n'aurait pas eu plus d'effet. On m'a alors demandé plus de précisions, et moi, je n'ai pas laissé passer ma chance de leur dire ce que je pensais de leur système unilingue anglais. Ça faisait 10 ans que j'attendais ce moment.

Naturellement, la réunion a été suspendue et la direction s'est retirée pour analyser la situation. Tous les présidents de comités se regardaient, mais aucun n'osait parler. Bien sûr, j'étais un peu nerveux, car il faut bien le dire, c'était le moment de vérité. J'ai quand même maintenu mon bout. Je savais que les Anglais respectent toujours un homme qui se tient debout, surtout lorsqu'il a des principes. Après une vingtaine de minutes, le président et ses acolytes sont revenus et monsieur Moe Saucier, Canadien-français, s'est adressé à moi en français. Il m'a dit que je n'avais pas complètement tort et qu'une assemblée extraordinaire du Conseil venait d'être convoquée pour étudier un seul sujet : le français au Club. Ils savaient bien quelle influence j'avais sur ses 600 membres francophones.

L'affaire a fait le tour du Québec. Le téléphone n'arrêtait pas de sonner. Luc L'Heureux s'est fait un devoir de m'appuyer. Le mois suivant, le président a annoncé que toutes les opérations du Club seraient désormais bilingues : les drapeaux, les cartes de membres, la correspondance, les interventions au micro le journal serait désormais bilingues, etc. Il y a même trois des sept directeurs anglophones présents qui sont venus me voir discrètement, chacun de son côté bien sûr, pour me dire que c'était lui qui avait fait pression pour que ces changements aient lieu. Chacun me suggérait de dire son nom à mes amis français. C'était sans contredit une belle victoire.

Toujours au sujet du Club de trafic de Montréal. Dans les années soixante, ça bougeait au Québec, que ce soit à la télévision, dans les journaux et les associations de gens d'affaires; on se rappelle du slogan de Jean Lesage «Maître chez nous». Tout le Québec était en ébullition. Les Québécois désiraient s'affirmer publiquement, mais s'ils le faisaient, ils étaient victimes de sanctions pouvant aller jusqu'au congédiement.

«Nickname»

Pendant ces mêmes années de la «révolution tranquille» au Québec, les patrons de Toronto ou de New-York aimaient bien attribuer à leurs employés québécois des surnoms, une pratique qui avait toutes les couleurs colonialistes, paternalistes et qui faisait, disons-le, un peu «gaga». Ainsi il n'était pas rare d'entendre parler de «Ben», «Art» «Bert» et «Bob» au lieu Benoit, Arthur, Albert, et Robert. Ces surnoms figuraient même dans l'annuaire du Motor Club ainsi que sur les cartes d'affaires. Paradoxalement, jamais un John, un Peter ne se faisait appeler Jean ou Pierre.

Un jour, alors que je pris la parole devant plus de 150 membres du Motor Club, l'animateur me présente sous le nom de «Bernie» Gravel. J'ai pas aimé. Arrivé au micro, j'explique d'emblée, le plus poliment du monde à l'animateur que ma mère avait fait des efforts pour me trouver un prénom et que j'aimerais que celui-ci soit respecté. Applaudissement général. J'entends bien des murmures dans la salle : «... séparatistes». Mais je n'y prête pas attention. A partir de cette assemblée, mon nom... et mon prénom ont toujours été respectés. Pour les assemblées ultérieures, l'animateur avait été averti de faire attention aux présentations... Ma mère m'a toujours dit de respecter mon prénom. Et bien, c'est fait maman!

Le toast à la Reine

Avant mon arrivée à la présidence du Motor Truck Club, il était d'usage lors de dîners du mois ou d'activités spéciales de porter un toast à la Reine d'Angleterre, un rituel colonialiste que je n'entendais pas poursuivre. J'ai alors formé un comité du type «La Patente» lequel était composé notamment de : Guy Tondreau, Camille Archambault, Jean-Marie Gagnon, Luc L'Heureux, Ron Flannery, Donald Tremblay, Roger Tremblay et Yvon Coutu.

Lors des occasions de rassemblements à venir, un des membres du comité portait un toast soit au premier ministre du Canada, Lester B. Pearson, soit à celui du Québec Jean Lesage. Voilà pour la Reine!

La rédaction des procès verbaux des assemblées ainsi que la correspondance se faisaient en anglais. C'est avec l'arrivée du président Roger Tremblay qu'une motion a été déposée et approuvée rendant le français langue officielle de l'organisme. Il est difficile pour les membres actuels du Club de s'imaginer les luttes épiques des pionniers seulement pour faire respecter notre langue.

Traffic Club of Montreal

Comme à toutes les années, le Club donnait son dîner annuel, le plus gros événement du calendrier puisque 2 500 personnes y assistaient. La table d'honneur était composée du maire de Montréal, du ministre des Transports et des présidents des vingt-cinq plus importantes compagnies canadiennes : Noranda, Bell Canada, Aluminium, Northern Electric, et j'en passe. Après discussion avec Moe Saucier, gérant de trafic chez Noranda, et Gilles Custeau, gérant chez Transportation Research Analyst Aluminium Co. of Canada, nous avons décidé de nous glisser dans l'organisation du dîner en nous occupant du conférencier à choisir. Gilles Custeau avait étudié avec le journaliste Laurier Lapierre. Ce dernier était connu à travers tout le Canada tant dans la presse écrite qu'à la télévision. Gilles nous a donc suggéré son ami Lapierre comme conférencier, proposition aussitôt acceptée par les trois membres du comité. Il faut dire que toutes ces soirées se passaient en anglais. Au début de chaque allocution, les conférenciers baragouinaient quelques mots en français, mais ils se dépêchaient de continuer en anglais pour plaire aux invités d'honneur. Je me suis donc mis dans la tête de rencontrer Laurier Lapierre. Je ne le connaissais que de réputation, mais j'étais convaincu que c'était un homme attaché à la langue française et qui savait se faire respecter des Québécois des deux langues.

Je l'ai donc rencontré très discrètement et lui ai expliqué la situation des francophones au sein du Club de trafic et dans l'industrie du transport en général. Je lui ai fait voir comment il était impossible d'accéder à des emplois de direction, comment la langue française était ignorée, etc.

Durant la soirée, les conférenciers disposaient de 30 minutes et tout était réglé à la minute près. Lorsque Laurier Lapierre a commencé son discours en français, tout le monde a été très surpris, puisque cela ne s'était jamais fait. Il a parlé pendant une heure et demie, frappant sur tous les sujets que je lui avais mentionnés, passant du français à l'anglais et vice versa.

Moi, j'étais en arrière-scène avec mes deux copains. Certains présidents de la table d'honneur commençaient à trouver le temps long. Le président du Club ne savait plus s'il devait arrêter Laurier ou le laisser continuer. Les applaudissements venant de la salle, particulièrement de la part des francophones, donnaient une atmosphère très particulière. Personne n'aurait pu arrêter Laurier sans en subir les conséquences.

Mes deux collègues du comité n'ont pas pris de temps à comprendre que j'avais parlé avec le journaliste, et de table en table, le mot a circulé : «N'oubliez pas que Bernard est membre du comité des conférenciers.» Cette soirée a probablement été la plus belle que j'ai passée pendant les 45 ans où j'ai été membre du Club.

Peu de temps après, des dizaines de lettres ont été envoyées au Club pour le féliciter du virage qu'il avait pris. Cependant, certains présidents invités à la table d'honneur avaient laissé savoir à la direction du Club de ne jamais plus les inviter à leurs agapes.

Mon ami Gilles avait un emploi assez important chez Aluminium Co. et, durant les jours qui ont suivi le dîner, il a été convoqué par son patron. Ça lui a créé bien des problèmes. Nous nous sommes revus quelques années plus tard, et nous étions bien fiers de nous remémorer ce bon coup.

Pierre

Au point de vue familial, j'étais aux anges : Madeleine m'avait donné un deuxième enfant, un garçon. Pierre est né le 18 octobre 1954. C'était un bon gros poupon plein de vie, comme j'avais toujours voulu en avoir un.

Ligue des propriétaires de Roxboro

En 1955, je suis également devenu vice-président de la Ligue des propriétaires de Roxboro. J'avais fait l'acquisition de mon terrain en 1953, mais je n'ai résidé dans cette ville qu'à partir de 1955. Je n'ai pas su résister à l'envie de m'intégrer pleinement dans mon nouveau chez-moi. Voici comment cela s'est passé.

Après m'être renseigné sur la vie communautaire de Roxboro, je me suis rendu compte que toute la ville était sous la «gouverne» d'un homme, le maire Roland Bigras. C'était un homme fier de «sa» ville, compétent, dévoué, intègre... et en moyens! Il était propriétaire de huit fermes adjacentes les unes aux autres. Ce qui était important pour lui, c'était de vendre le plus de terrains possible.

Il avait préparé un schéma d'aménagement de la ville avec une réglementation très sévère sur la hauteur des maisons, la distance entre la maison et la rue, l'endroit et la grosseur de la fosse septique, etc. Par contre, rien n'avait été prévu pour l'avenir. Aucun site n'avait été prévu au cas ou la ville aurait grandi et qu'on aurait voulu avoir une nouvelle église, une nouvelle école un hôtel de ville ou un centre communautaire. Si l'on voulait faire quelque chose, que ce soit par rapport à l'église, à l'école, à la municipalité ou aux activités sociales, on devait passer par le parti de monsieur Bigras.

Je pense que le meilleur exemple, c'était l'hôtel de ville : les décisions de la municipalité étaient prises au ... centre-ville de Montréal dans les bureaux de monsieur Bigras, rue Saint-Jacques. Quels que soient les problèmes, les citoyens devaient se rendre au centre-ville de Montréal. Les services à la communauté (voirie, police, pompiers) étaient réduits au plus strict minimum. Comme employé de la Ville, Fred Viensseau était l'homme à tout faire : il était à la fois éboueur, policier, pompier et gardien de plage, changeant de rôle selon le moment de la journée.

Toujours est-il qu'un groupe de propriétaires est venu chez moi pour analyser de la situation. Après quelques échanges, nous avons décidé de nous rendre en groupe à la prochaine réunion de la Ligue des propriétaires de Roxboro. Le soir venu, l'exécutif de l'organisation était pris au dépourvu... et démissionnait. Voilà comment je me suis retrouvé vice-président de cette Ligue en compagnie de Jimmy Griffin, président (il était vice-président des ventes à la Dominion Textile), Franck Ward, secrétaire, et Lou Clément, directeur.

Mon rôle était de suivre toutes les assemblées du conseil municipal, (toujours dans les locaux de la rue Saint-Jacques) et de talonner de très près le maire et ses acolytes. C'est ainsi que nous avons obtenu une quantité d'amendements aux règlements, l'annulation de passe-droits, l'ouverture des livres comptables, le début d'une organisation de loisirs pour nos jeunes et bien d'autres choses. On m'a approché pour devenir conseiller municipal, mais j'ai choisi plutôt de m'intéresser à l'avenir de la Commission scolaire de Roxboro.

Premier bateau

J'ai possédé mon premier bateau d'une drôle de façon. Albert Desrosiers, mon patron, avait un chalet dans l'île Cadieux, près de Vaudreuil, un domaine extraordinaire. Parmi tous les attraits de son chalet, il y avait le bateau, un gros Peterborough de 16 pieds de longueur, en bois, avec un moteur de 40 forces. Un jour que j'entrais dans le garage de la compagnie pour y garer ma voiture, j'ai trouvé ce monstre à ma place de stationnement. Il faut dire qu'en tant que directeur, j'étais le seul à pouvoir stationner ma voiture à l'abri des intempéries, et je n'ai pas trouvé drôle du tout de voir ce genre de mastodonte. Je suis donc entré dans les bureaux de la compagnie en demandant d'une voix forte qui avait osé utiliser mon stationnement sans ma permission. Albert m'a répondu que j'étais le seul à blâmer pour l'espace que prenait «mon» bateau. Voilà comment je suis devenu propriétaire de mon premier bateau. En effet, en reconnaissance de mon bon travail, Albert venait de me faire don de son bateau. Comme je demeurais tout près de la rivière des Prairies, je n'ai pas eu de problèmes pour l'amarrer. Ainsi, je pouvais divertir mes clients le dimanche en compagnie de leur famille et de la mienne.

110

Je ne l'ai quand même pas gardé très longtemps, car la rivière était très dangereuse du côté de Pierrefonds. Plusieurs amateurs avaient laissé leur bateau au fond de la rivière aux rapides du Cheval blanc. Comme les enfants étaient très jeunes à l'époque et que je craignais pour leur sécurité, j'ai vendu ce bateau après deux ans, sans l'avoir utilisé régulièrement.

Dix ans de succès chez M.O.X.

Les affaires allaient bien pour moi et la compagnie. J'étais devenu membre de la Chambre de commerce de Montréal et de celle du Haut Saraguay (Roxboro). Chez M.O.X., de nouveaux véhicules arrivaient continuellement. Le nom de la compagnie était très bon, de sorte que le crédit était facile d'accès partout. Plus de 30 semi-remorques font le trajet Montréal-Ottawa chaque jour. Des clients tels Alex Bennie, de chez Steinberg; Léo Marcoux, de chez Dominion et Bob Bergeron de chez Atlantic & Pacific, nous rapportaient chacun quelque 150 000 dollars par année.

En 1956, la compagnie a pris tellement d'expansion qu'un déménagement est devenu nécessaire. Nous avons fait l'acquisition de l'ancien édifice de Fruehauf Trailer, sur Upper Lachine Road, et j'ai veillé à ce que mon frère Roger obtienne le contrat de rénovation : ouverture de 8 portes et plates-formes pour charger et décharger la marchandise.

Afin de m'assister dans mon travail, j'ai demandé à Jean-Pierre Gagnon de quitter Direct Motor pour venir me rejoindre. Faisaient aussi partie de l'équipe Horace Clermont, Fred Difasio, Marcel Sanscartier et Yvette Lacourse, ma secrétaire.

Pour gérer la succursale d'Ottawa, j'ai engagé Louis Beaupré, personnage très connu dans l'industrie et qui est professeur de cégep depuis 15 ans. C'était un employé fidèle, honnête et, surtout, très compétent.

Un jour, nous avons eu le mandat de déménager d'Ottawa à Montréal dix-sept boîtes contenant des toiles et d'autres objets d'art, la plupart des pièces uniques. Bref, il y en avait pour des milliers de dollars. Toutes ces boîtes appartenaient à un diplomate anglais qui retournait en Angleterre. À la livraison, on a constaté qu'il manquait quatre boîtes et non les moindres. Elles avaient été ouvertes et vidées de leur contenu. Branle-bas de combat! Le gouvernement canadien et la Gendarmerie royale s'en sont mêlés : l'honneur du Canada était en jeu. L'honneur de la compagnie aussi, sans parler du mien...

J'ai fait venir à mon bureau tous les employés de nuit, puisque c'était leur service qui était remis en question. Avec l'aide de mon détective, je les ai questionné à tour de rôle. Les quatre premiers m'étaient complètement inconnus, comme c'est malheureusement le cas pour la majorité des employés ne travaillant pas de jour. Malgré mes 150 livres, ça devait brasser dur : je devais leur montrer qui était le patron.

Aucun d'eux n'a osé parler. Le cinquième à entrer dans mon bureau, par contre, je le connaissais. C'était un de mes anciens chauffeurs longue distance qui m'avait demandé à être transféré de nuit, sa vue ne lui permettant plus de conduire de jour. Il s'est assis devant moi et m'a déclaré : «Monsieur Gravel, vous nous avez aidés, moi et ma famille, alors je vais vous aider à mon tour, au risque de ma vie peut-être.» L'affaire était-elle donc si grave?

112

Il 'm'a appris que j'avais sur la plate-forme trois gars du Gang de l'Ouest, des criminels notoires, qui s'étaient infiltrés comme aides de nuit pour faire la «passe». Ils avaient déjà «coulé» un gars dans le canal Lachine (dans un bloc de ciment) à moins d'un quart de mille du bureau, et ils pouvaient me faire la même chose. Je crois que si j'avais été cardiaque, je serais mort sur le coup. J'ai quitté les lieux sur-le-champ en compagnie de mon policier. Ce dernier connaissait certains des individus impliqués, mais ne m'en avait pas touché mot. Mon ancien chauffeur longue distance m'a servi d'entremetteur pour la suite. Le lendemain, la marchandise était revenue. Les trois copains avaient disparu à l'amiable. Ottawa pouvait respirer. Quelle nuit d'horreur!

À l'époque, comme les employés n'étaient pas syndiqués le patron gérait son commerce à l'ancienne mode. Parfois, je voyais des décisions se prendre au retour du lunch qui ne faisaient pas mon affaire. Le samedi matin, après une dure semaine de labeur, une quinzaine d'employés étaient embarqués dans un camion pour être conduits au chalet des propriétaires, dans l'île Cadieux. Là, ils devaient laver les bateaux, le patio, peindre ou couper le gazon en plus des menus réparations. Je n'aimais pas les commentaires du lundi matin sur le sujet, mais *The boss is the boss.*

Vers 1957-1958, les Teamsters étaient déjà arrivés au Québec et ce n'était pas une mince affaire. Il s'agissait du plus important syndicat américain, et du plus dure également. Les Teamsters étaient implantés dans l'industrie du camionnage à travers tous les États-Unis. Les employés de Desrosiers Cartage ont été approchés, des cartes d'adhésion ont été signées, certains employés se sont engagés dans l'affaire.

Albert étant parti visiter la Russie avec des amis, madame Marguerite Desrosiers, la propriétaire m'a fait part du problème. Elle ne voulait pas que les Teamsters entrent chez Desrosiers Cartage. À ce moment-là, j'avais 30 ans, je n'avais encore aucune expérience des conflits syndicaux.

Mon premier réflexe a été d'appeler Albert Landry, chez Direct Motor. J'avais travaillé avec lui et je savais qu'il était devenu président d'un «syndicat de boutique». Il m'a référé à un certain Louis Dionne qui avait déjà travaillé aux relations ouvrières pour le gouvernement du Québec et qui avait beaucoup de contacts au sein des syndicats à Montréal. Près de la moitié des chauffeurs ont signé chez les Teamsters. Dionne est descendu à Québec et est revenu avec une charte de syndicat privé. J'ai nommé un employé, un ancien religieux, comptable de profession, secrétaire-trésorier du syndicat. Ce dernier travaillait chez Desrosiers depuis un an.

Madame Marguerite m'a conseillé de prendre Maurice Lavoie comme président. Il était censé être son meilleur employé et il lui devait de l'argent. J'ai ainsi rencontré le fameux Maurice, qui était à charger une remorque de bouteilles vides chez Consumer Glass, à Candiac. Je lui expliqué la situation et je lui ai demandé d'être président de syndicat. Pendant plus de 20 minutes, il m'a laissé vendre ma salade, puis il m'a révélé qu'il était le nouveau «steward» des Teamsters. Je venais de me jeter dans la gueule du loup. J'ai essayé de faire une entente en lui demandant de prendre des vacances. Nous nous sommes retrouvés avec un drôle de résultat : 50 % des employés pour les Teamsters et l'autre moitié pour le syndicat local.

C'est alors que les ennuis ont commencé. Quelque 200 gars du bord de l'eau sont venus fermer les portes, ce qui a amené une paralysie complète des activités de la compagnie. Un camion a été brûlé et deux employés ont été battus. Dionne avait prévu le coup et avait engagé une trentaine de «gros bras» prêts à tout qui demeuraient à l'intérieur du garage. La guerre était déclarée. Après plusieurs semaines de misère, l'entreprise cessa ses opérations. De mon côté, je n'avais pas dit mon dernier mot.

J'ai pris contact avec un avocat, maître Gérard Corbeil, et, après discussion, nous avons décidé d'amener l'affaire devant les tribunaux. Le juge a exigé qu'un vote officiel soit pris au sein des employés sous la surveillance gouvernementale, celle de la police provinciale, des Teamsters et de la compagnie. Consumer Glass a annulé son contrat et j'ai dû congédier une quarantaine d'employés. Le vote s'est fait sous surveillance policière et les Teamsters ont été défaits, une première au Québec. Je pouvais enfin prendre des vacances... Ouf!

Quelques années plus tard, les Teamsters sont revenus en force chez M.O.X. et ont réussi à faire entrer le syndicat. Un conflit de travail nous a obligés à fermer pour une période de trois mois, mais cette fois-ci, c'était Albert qui devait se débrouiller avec la situation. Depuis la venue de certaines personnes à la présidence d'un local d'employé(e)s travaillant pour le transport, dont Pierre Deschamps, il faut reconnaître que la philosophie des Teamsters a changé.

Tout en restant fidèle à ses engagements envers ses membres, monsieur Deschamps a compris qu'il fallait aussi reconnaître les problèmes auxquels les employeurs étaient confrontés si l'on voulait appuyer des amendements aux lois sur le transport, améliorer l'état du réseau routier, contrer la prolifération du transport illégal, etc. Malgré des philosophies opposées, une certaine collaboration s'est installée entre les syndicats et les employeurs.

Commission scolaire de Roxboro

En 1957, j'habitais Roxboro depuis déjà deux ans. Dès mon arrivée dans cette localité, mon instinct de bénévolat m'a porté vers toutes les organisations paroissiales et locales. Mon engagement dans la Ligue des propriétaires de Roxboro m'a fait connaître de toute la population, mais le maître absolu de la place demeurait Roland Bigras, fondateur et maire. Il contrôlait toujours tout sur le territoire. C'était tout de même un professionnel, un homme très honnête, très juste, mais ses intérêts personnels commençaient à créer des problèmes. Ses «hommes» étaient placés au municipal, au scolaire, bref partout, et tous ceux qui se présentaient contre lui ou son organisation se cassaient les dents les uns après les autres.

Lorsque le temps des élections scolaires est arrivé on m'a sollicité de toutes parts pour que je me présente. À ce moment-là, j'avais 29 ans et l'éducation scolaire de mes trois enfants me tenait à cœur. J'ai donc accepté de faire face à la «clique» Bigras avec mon ami Lou Clément. Il y avait deux postes de commissaire à combler et nous étions bien décidés à faire notre place au sein de la Commission scolaire.

Pour m'assurer que tous aient mon nom à l'esprit, chaque soir de 18 heures à 21 heures ainsi que les samedis et dimanches, j'allais de porte en porte pour faire ma cabale. Mon cheval de bataille était l'école qui était en pleine construction. Je disais que les poignées de porte allaient coûter 16 dollars chacune alors qu'on aurait pu les avoir pour 4,50 $. C'est ainsi que, le 11 juillet 1957, j'ai été élu comme commissaire à la Commission scolaire de Roxboro. Il en fut de même pour mon ami Lou Clément. Pour un petit gars du peuple, ça fait drôle d'être élu par le peuple!

Je savais qu'une lourde tâche m'attendait. Il faut se rappeler qu'à ce moment-là, nous étions toujours sous le régime de l'Union nationale de Maurice Duplessis (décédé à Schefferville en 1959). Même si la circonscription était représentée à Québec par le docteur Charles Kirkland, un libéral, c'était quand même le candidat défait qui avait le contrôle absolu sur toutes les décisions venant de Québec. La première année de mon mandat a été tranquille -nous étions deux contre trois- cela m'a permis d'apprendre les rouages du système. L'année suivante, j'ai présenté deux candidats, S.A. Breen et Fernand Labelle. Ils ont été plus chanceux que moi : je leur avais tracé le chemin. Élus par acclamation.

Le 15 juillet 1958, dès la première assemblée, j'ai été élu président à l'unanimité et j'ai conservé ce poste pendant deux mandats complets. Mon premier geste a été d'engager un secrétaire, Gaston Saint-Jean, et une avocate peu connue à l'époque, Claire Kirkland-Casgrain, fille unique du député libéral Charles Kirkland. Elle a été ma secrétaire-avocate pendant deux ans avant de devenir députée. Cela fait, la restructuration de la Commission scolaire pouvait commencer.

117

Deux choses m'avaient frappé à mon arrivée dans le milieu scolaire : le salaire peu élevé des institutrices et la loi qui imposait aux commissions scolaires du Québec l'instruction obligatoire aux élèves jusqu'en septième année. Après, les parents devaient trouver eux-mêmes une école, s'occuper du transport et des livres... Pour ma part, je trouvais cette situation catastrophique pour l'avenir de nos enfants. Je me souvenais que j'avais dû quitter Saint-Michel pour faire ma huitième année à l'école Saint-Arsène, rue Christophe-Colomb à Montréal, après ma septième année à Saint-Bernardin. La plupart cessaient d'aller à l'école tout simplement à cause du système scolaire.

Mais il fallait commencer par le commencement et régler un dossier à la fois. À l'époque, une institutrice recevait un salaire annuel de 2 000 dollars et bénéficiait d'une majoration réglementaire de 50 dollars par année, abstraction faite de ses qualifications (brevets d'enseignement). J'avais également constaté que les professeurs anglophones gagnaient tous 500 dollars de plus que le personnel francophone, soi-disant à cause de la difficulté à recruter ces gens... Inutile de vous dire que les révisions ont été faites dans un temps record.

Nous avions alors plus de vingt personnes à notre service. Je les ai toutes réunies un soir et leur ai soumis un projet d'échelle salariale qui doublait leur rémunération. «Donnez-moi de deux à trois ans et cette échelle sera en vigueur. Cependant, ceux et celles qui sont entrés par favoritisme sans avoir les brevets requis, vous avez deux ans pour les obtenir.» Trois des personnes présentes sont retournées aux études. J'ai obtenu du personnel une ovation aussi forte que Maurice Richard au forum. Il est certain que je créais un précédent pour les commissions scolaires des environs.

Quant à mon deuxième problème, j'ai pris rendez-vous avec le surintendant de l'Instruction publique à Québec, monsieur Omer-Jules Desaulniers, le maître à bord après Dieu. Il me regardait d'un air hautain. Imaginez : je lui demandais de garder nos élèves de huitième et neuvième années dans nos murs, chez nous! «Mais pour qui vous prenez-vous, jeune homme? m'a-t-il dit. Réalisez-vous que moi, je suis responsable de la province et que je n'ai pas de budget pour vous donner plus que ce que vous recevez en ce moment? «Monsieur Desaulniers, je regrette, mais ma décision est déjà prise. Mon professeur, monsieur André Boily, a signé son contrat d'engagement, et la population est bien heureuse.»

Imaginez la sainte colère qu'il m'a piquée dans son bureau! «Je vais couper vos octrois», m'a-t-il lancé. «Si mes octrois sont coupés, on fera des bingos, mais on ne changera pas d'idée, monsieur le surintendant.»

Un bon joueur d'échecs prévoit cinq coups à l'avance. Il a toujours été ainsi dans ma vie. Si j'avais parlé au surintendant de cette façon, c'est que je savais où j'allais. J'ai tenu mes deux promesses et j'en étais bien fier. Plusieurs années plus tard, monsieur Boily est devenu président d'Air France au Canada.

À mon retour de Québec, avec le concours du curé Lucien Valois, je suis arrivé à une entente avec Mère Marie-de-Nazareth, de la communauté des Dominicaines. Les religieuses sont arrivées le 28 août 1959. Elles ont été logées temporairement dans une maison louée par la Commission scolaire. Le 23 janvier 1961, celle-ci leur donnait les clés de leur nouvelle résidence, ayant obtenu un octroi de 90 % pour la résidence et les huit religieuses alors en service.

Les bonnes soeurs nous coûtaient moins cher que des laïcs, ce qui nous permis d'équilibrer le budget de la Commission scolaire. Nous n'avions reçu aucun octroi pour nos élèves de huitième et de neuvième années.

Il fallait être inventif pour trouver l'argent nécessaire. À mon arrivée à la Commission, les taxes scolaires étaient de 1,75 $ par 100 $ d'évaluation. Deux ans plus tard, le taux était réduit à 70 cents. Chacune des dépenses avait été scrutée à la loupe, chacun des comptes de taxes des entrepreneurs était entre les mains d'avocats qui avaient pour mission d'obtenir paiement. La venue des religieuses avait aidé nos finances, il en fut de même de la fusion d'un centre commercial. En effet, il y avait un terrain immense sur lequel un centre commercial venait d'être bâti; une seule propriété y était érigée. Les taxes scolaires étaient payées à Pierrefonds, et une certaine dame Lalande était la seule à avoir droit de vote concernant tout ce territoire. Un soir, je lui ai rendu visite avec l'approbation de son fils Eddy et je lui ai fais une offre difficile à refuser. Son fils m'avait dit: «Si ma mère t'offre un gin, ne parle plus; ça veut dire que l'affaire est réglée.» Les Lalande ont été les pionniers de Sainte-Geneviève et des environs. Le père a été maire de Pierrefonds et Eddy, son fils, le deviendra plus tard aussi. Après avoir parlé avec Eddy Lalande, je suis allé voir sa mère pour lui proposer un marché : «Si vous acceptez d'annexer le territoire à la Commission scolaire de Roxboro, lui ai-je dit, ce qui nous garantira un revenu de taxes scolaires de 20 000 $ par année, je ferai en sorte que l'école de Roxboro porte le nom d'École Lalande, en reconnaissance à votre famille.» Elle s'est mise à me parler de la température et m'a offert... un petit gin.

Bientôt, l'école Lalande n'a plus suffi à la demande, nous avions près de six classes éparpillées un peu partout. Il nous fallait une autre école. Je me suis présenté aux «autorités» du temps (l'Union nationale), mais j'étais le président du Parti libéral section Roxboro et mes interlocuteurs ne m'ont rien proposé de bon. À leur avis, je devais faire voter une résolution par le conseil scolaire. Ils m'ont donné les noms de quatre entrepreneurs choisis par leur parti qui m'enverraient donc quatre devis. Certains ne viendraient même pas chercher les plans, mais c'était sans importance. Je devais accepter le plus bas devis et ne recevrais que 60 % d'octrois pour la construction de l'école.

Nous étions au début de l'année 1960 et des rumeurs d'élections criculaient. J'ai envoyé tout ce beau monde chez le diable en bon joueur d'échecs...

Le 22 juin 1960, le Parti libéral a pris le pouvoir. Ma secrétaire-avocate, Claire Kirkland Casgrain a pris rendez-vous pour moi avec le nouveau ministre, Charles Kirkland, son père. J'ai également rencontré le nouveau ministre de l'Éducation, Paul Gérin-Lajoie, que je connaissais très bien. J'ai offert à ces messieurs l'occasion d'être les premiers à permettre aux Québécois de bâtir une école à partir de soumissions publiques.

Monsieur Charles Kirkland était mon invité d'honneur à la bénédiction des travaux. Malheureusement, il est décédé durant la construction de l'école. En remerciement du travail qu'il avait accompli pendant 22 ans à titre de député de la circonscription, la Commission scolaire baptisa le nouvel établissement «École C. Kirkland.» L'école a été bénie le 15 octobre 1961.

C'est sans opposition que, le 11 juillet 1960, mon mandat de président a été renouvelé pour trois ans en même temps que celui de Lou E. Clement, à titre de commissaire.

Durant les deux termes que j'ai eus comme responsable en chef de la Commission scolaire Roxboro, nous avons instauré quelques activités qui rendaient la vie plus agréable pour les élèves et la communauté. Grâce à la collaboration des commissaires, de la direction de l'école et du directeur de la Caisse populaire, Louis-Philippe Bertrand, nos élèves ont eu la possibilité d'ouvrir chacun un compte à la Caisse. Plus de 300 comptes ont ainsi été ouverts en deux mois; chaque élève avait son propre bordereau et était initié à l'économie.

Les élèves étaient très fiers d'apporter, qui une pièce de 50 cents, qui un billet de deux dollars; cela leur faisait prendre conscience de la valeur de l'argent. Cette initiative a par la suite été suivie par plusieurs autres commissions scolaires.

La Commission a aussi pris l'habitude de souligner certains événements ou jours spéciaux, comme la Fête des mères, et la collecte de paniers de Noël. Pour ce dernier événement, les parents des élèves étaient invités à remettre à leurs enfants une boîte de conserve, une boîte de biscuits ou d'autres denrées. Tous les commissaires se plaçaient à la sortie de l'église le dimanche afin de recueillir quelques dons. C'est ainsi qu'avec l'aide du curé et de la Mère supérieure, nous avons pu gâter quelques familles plus démunies durant la période des réjouissances, dans le respect et la discrétion.

En 1959, j'avais demandé au personnel de chaque classe d'organiser quelque chose pour la Fête des mères. Ce fut un énorme succès. Chaque année par la suite, nous avons fêté cette journée de façon spéciale. Je me souviens encore du poème que j'avais publié dans le programme souvenir : «Il y a bien des merveilles dans l'univers, mais le chef-d'œuvre de la création est encore le cœur d'une mère.» Ce soir-là, ma maman était présente et bien fière de son Bernard. Mais dans le fond, c'est moi qui étais le plus heureux de l'avoir à mes côtés.

En tant que président de la Commission scolaire, j'ai aussi appuyé le projet de construction d'un collège mis de l'avant par les Sœurs de Sainte-Marcelline. En effet, au mois d'octobre 1964, Claire Kirkland-Casgrain m'avait écrit pour me demander d'appuyer et de faire circuler la pétition de cette communauté qui désirait ériger un collège classique. Les religieuses dirigeaient déjà une école primaire à Saraguay et jouissaient d'une excellente réputation en matière d'éducation. C'est donc avec empressement que je me suis occupé du dossier. Annick et Philippe, les enfants de mon fils Pierre, fréquentent ce collège, mais ils ne se sont sans doute jamais douté du rôle que j'ai eu dans la fondation de l'institution.

J'ai souvent répété que quiconque parvient au pouvoir ne devrait jamais avoir plus de deux mandats, que ce soit aux plans provincial, municipale ou même scolaire. Il aurait été facile pour moi de rester en poste éternellement; j'étais estimé et juste avec tout le monde, francophones anglophones. Mais s'accrocher au pouvoir n'est vraiment pas le meilleur moyen de rendre service à la population; c'est pourquoi j'ai quitté la Commission scolaire après deux mandats à la présidence.

123

Fait à noter, tout le temps où j'ai occupé ce poste, nos assemblées se sont déroulées le troisième lundi du mois et elles ont été publiques. Pourtant, aucun citoyen ne s'est présenté à ces assemblées durant ces cinq années. Il faut croire que notre travail et nos efforts satisfaisaient tout le monde. Je recevais de 5 à 10 appels téléphoniques par jour. Le lendemain, le problème de chacun était réglé. Cela devient vite une question d'habitude. Il faut pouvoir être capable de prendre une décision rapide même si ce n'est pas toujours la bonne. Le commissaire S.A. Breen s'occupait des problèmes du côté anglais et tout marchait au goût des propriétaires. Déjà à l'époque, on parlait de fusionner certaines commissions scolaires à travers le Québec. Il est important de noter qu'en 1958-59, le rang des Sources (aujourd'hui le boulevard des Sources), par exemple, avait sa propre commission scolaire : une maison, une classe (pour les élèves de la première à la septième), une institutrice. J'avais d'ailleurs rencontré Paul Desrochers, président provincial des commissions scolaires, lors du Congrès scolaire, et nous étions du même avis sur le sujet. Malheureusement, l'idée ne faisait pas l'unanimité, chacun voulant conserver son petit pouvoir local. Cependant, quelques mois après la fin de mon mandat et à la suite de mon travail inlassable, neuf commissions fusionnaient en une seule, la Commission scolaire Robert-Baldwin. Il est très triste de constater qu'aujourd'hui, trente-cinq ou quarante ans plus tard, la situation n'a pas évolué dans le domaine municipal. Il y a actuellement plus de 500 municipalités et villages qui devraient disparaître d'ici un an ou deux. Il en est de même au scolaire. J'espère que nos politiciens auront le courage nécessaire pour atteindre cet objectif. Parfois, j'ai le goût de retourner en politique pour faire quelques nettoyages ici et là.

Mon ami Paul Desrochers est devenu l'éminence grise du Parti libéral, le bras droit de Robert Bourassa. Il a été pendant quelques années l'homme le plus influent du Parti et du gouvernement. Il a quitté ses fonctions et s'est retiré dans un petit village de l'Ontario. On l'a retrouvé mort dans sa salle de bains, une arme à feu à ses côtés. Ce n'est pas toujours facile, la politique.

Chambre de commerce de Montréal

J'avais été élu président de la Commission scolaire de Roxboro en 1958. Le 14 avril de la même année, j'étais devenu membre actif de la Chambre de commerce du district de Montréal. J'étais âgé de 30 ans. Le centre d'intérêt de cet organisme était naturellement les affaires et l'économie. À l'heure du midi, la Chambre organisait des rencontres et des conférences fort intéressantes. Beaucoup de contrats et de contacts se faisaient durant ces rencontres. Ce qui m'étonnait le plus au début, c'était que la plupart des membres de langue française étaient au service de compagnies ontariennes ou américaines, et ils avaient tous des titres ronflants, mais très peu d'autorité.

Après quelques années d'assiduité aux dîners, tournois de golf, cocktails et congrès, j'ai eu envie de m'engager un peu plus à fond. J'ai réussi à me glisser dans un comité économique que la Chambre venait de créer et dont l'objectif principal était de rédiger un rapport sur la situation économique de Montréal, qui dépérissait déjà à vue d'œil.

On se demandait pourquoi le Québec avait tant de difficultés financières alors que l'Ontario jouissait d'une économie florissante depuis plus d'un quart de siècle. Le président du comité, monsieur J. Desrosiers, avait effectué quelques voyages, payés par la Chambre de commerce, à travers le Canada, afin d'aller voir ce qui se passait dans les autres villes. De mon côté, j'avais déjà réalisé une étude sur le sujet lors de mes nombreux déplacements d'affaires, et j'ai présenté mes conclusions au comité économique. Toute multinationale voulant s'établir au Canada, surtout s'il s'agissait d'une entreprise américaine, devait passer par le ministère de l'Industrie, à Ottawa. Elle était alors immédiatement déférée au ministère des Transports, et c'est là que tout se jouait. On conseillait alors à l'entreprise de s'installer à Toronto ou dans ses environs plutôt qu'à Montréal. Le Ministère par l'entremise des compagnies de chemin de fer, offrait un taux préférentiel aux compagnies installées en Ontario. Le coût du transport avait donc une grande influence sur leurs profits et sur leur décision de s'implanter à un endroit plutôt qu'à un autre. Il ne servait à rien à Campbell Soup d'avoir sa production au Québec, quand le coût de transport par chemin de fer lui revenait à une fraction de cent par boîte de conserve. À la fin de l'année, le CN annonçait un déficit de 200 millions de dollars et nous, pauvres Québécois, nous en payions 25 %, en plus d'avoir perdu toutes ces usines américaines qui avaient vite compris qu'il valait mieux s'installer à Toronto. Le problème économique était le même pour l'ouest et l'est du pays. Chaque province devait payer le déficit créé en Ontario. À ce moment-là, les éléments anglophones ont vite réglé le problème en traitant de séparatiste tout Québécois qui essayait de réveiller la population relativement à cette réalité.

À titre d'exemple, je pourrais citer Michelin. Cette entreprise française avait décidé de s'implanter au Québec. En arrivant au pays, elle a dû passer par Ottawa et, naturellement, on lui a fait miroiter les réductions, voire l'exemption des taxes sur les pneus reçus au Canada et vendus aux États-Unis. Cet argument, lié au taux préférentiel des compagnies de chemin de fer, n'a pas vraiment laissé le choix à la société française. Au Québec, ces avantages lui auraient simplement échappé.

Comme deux des membres du comité de la Chambre de commerce travaillaient au CN et au CP, mon rapport n'a pas été chaudement applaudi. Les représentants des compagnies que je citais étaient en furie, même s'ils ne comprenaient rien à tous ces chiffres sur le transport. Le comité a alors convoqué une assemblée extraordinaire en prenant soin, bien entendu, de s'assurer que je n'y assisterais pas.

Le président du comité économique a fortement recommandé à l'Exécutif de la Chambre de commerce de faire engager un commissaire industriel à plein temps par la Ville de Montréal afin de mieux veiller à la croissance économique de la métropole. Mon rapport avait pris le bord de la corbeille à papier!

Sylvain

Nous habitions toujours Roxboro lorsque mon fils Sylvain est venu au monde, le 31 janvier 1959. Quand il a eu six mois, sa mère et sa grand-mère Rose-Anna ont décidé de l'inscrire à un concours du *Journal de Montréal* destiné à trouver le plus beau bébé de la province.

Eh oui! Il a gagné. Nous savions déjà qu'il était adorable, mais ça été vraiment une joie de le voir consacré «plus beau bébé du Québec. Il est d'ailleurs resté très beau garçon, ce qui lui a permis d'être extrêmement populaire auprès des filles. C'est finalement Ginette qui a gagné son cœur bien des années plus tard.

Un peu plus de confort

J'ai vendu ma première propriété en 1960 à monsieur Adrien Létourneau pour une somme de 12 000 dollars payable sur une période de dix ans. Avec toutes les économies que j'avais réalisées en la construisant, je me suis fait un profit de plus de 4 000 dollars dans cette opération.

Les affaires étaient prospères et tout était de première classe chez M.O.X. lorsque j'ai décidé de m'installer plus confortablement à Roxboro. Deux grands terrains adjacents à la maison que je venais de vendre, et j'ai décidé de m'en servir. Cependant, il m'a fallu admettre que je n'avais pas les capacités suffisantes en dessin pour concrétiser le projet.

J'ai donc engagé un architecte de Roxboro, Guy Gagné, qui m'a dressé tout un plan : piscine creusée, sous-sol aménagé, salle de jeux pouvant recevoir 100 personnes et toutes les commodités rêvées.

Pour réaliser les travaux, j'ai engagé un ami, entrepreneur absolument hors pair, monsieur Albert Rodrigue. C'était une des plus grosses maisons de Roxboro. Une maison qui restait néanmoins très sobre, car j'avais des visées politiques plutôt élevées...

La vie à Roxboro

Le 29 juillet 1960, vers 17 heures, un train de passagers est entré en collision avec un train de marchandises peu après un passage à niveau, sur le boulevard Gouin. L'accident fit une victime et plus de 70 blessés.

Nous habitions à un kilomètre de là et avons ressenti le choc comme s'il s'était produit devant la maison. Naturellement, je me suis empressé d'aller vérifier ce qui se passait et j'ai été horrifié de voir tous ces gens entremêlés, certains avec une jambe ou un bras de cassé, d'autres coincés sous les sièges de leur wagon d'où il était impossible de les sortir.

Parmi les passagers, j'ai eu la surprise de reconnaître Catherine McDonald, une Canadienne-anglaise qui avait été ma voisine à Saint-Michel lorsque j'avais sept ans. Elle était accompagnée de son mari et tous deux étaient ensanglantés. Je les ai aidés à monter à bord de ma voiture. Ensuite, j'ai attaché un mouchoir blanc à l'antenne de l'auto et j'ai pu me faufiler à travers la foule. Mes passagers ont été les premiers blessés à être admis à l'hôpital Sacré-Cœur. Beaucoup d'autres devaient les suivre.

C'est ce genre d'événement qui nous fait prendre conscience de notre capacité à réagir rapidement et du sang-froid dont nous pouvons être capables dans certains cas tragiques et exceptionnels.

Une nouvelle église à Roxboro

À la même époque, Roxboro avait besoin d'une nouvelle église, l'ancienne ayant été détruite lors d'un incendie. Après le sinistre, les paroissiens s'étaient vus dans l'obligation d'assister à la messe dans le gymnase de l'école Lalande. À cette époque, j'étais président de la Commission scolaire et j'ai été invité à mettre mon grain de sel dans cette histoire par l'archevêché.

Le groupe des marguilliers, avec en tête René Labelle, avait décidé d'un plan de restauration de l'église incendiée et avait même engagé des architectes pour faire le travail. Comme il devait consulter les francs tenanciers avant d'agir, c'est-à-dire la population, une assemblée a donc été tenue.

De mon côté, j'avais reçu plusieurs appels téléphoniques me demandant de prendre position publiquement lors de cette assemblée. Le chanoine Delorme, qui présidait la réunion au nom de l'archevêché de Montréal, a été à même de constater que 80 % des fidèles s'opposaient au projet.

Après cette déconvenue, le Conseil de la fabrique s'est réuni le 27 juin 1959 afin de faire le point sur la situation. Le curé de la paroisse, Lucien Valois, a alors signalé qu'il avait reçu une lettre, le 24 juin précédent, du Révérend père E. Deblois, concernant une offre de vente d'un terrain de 60 000 pieds de superficie au coût de 40 cents le pied carré. Ce terrain était situé sur le lot 46, à l'angle du boulevard Gouin et de la 4e avenue, près de l'entrée du restaurant Les Trois Arches. Les marguillers avaient voté contre la proposition.

À la suite de ces événements, j'ai reçu un appel de l'archevêché. Le chanoine Delorme avait remarqué mon exposé clair, net et sans détour lors de l'assemblée qui avait fait échouer le projet de restauration de l'église incendiée. Il avait apprécié le fait que je n'avais cherché que le meilleur pour la population sans rien demander en retour. J'étais donc convoqué à l'archevêché, confidentiellement, bien sûr.

J'ai été reçu en audience par Son Éminence le cardinal Paul-Émile Léger en personne, lequel avait entrepris les démarches chez les clercs de Saint-Viateur pour obtenir du père Deblois l'offre faite le 24 juin. On me chargea de prendre l'affaire en main tout en étant discret sur mes allées et venues à l'archevêché. Le curé Valois serait averti de me soutenir lors de ces démarches.

Quelques semaines plus tard, les marguilliers proposaient un nouveau site appelé «terrain Beaudet», 75 cents le pied carré. Avec l'aide de mesdames Côté et Leduc, j'ai fait une «chaîne téléphonique» invitant la population à se rendre à une nouvelle assemblée. Le projet a été rejeté.

Le 3 février 1960, une nouvelle assemblée publique a été convoquée par les mêmes marguilliers dans le but de faire adopter une nouvelle proposition pour l'église. Le terrain dont il était question coûtait 49 430 dollars et deux maisons seraient achetées afin d'aménager un terrain de stationnement. Mon réseau téléphonique s'est une fois de plus mis à l'œuvre.

À cette époque, j'avais entrepris des démarches pour ouvrir une pâtisserie en face du terrain en question et le groupe des marguilliers pensait bien me faire taire avec cet argument. Finalement, la date de convocation de l'assemblée n'était pas la bonne et le projet a été reçu sans opposition. Le curé Valois avait changé de camp sans raison apparente.

Le lendemain de mon humiliante défaite, je suis allé à l'archevéché demander des comptes. Personne ne comprenait le revirement du curé de la paroisse. Le 11 février, j'ai écrit au chanoine qui avait présidé la dernière réunion -à sa demande- en mentionnant toutes les irrégularités de la fameuse assemblée. Ma lettre a été acheminée directement au cardinal Léger qui a été offusqué de la tournure des événements.

Selon le droit canon , un cardinal a le droit de renverser une décision prise par les marguilliers et les francs tenanciers d'une fabrique si cette décision a été prise dans des circonstances nébuleuses. C'est ce qu'a fait le cardinal Léger : il a annulé le vote de la dernière assemblée de la Fabrique en se basant sur ma lettre, a ordonné l'achat du terrain des clercs de Saint-Viateur pour la somme de 24 000 dollars et envoyé le curé Valois dans une autre paroisse, soit à Sainte-Anne-de-Bellevue.

Le 22 février 1961, on a procédé à l'élection des syndics en vue de la construction de la future église et aucun des partisans de René Labelle n'a été élu. Les représentants choisis n'avaient pas participé aux batailles précédentes et étaient parfaitement neutres; il s'agissait de E. Deslauriers, de L.M. Bluteau et de H. Laniel. C'est ainsi qu'a pris fin, après deux longues années, la guerre des nerfs à Roxboro.

Dans un autre ordre d'idées, mes nombreux contacts commençaient à amener des gens à sonner chez moi pour obtenir certains renseignements. Je connaissais toutes les personnes importantes à Roxboro et dans les environs. C'est ainsi qu'au début du mois de mars, Guy Bougie, propriétaire d'un salon de coiffure, est venu pour m'apprendre que le terrain commercial situé derrière la chapelle incendiée était à vendre pour un prix vraiment ridicule : 3 000 dollars. Guy connaissait tout le monde à Roxboro et venait régulièrement me donner des nouvelles de la place. Je crois qu'il était mon plus sincère et plus fidèle partisan.

Je lui ai conseillé de sauter sur l'occasion et de l'acheter, mais il craignait un peu de se lancer dans l'inconnu. J'ai alors décidé d'acheter le terrain avec lui, mais à la condition que mon nom n'apparaisse pas dans les discussions concernant l'achat. Le terrain en question appartenait à Roland Bigras et il n'aurait pas accepté de me le vendre à moi, puisque j'étais son adversaire politique. Nos projets immédiats était de bâtir un casse-croûte, mais une autre occasion d'affaires allait se présenter.

Quelques mois plus tard, en effet, un Européen du nom de Caserer a sonné à ma porte. On lui avait dit que j'étais président de la Commission scolaire et que je connaissais plein de gens. Je pourrais donc peut-être l'aider dans son projet : ériger un centre commercial entre la voie ferrée et la 4e avenue, sur le boulevard Gouin, face à l'église et la maison de Guy Lemieux un membre du Club de golf Islemere. Mais il avait besoin d'acheter un certain terrain derrière la chapelle incendiée pour mettre son projet à exécution.

Je savais très bien de quel terrain il parlait et je lui ai signifié qu'il n'était pas à vendre puisqu'on allait y implanter un casse-croûte. Il proposerait d'acheter le casse-croûte si cela se faisait. Quand il m'a demandé si je connaissais le propriétaire, je lui ai répondu que oui et que le terrain n'était pas à vendre à moins de 20 000 dollars. L'homme avait quelques réticences, mais il a accepté quand même. Comme son projet était évalué à 3 millions de dollars, ce n'était pas une si grosse somme pour lui.

Toujours en 1961, j'ai rencontré un groupe de gens d'affaires de Dollard-des-Ormeaux, Kirkland, Pierrefonds, Roxboro et Sainte-Geneviève pour fonder l'Association des gens d'affaires du Haut-Saraguay. Nous avions recruté quelque 150 membres au sein de cette nouvelle organisation. Notre président, René Lusignan, était d'un dynamisme à toute épreuve; moi, j'étais vice-président. Nos rencontres se faisaient à l'étage du réputé restaurant L'Habitant (autrefois «The Habitant»). Nous avons invité de nombreux conférenciers de première classe, dont Gérard Gougeon, secrétaire de la Ville de Roxboro, Claire Kirkland-Casgrain.

Toujours chez M.O.X...

Après dix ans de services ininterrompus chez M.O.X., Albert Desrosiers s'occupait toujours des opérations et moi, je continuais à être sur la route. Je partais de chez moi certains jours à 6 heures le matin pour être à mon premier rendez-vous à Ottawa à 9 heures. Souvent, ma dernière rencontre avec un client se faisait à 16h. Alors je rentrais chez moi pour souper vers 20 heures. La fin de semaine, je recevais à la maison un groupe de clients avec dîner servi par une maison spécialisée, piscine ou feu de foyer l'hiver. Malgré tous mes efforts, j'appréhendais une stagnation de la clientèle dans le corridor Montréal-Ottawa.

J'ai rencontré madame Desrosiers et son fils dans le but de leur faire part de la situation et aussi de leur suggérer d'établir de nouveaux marchés vers Sorel, Sherbrooke et, pourquoi pas, Québec. Toutefois madame Desrosiers, qui avait déjà 70 ans, ne se sentait pas intéressée à aller plus loin, et Albert était satisfait de la vie qu'il menait. Moi, je ne voyais pas les choses de la même façon. Quand on n'avance pas, on recule face aux concurrents!

Je leur ai parlé d'une participation dans la compagnie, de partage des bénéfices... La lune de miel avec les Desrosiers avait une limite : celle-là. Ils m'ont répondu que les enfants d'Albert (Robert 6 ans et Pierre 8 ans) étaient les futurs propriétaires de l'entreprise un point c'est tout. Je leur ai rappelé que si je les quittais, ils perdaient l'âme de l'entreprise et que cette dernière ne résisterait pas douze mois à la compétition.

Un peu de politique

À l'approche des élections municipales de 1962, plusieurs citoyens de Roxboro me pressent de me présenter à la mairie. Mon engagement dans la communauté à titre de président de la Commission scolaire, mais aussi comme l'un des organisateurs du Parti libéral, fait de moi un personnage très populaire dans la région. J'ai alors 34 ans, je suis directeur de Montréal-Ottawa Express, je suis plein d'énergie et j'ai beaucoup de partisans... Et je fonce! Mon adversaire est René Labelle, ancien député de l'Union nationale de Saint-Henri, bilingue, maire sortant, mais pas aimé de tous.

Avec mon frère Maurice comme chauffeur privé, nous avons fait une campagne de porte à porte à travers toute la ville; je cherchais à avoir un maximum de visibilité, je voulais que mon nom soit sur toutes les lèvres. Le jour de la mise en nomination à l'hôtel de ville, j'ai remarqué la présence de J.J. Coté, un membre éminent du Parti libéral et du Club de réforme; il avait aussi été l'un des organisateurs politiques de Pierre Laporte lorsque ce dernier s'était présenté contre Robert Bourassa à la direction du Parti libéral. J'étais un peu surpris, car je n'avais pas demandé son aide. Il est venu chez moi, a rencontré mon organisation, a posé des tas de questions et est revenu le lendemain avec des collants pour automobile. C'était gratuit.

Quelques semaines avant le jour du scrutin, j'ai reçu la visite de trois inconnus, des Italiens de l'extérieur de la ville. Ils venaient m'offrir leurs services pour la journée du vote. Ils prétendaient qu'il y aurait de la casse et ils m'offraient la protection de cinquante «gorilles» à raison de 50 $ par jour.

Naturellement, j'ai vite fait de congédier tout ce beau monde mais je ne me sentais pas très sûr de moi, je l'avoue. Une dizaine de jours plus tard, deux autres Italiens sont venus frapper à ma porte. Encore une fois, ils venaient m'offrir leurs services pour la journée du vote. Malgré mon inquiétude grandissante, je leur ai montré la porte, mais j'ai soigneusement évité d'ébruiter ces événements dans mon entourage. J'avais plus que jamais besoin de mes partisans, il fallait éviter à tout prix une peur collective.

Toutefois, l'aventure n'était pas terminée. Quelques jours avant le jour crucial, j'ai reçu un coup de fil me prévenant qu'un groupe du Mocambo -un club de nuit- s'apprêtait à venir «faire» l'élection; et ce n'était pas des enfants de chœur. J'ai alors fait appel aux services de la police provinciale. Deux voitures patrouille étaient stationnées devant ma porte 24 heures sur 24, mais j'avais aussi peur d'eux que des hommes qui étaient venus me voir. C'était des anciens de l'Union nationale.

Le jour du scrutin est finalement arrivé. Tout semblait calme. La population est allée voter sans problème. En fait, c'est au moment du décompte des bulletins de vote que le tout s'est joué. Mon adversaire étant le maire sortant, il contrôlait les responsables des polls et l'on empêchait mes représentants de s'en approcher. Un certain grabuge commençait à se manifester. Mes trois frères sont venus me chercher et j'ai quitté la ville vers 16 h. pour revenir vers 20 h. le temps que les choses se calment.

Le bureau de scrutin devait fermer à 19 heures mais il est demeuré ouvert jusqu'à 21 h 30. Les boîtes de scrutin étaient étrangement divisées en deux : les bulletins de vote du fond des boîtes m'étaient favorables à 80 %, mais les bulletins du dessus allaient pratiquement tous à mon adversaire. Finalement, j'ai perdu mon élection par 40 voix; le seul membre de mon équipe élu conseiller fut Marc Mayrand.

Sûrs de mon élection, plusieurs centaines de mes partisans ont passé la soirée devant ma porte; je n'avais averti que deux ou trois proches collaborateurs des événements survenus dans les semaines précédentes. Déçu de la tournure des événements, surtout en voyant tant de gens me supportant, j'ai remercié chaleureusement tous mes collaborateurs et j'ai annoncé ma décision de ne plus jamais faire de politique active. Il ne me restait plus qu'un an à faire en tant que président à la Commission scolaire et mon goût de la politique était quelque peu émoussé. Plusieurs de mes collaborateurs ont pleuré. Tant de mois de travail. Mais personne ne croyait que j'étais sérieux dans ma résolution. Tous croyaient qu'une fois revenu de ma déception, je foncerais de nouveau dans l'arène politique.

De mon côté, je me disais que si je mettais autant d'énergie dans des activités lucratives que j'en avais mis dans ces élections, je ne manquerais pas de devenir riche avant longtemps et que personne ne pourrait légalement me prendre le fruit de ce travail. Toujours est-il que je n'ai jamais retouché à la politique active par la suite depuis cette amère défaite. Je garde quand même un bon souvenir de mes dix années de politique à Roxboro.

Quelques années plus tard, le gouvernement a institué une commission d'enquête sur le crime organisé, la CECO. J'ai ainsi appris par les journaux que J.J. Coté était convoqué à la barre pour expliquer ses relations avec certains de ses amis italiens... Pour moi, cela expliquait bien des choses et je suis sûr qu'il en fut de même pour bien d'autres candidats naïfs des environs de Montréal.

La politique peut conduire à bien des choses et nous amène également à faire bien des choses. C'est donc en voulant devenir maire de Roxboro que je me suis retrouvé membre fondateur d'un club de curling, le Glenmore Curling Club, situé au 4141, St.Remi Road, à Dollard-des-Ormeaux.

L'ouverture de notre Club a eu lieu le 23 février 1962 avec comme maître de cérémonie Gérald Lévesque, ancien président de Dow Breweries. J'avais beau être membre de l'organisation, je n'appréciais pas tellement le sport en question; alors j'ai abandonné après deux ans de pratique.

Malgré tout mon engagement dans la communauté, comme dans ce club de curling, je n'ai jamais été élu à la mairie de Roxboro. Les Anglais trouvaient mon style un peu trop «politicman». Alors, quand le Club, qui était dirigé par des anglophones, a demandé un permis d'alcool, j'ai décidé d'y mettre mon grain de sel.

C'était Claire Kirkland, alors députée de la circonscription qui avait son mot à dire à l'époque concernant l'octroi de tels permis. À ce moment-là, j'étais président des Libéraux pour la section Ouest du comté. Je lui avais déjà rendu quelques services, aussi était-il normal qu'elle me remettre la pareille.

Personne n'aime perdre, et surtout pas moi. Je n'avais pas tellement apprécié que les gens que j'avais aidés dans leurs démarches pour la création du club de curling me tournent le dos au moment de l'élection. C'est pourquoi j'avais décidé de les «assoiffer» quelque temps. J'avais demandé à Claire Kirkland de faire savoir à leur Exécutif que le support de Bernard Gravel était hautement recommandé.

Ils ont joué plus de six mois au régime sec, mais cela ne pouvait continuer plus longtemps. Un soir, j'ai reçu chez moi la visite du Conseil exécutif au complet. Après quelques verres, je leur ai demandé la raison de leur visite, puisque je n'étais qu'un simple membre du Club. J'avoue que j'ai pris plaisir à les voir faire des courbettes en me demandant un «petit service». Comme par hasard, ils ont obtenu leur permis d'alcool quelques jours plus tard.

Juge de paix

Dans les années soixante, être désigné comme juge de paix pour un particulier, représentait un honneur sans pareil. Tout le monde rêvait de cette nomination ou d'une reconnaissance similaire.

On comprendra facilement l'émotion que j'ai ressentie lorsque le 20 février 1962, le lieutenant-gouverneur Paul Comtois, m'a confié cette tâche laquelle a été confirmée le 8 mars suivant par Raymond Smith, sous-secrétaire du Québec. j'avais alors 34 ans et j'étais au comble de la fierté.

Autant, d'ailleurs que le 26 mai 1985, quand le ministre de la Justice Marc-André Bédard a nommé mon fils Sylvain au poste de commissaire à l'assermentation pour tous les districts judiciaires du Québec. Je crois que c'est ce qu'on peut appeler «suivre les traces de son père.»

Pâtisserie Bouvel

Il est difficile pour quiconque visite Roxboro de ne pas remarquer, voire visiter la Pâtisserie Bouvel située au 10 409 du boulevard Gouin Ouest. Elle est ouverte depuis le 11 octobre 1962 et son histoire est assez intéressante.

Après l'heureuse tournure de la transaction Caserer, Guy Bougie est arrivé chez moi un jour avec l'idée d'oeuvrer non plus cette fois dans le domaine du casse-croûte, mais dans la pâtisserie près du salon de coiffure. Après que j'ai eu fait changer le zonage du terrain vacant situé à côté du salon, nous sommes donc passés à la deuxième étape du projet : les gâteaux. Je ne connaissais rien dans la pâtisserie, et Guy non plus. Par conséquent nous avons publié dans le journal *La Presse* une offre d'emploi pour un pâtissier d'expérience. Quelque 22 personnes ont répondu, et j'en ai profité pleinement. Je m'instruisais un petit peu plus à chaque lecture de C.V., car les candidats donnaient énormément de détails sur leur expérience.

J'ai reçu chez moi 20 d'entre eux avant de prendre ma décision. Si mon questionnaire était plutôt mince au début, il s'est rapidement épaissi au fur et à mesure de mes rencontres. Je notais tous les renseignements importants à la fabrication de gâteaux : quelle était la meilleure farine, quels instruments étaient les plus adéquats, de quelle grosseur devaient être les gâteaux tous les détails de la cuisson du pain, les précautions à prendre lors de l'achat d'un réfrigérateur, etc. Afin d'être encore plus professionnel, j'ai passé mes fins de semaine, accompagné de ma famille, à visiter plus de vingt pâtisseries; je me suis même rendu jusqu'à Trois-Rivières.

Le 11 octobre, nous avons reçu 65 gerbes de fleurs pour l'ouverture de la Pâtisserie Bouvel (**Bougie et Gravel**). On voyait plus les fleurs que les gâteaux. Le député, le maire, le curé et toute la paroisse étaient venus pour l'occasion. Notre commerce est parti en flèche : notre pain était le meilleur de toute la région. Je recevais des félicitations de toutes parts, même à la sortie de la messe le dimanche.

Comme je suis plus un brasseur d'affaires qu'un fabricant de gâteaux, je caressais le projet d'ouvrir quatre ou cinq succursales dans différents centres commerciaux, où toutes les pâtisseries seraient confectionnées à un seul endroit. C'était pourquoi nous n'avions acheté que des appareils de première qualité. Plus de 20 000 dollars avaient déjà été investis. Alors Guy et moi sommes tombés d'accord sur le fait que l'un de nous devait racheter la part de l'autre, plus un montant de 3 000 dollars pour les démarches réalisées.

Pour décider du futur propriétaire, nous nous sommes fiés sur les élections provinciales qui allaient avoir lieu. J'étais évidemment du côté du Parti libéral; Guy, lui, était un «bleu foncé». L'entente a été la suivante : si les «rouges» étaient élus, il rachetait ma part, mais si les «bleus» accédaient au pouvoir, c'est moi qui rachetais la sienne. Le soir de l'élection, nous avons suivi avec attention les résultats du vote. Vers 9 h 30, Guy s'est levé et m'a tendu la main en sa qualité de d'unique propriétaire de la Pâtisserie Bouvel.

Une vie bien remplie

L'année de mon arrivée chez Dumont, en 1963, j'ai été élu président de l'Association libérale de Roxboro, et j'ai été nommé par le Bureau du premier ministre Jean Lesage à la Commission politique de la Fédération libérale du Québec. Je suis également devenu membre du Club de réforme de Montréal avec René Lévesque et Pierre Laporte. Autre activité, j'étais admis à l'assemblée Dollard du quatrième degré des Chevaliers de Colomb alors que je terminais un mandat de cinq ans à la présidence de la Commission scolaire de Roxboro. Cette année-là, j'ai été également coprésident de la clinique de sang de la Société canadienne de la Croix-Rouge avec «mon ami» le maire, René Labelle. En 1964, j'ai été élu président du Club de la traction sur routes du Québec (Motor Truck Club).

Dumont Express

À ce moment là, la plus grosse entreprise de transport au Québec était Dumont Express, dont les propriétaires étaient apparentés à la famille Vachon (les petits gâteaux). Le père, Louis, était dans l'industrie de la vente des autos et des camions (Lévis Automobile) et son fils, Raymond, avait fait son cours à l'université Laval. La maison Dumont avait grossi plus rapidement que les autres et comptait 10 succursales un peu partout au Québec, le siège social étant à Lévis. Son chiffre d'affaires dépassait les cinq millions, ce qui était énorme pour l'époque.

On sait que toute entreprise qui grossit trop vite accumule des problèmes de toutes sortes. On transportait plus de marchandises que quiconque, mais les profits n'étaient pas là. Les opérations étaient mal gérées. Quant aux ventes et leurs taux, il y avait manifestement manque de coordination :on transportait un peu n'importe quoi à n'importe quel prix. Les semi-remorques n'avaient pas été entretenues depuis deux ans, les entrepôts et les bureaux laissaient à désirer et le dernier semestre révélait un déficit de 150 000 dollars.

Conscients du fait que ces problèmes accumulés ne pouvaient plus durer, les Vachon se sont mis à la recherche d'une personne efficace sur qui ils pourraient compter. Ils ont fait un bref sondage auprès de leur clientèle et ont également consulté le Conseil exécutif du Traffic Club de Montréal et celui du Motor Truck Club. À chaque endroit, le nom d'une personne revenait toujours, celui de Bernard Gravel. Je semblais être un des seuls à posséder l'expérience, la compétence et le caractère pour les aider à remettre la compagnie sur pieds.

Un autre point les faisait pencher en ma faveur : mes affinités avec le Parti libéral. Comme à peu près tous les propriétaires d'entreprises de transport de l'époque, la famille Vachon était très près de l'Union nationale, ce qui ne leur était pas très favorable après l'élection des libéraux. Le fait que j'étais un bon ami de Claire Kirkland-Casgrain nommée ministre des Transport, ne me nuisait pas non plus.

Le 26 février 1963, je signais un contrat de trois ans à titre de directeur de la vente et du trafic de Montréal. Mon ami P.A. Marchand, anciennement de Baillargeon Express et de Direct Motor, était le directeur général de la maison. À mon arrivée, Raymond Vachon m'avait donné entière autorité sur tout le personnel des succursales en me disant : «Je suis pratiquement en faillite. Prépare-toi un contrat de travail à ton goût. Si tu réussis, je respecterai ton contrat, sinon tu te chercheras un autre emploi». Il va sans dire que ce contrat était le défi de ma vie. Imaginez : plus de 500 employés, une situation désastreuse et la responsabilité de la survie de la compagnie!

Ma première semaine de travail en a été une de consultations. J'analysais la situation avant de faire le grand ménage. Trois mois plus tard, le personnel de la vente était renouvelé et trois directeurs de succursales étaient congédiés. Avant mon arrivée, Dumont Express utilisait 45 camions pour la collecte et la livraison, à Montréal seulement. Tous ces camions étaient loués chez Laurian Chouinard, président de Chouinard & Fils. Ils avaient tous des «boîtes» d'une longueur variant de 12 à 18 pieds. De plus, les chauffeurs, à tour de rôle, commençaient à faire le plein d'essence à 8 heures le matin et le dernier camion sortait de la cour entre 10 h 15 et 11 h 15.

J'ai vite fait de réduire le nombre de paquets à 9 000, de 14 000 qu'ils étaient par mois. J'avais obtenu de la Régie une permission spéciale pour le droit de demander un dollar de plus sur les «minimums», alors celui qui avait une seule expédition devait payer un dollar de plus ou aller chez un compétiteur. Nous acceptions les commandes de ceux qui nous donnaient plusieurs livraisons «minimales». Le coût de nos opérations a ainsi diminué du jour au lendemain. J'avais aussi avisé les clients avec un trop haut risque de réclamations de se chercher un autre transporteur. Nous avions maintenant 28 camions pourvus de boîtes d'une longueur de 20 pieds, et le plein d'essence se faisait la nuit.

À l'époque, très peu de camionneurs ramassaient la marchandise au bord de l'eau le samedi à cause du salaire des chauffeurs qui étaient payés temps et demi. Cependant, durant la semaine, les chauffeurs pouvaient attendre de deux à quatre heures pour ramasser quelques milliers de livres de marchandise. Après vérification auprès de mon service des taux, dont Roger Rajotte était chargé, j'avais prévenu le service des opérations de s'accaparer le bord de l'eau le samedi. Nous réquisitionnions grue, chargeuse et main-d'œuvre qualifiée et des dizaines de voyages de marchandises étaient ramassées. Malgré le temps supplémentaire qu'il fallait payer, nous venions de réduire de moitié le coût de nos opérations sur les quais.

Un autre point faible de la compagnie était les réclamations pour bris de marchandises. À ma demande, le service de la comptabilité a dressé une étude statistique de toutes les réclamations payées durant les deux dernières années en me donnant le nom de l'expéditeur, même si la réclamation avait été payée au consignataire.

146

Comme je m'en doutais, les mêmes noms revenaient continuellement. De plus, l'étude nous a permis de constater que plus souvent qu'autrement, la marchandise en provenance d'Europe ou des États-Unis était déjà brisée lorsqu'on allait la cueillir. Rapidement, j'avais adressé une lettre officielle à tous ces clients pour les inviter à choisir un autre transporteur, n'ayant pas la compétence pour les servir adéquatement. D'un seul coup, nous nous sommes retrouvés avec un salaire en moins à payer dans le Service des réclamations, en plus de tout l'argent économisé grâce à l'élimination des bris de marchandises. J'avais eu la coopération de mon employé Claude Thibert pour faire ce grand nettoyage. Claude ayant été bien préparé, il est devenu président du Club des professionnels du transport du Québec en 1987.

Par ailleurs aucune coordination n'existait entre les employés de la plate-forme qui transféraient la marchandise des camions aux semi-remorques durant la nuit. La facturation des chargements se faisait au poids sans qu'on tienne compte du volume occupé par la marchandise dans les semi-remorques. Un voyage complet d'objets très légers rapportait ainsi moins qu'un demi-voyage d'objets plus lourds. Il fallait donc établir un dialogue entre le Service de facturation (poste occupé par Camille Patenaude) et les employés de la plate-forme.

Un système de bonus a donc été instauré, gratifiant les employés qui aidaient la compagnie à faire plus de profits. Ce système a fait boule de neige : plusieurs sommes ont dû être versées aux employés, mais il y a eu une réelle augmentation des revenus de la compagnie, et beaucoup de clients indésirables ont été écartés.

J'avais tellement fait d'études et de statistiques chez Direct Motor -je passais des soirées complètes à faire des calculs que les ordinateurs feraient en un rien de temps maintenant-, que j'avais compris après un certain temps que les voyages pleins à marchandise unique rapportaient beaucoup plus de profits que les voyages comprenant plusieurs petites quantités de 1 000 à 5 000 livres. Chez M.O.X., 60 % des départs de Montréal étaient à charge unique (une collecte, une livraison, une facture) et il n'y avait pratiquement pas de réclamation; chez Dumont, c'était le contraire. J'ai donc réduit les livraisons à marchandises multiples de 30 % pour augmenter celles à marchandise unique de 40 % en décommandant les «minimums», les mauvais clients et les clients à volume sans profit. C'était une révolution dans l'industrie. Les rumeurs allaient bon train: «Il va jeter la compagnie à terre. Voir si ç'a du bon sens!» Ou d'autres disaient : «Je l'avais dit qu'il était le seul capable de faire ce qui doit être fait.»

Un an après mon arrivée, les profits démontraient clairement la valeur de mon travail. Les patrons n'en croyaient pas leurs yeux. Mais tout cela ne s'était pas fait sans effort : je travaillais de 10 à 12 heures par jour avec mon équipe. Après trois ans, le 10 janvier 1964, j'ai été nommé vice-président à la vente, au trafic et aux opérations chez Dumont Express avec pleine autorité sur toutes les succursales. Mon salaire passait ainsi à 17 000 dollars par année. À l'époque, les salaires variaient entre 5 000 et 7 000 dollars par année. Puis, le 13 septembre 1965, j'ai été nommé administrateur de la compagnie et je suis devenu responsable de tous les secteurs, sauf de la finance et des achats.

J'avais bâti une équipe du tonnerre : Lise Lebrun, ma secrétaire, Armand Gratton, Gérard Boisvert, Laurier Coupal, Denis Morency, Claude Thibert, Roger Rajotte, Camille Patenaude, Célien Adam à Trois-Rivières, Gérald Saint-Pierre à Sherbrooke, Laurent Ball à Granby et Josaphat Poulin à Saint-Georges de même que Marcel Blouin à Québec. Tous des experts dans leur domaine respectif! Nos réunions générales des ventes avaient lieu tous les deux mois à Drummondville. Environ vingt employés y assistaient et des graphiques affichaient le travail de chacun. L'harmonie de cette équipe était sans faille et les résultats, toujours au rendez-vous. J'aimais le travail que je faisais. J'étais, avec mon équipe, au pinacle de ma gloire dans l'industrie. J'avais le respect de l'ensemble du personnel et, surtout, des clients, car je réglais tous les problèmes jour après jour, sans retard.

Chez M.O.X., ma prédiction s'était malheureusement réalisée. Après mon départ, on avait engagé trois employés pour me remplacer, mais l'âme n'y était plus. Onze mois plus tard, la maison fermait ses portes. Elle fut rachetée par la suite par Maislin Brothers.

Durant la seconde année de mon deuxième contrat, l'entreprise a enregistré record après record en ce qui a trait aux volumes et profits; c'était nouveau pour eux. C'est alors que la folie des grandeurs les a frappés. Les Vachon ont toujours aimé faire les choses en grand, surtout quand les profits sont là. Il fallait donc deux contôleurs (un pour surveiller l'autre) et deux ou trois nouveaux vice-présidents (ça fait chic dans l'industrie).

149

Malgré mes succès, deux choses tracassaient la direction : mon nationalisme affiché qui faisait peur à certains clients anglophones de la compagnie et l'ampleur de mes responsabilités. La famille Vachon était bousculée de toutes parts : c'était trop de responsabilités pour un seul homme et l'on se rappelait qu'après mon départ de chez M.O.X., la compagnie n'avait pas tenu longtemps.

La compagnie grossissait à vue d'œil et tout le monde, vice-présidents, trésorier, contrôleur..., avait comme mot d'ordre de dégager le plus possible Bernard Gravel de ses responsabilités. Tout à coup, il fallait ménager ma santé, répartir mes responsabilités. Ça a commencé à jouer dur à l'intérieur de la maison : on passait deux jours sur cinq à s'écrire à l'interne sur des pécadilles de part et d'autre, des réunions interminables étaient organisées pour rien, la clientèle commençait à s'en ressentir.

Ce qui était le plus triste pour moi, c'est que tout ce beau travail que je faisais n'était pas toujours compris par la direction de Québec, sauf de la part de Raymond Vachon. Ces gens ne connaissaient rien aux opérations ni aux taux. Après quelques années, ils se sont mis à penser que le comptable était responsable des nouveaux succès de l'entreprise ou qu'un nouvel arrivé dans un service était à l'origine des profits. C'était la ligue nationale. Ça «jouait du coude» pas à peu près. Les nouveaux arrivés à la direction ne connaissaient pas le transport, mais ils étaient prêts à tout pour plaire à la famille Vachon. Moi, je trouvais qu'avec la nouvelle gestion, il y avait trop de chefs et pas assez d'indiens. Le 14 octobre 1966, j'ai donc remis ma démission et rendu mon auto à la compagnie.

Quatre jours plus tard, J.E. Fleury ramenait ma voiture à ma porte et, le 9 novembre, je recevais une lettre de Lucien Saint-Hilaire, trésorier de Dumont : «(...) Considérant que votre contrat d'engagement devait subsister pendant encore plus de deux ans, le Conseil ne croit pas qu'il soit dans l'intérêt de la compagnie d'accepter la résiliation de votre contrat d'engagement».

Raymond Vachon, le président, m'avait dit un jour qu'il écrivait des choses pour l'avenir et qu'il rangeait ces écrits dans son coffre-fort. Lors de ma dernière rencontre avec lui, je lui avais suggéré de mettre une note dans son coffre à mon sujet. Je lui donnais deux ans. Avec la structure que j'avais installée à l'intérieur de Dumont, et vu la force que j'avais établie avec tous les clients québécois et ontariens, l'entreprise ne pouvait survivre au départ de mon équipe.

Le lendemain de ma démission, six employés clés de la firme ont imité mon geste (Armand Gratton, Gérald Saint-Pierre, Roger Rajotte, Camille Patenaude et Lise Lebrun) et le contrôle des taux est devenu un fouillis total. Certaines personnes se réjouissaient de notre départ, car il leur asurait des promotions et des augmentations, mais Raymond Vachon, lui, était inquiet. Il ne le voyait pas d'un bon œil et lui-même avait été mis en minorité au Conseil. L'avenir lui a donné raison. Après quelques années, les personnes supposément compétentes n'avaient pas livré la marchandise et l'entreprise a dû fusionner avec Central Truck Line, Boyd Lachute et une firme américaine. Raymond Vachon est devenu professeur à l'Université de Sherbrooke. Il y est resté plus de 20 ans. Nous avions tellement d'affinités, nous aurions pu aller très loin dans l'industrie du camionnage. C'était dommage.

Mémoire à la Fédération libérale provinciale

De 1950 à 1970, l'industrie du camionnage a été florissante et en pleine expansion. Cependant, en 1963 j'ai commencé à craindre pour l'avenir du transport. Je suggère à tous les membres anciens et actuels de l'industrie de lire attentivement la vingtaine de pages figurant en annexe à la fin de cet ouvrage. Ils constateront que je n'avais pas tort quand j'appréhendais le pire. On aurait pu faire quelque chose!
Être entrepreneur...

Je ne pouvais que me féliciter des profits réalisés par la vente de terrains, mais j'ai réalisé qu'il serait encore plus payant de bâtir sur ces terrains plutôt que de les vendre vacants. Je me suis donc dessiné un plan de maison contenant trois chambres à coucher, sans sous-sol aménagé, et j'ai communiqué avec madame Régina Desautels. Elle m'avait déjà aidé pour la construction de ma première maison, et elle a accepté de me suivre dans ma nouvelle entreprise. C'est elle qui s'occuperait des hypothèques.

Dans la ville, tout le monde se passait le mot et dès que quelqu'un se disait intéressé à acheter une maison dans les 15 000 dollars, on l'envoyait chez Bernard Gravel. J'en ai vendu une à Michel Leduc, nouvellement marié. Il était le fils de l'une de mes organisatrices en chef à la Commission scolaire. Une autre a été vendue à Raymond Gohier, chef boucher chez Steinberg. C'est lui qui avait dépecé l'ours que Pierre avait tué lors d'un voyage de chasse à Louvicourt. Sa jeune épouse était institutrice à Roxboro.

Un autre de mes acheteurs a été Georges Derome, chauffeur de longue distance chez Direct Motor, donc un de mes anciens employés. Il possédait une sorte de chalet, mais ce qui l'intéressait, c'était d'avoir une vraie maison. Comme il ne savait pas comment s'y prendre, il est venu me voir.

J'ai commencé par acheter le terrain qui était adjacent à son chalet -terrain qui lui appartenait d'ailleurs- et j'y ai bâti une maison «modèle Gravel», tout simplement. Le 1er décembre 1966, le tout était bâti et le contrat de vente, signé. Au début de 1967, j'avais une autre maison de bâtie. Celle-là a été achetée par Édouard J. Frenette, qui en a pris possession le 19 janvier. En 1968, il me restait un seul terrain vacant. Un de mes amis, Henri Laniel, me l'a acheté pour son fils.

Lucie

Un autre événement heureux s'est produit le 6 juin 1964 : la naissance d'une belle grosse fille, la plus sage de mes quatre enfants. Nous l'avons baptisée Lucie. En vraie Gravel, elle a appris à être vite sur ses patins et à trouver des réponses à tout.

New-York

Mon premier voyage à l'extérieur du Canada a consisté en une visite à New York en 1965. C'était le voyage à faire dans les années soixante. Les plus beaux spectacles, les plus prestigieux restaurants s'y trouvaient. Bien sûr, on ne passe pas à New-York sans aller voir la statue de la Liberté. J'ai donc visité cet imposant monument avec beaucoup de plaisir et de curiosité.

Je suis retourné à New-York plusieurs fois par la suite, mais je dois avouer qu'aujourd'hui, cette ville n'a plus autant d'attrait pour moi avec tous les crimes qui s'y commettent chaque jour. Lors d'une de ces visites dans la métropole américaine, je me suis d'ailleurs trouvé face à face avec Mario Como, alors gouverneur de l'État de New York. Je me suis présenté à lui, et lui, tout simplement, m'a demandé quel temps il faisait à Montréal. Je dois dire qu'il est plutôt impressionnant de se retrouver entouré d'agents du FBI!

Conseil d'expansion économique du Québec

En 1965, toujours, j'ai fait partie du Conseil d'expansion économique du Québec, une association de gens d'affaires qui comptait plus de 400 membres à travers le Québec. Le but du CEEQ était de promouvoir le développement du Québec. Monsieur Rosaire Morin en était le président-directeur général. Il contrôlait toute l'affaire à lui seul, aidé de quelques directeurs choisis dans tout le Québec.

Après deux années très actives au sein de ce mouvement, j'ai dû prendre une grande décision : ou bien je m'arrangeais pour que le grand manitou y mette plus de démocratie, ou bien je m'en allais. Comme j'étais occupé à plein d'endroits différents, j'ai décidé de tirer ma révérence.

Malheureusement pour cette association, il manquait d'hommes forts pour faire face à monsieur Morin ou pour le seconder correctement, et c'est ainsi qu'elle a périclité quelques années plus tard. Toujours désireux de faire ma part dans la société, j'avais préparé un mémoire qui devait être lu lors d'un congrès du Conseil d'expansion ayant pour sujet les chemins de fer. On m'a refusé la présentation de ce mémoire au micro, et j'ai été d'autant plus frustré en apprenant le nom de la personne à laquelle revenait la décision d'accepter ou de refuser un mémoire : nul autre que Claude Ryan.

J'avais croisé le fer avec lui quelques mois auparavant à un congrès du Parti québécois. J'y étais à titre d'observateur libéral et lui comme journaliste. Je l'avais accusé devant une trentaine de personnes d'utiliser son métier de journaliste uniquement pour se propulser à la direction du Parti libéral. Il m'avait alors traité de tous les noms, mais l'avenir m'a donné raison.

De tous les politiciens que j'ai connus, Claude Ryan a été le plus habile, le plus rusé, mais aussi le plus exécrable et le plus pernicieux. Il a utilisé ses antécédents de grand catholique, d'homme d'Église, pour se hisser au sommet de la politique. Parvenu à ce niveau, ou bien on décrie ce qui se passe et l'on se retire, ou bien on détourne son regard et l'on oublie volontairement les vilaines choses qui se passent autour de soi parce que cela convient. Je ne crois pas que monsieur Ryan ait aidé la cause des Canadiens-français en se lançant en politique. Avant son élection à l'Assemblée nationale peut-être, mais pas après.

Un peu de sport

Toujours en 1965 -j'avais alors 37 ans- j'ai renoué avec un sport auquel je n'avais pas touché depuis le collège : le ski. J'en ai fait pendant quelques années avec mon fils Pierre. Nous nous rendions chaque samedi au Chanteclerc où nous avions le choix de quatre descentes. J'ai abandonné ce sport depuis mais je me souviendrai toujours des bons moments passés avec mon fils sur les pistes enneigées.

Gravel, Gratton & Cie

Donc, le 14 octobre 1966, je résiliais mon contrat chez Dumont Express et, le 31 octobre, j'enregistrais une déclaration de société sous le nom de Gravel, Gratton. Il faut dire que je sortais un peu épuisé de mes quatre années et demie de travail chez Dumont où ce n'était que pression constante, défi au quotidien pour battre mon propre budget, compétitions internes et externes. J'étais à un point tournant de ma vie.

J'avais beau être le numéro un dans le monde du camionnage au Québec, je ne pouvais pas aller plus haut, car plus haut, c'était les compagnies anglophones et il n'y avait pas de place dans ces compagnies pour un Canadien-français. Que ce soit chez Kingsway, Reliable, Direct, Motorways, CP Express, Inter City, Taggart ou McNeil, il était hors de question qu'un Canadien- français dirige leurs destinées.

En songeant à ma situation, j'ai pris conscience du fait que je connaissais tous les tarifs en vigueur et je pouvais dire en un instant le prix d'un voyage sans avoir à consulter. De plus, j'ai réalisé que j'étais parmi les seules personnes à connaître personnellement tous les gérants de trafic, les expéditeurs et les responsables du transport dans toutes les compagnies d'envergure, que ce soit à Montréal, Toronto, Ottawa, Québec, Saint-Georges, Saint-Hyacinthe, Sherbrooke, Drummondville, Trois-Rivières ou Shawinigan.

J'ai donc pris un associé, Armand Gratton, et j'ai approché les six gros transporteurs desservant Montréal (Maurice Parenteau, de chez Champlain; Roland Noël, de chez Overnite; François Harvey, de chez Harvey; les frères Kravetsky, de chez Imperial Roadways; Claude Adams, de chez Rogers et Bob Landry, de chez Central Truck Line) et leur ai offert de ne faire qu'un seul service de vente dont je serais la tête. Rien ne l'empêchait puisqu'ils n'étaient pas compétiteurs entre eux. Quel travail! C'était très difficile à structurer, car au lieu de diriger une compagnie, j'en dirigeais six à la fois. Il s'agissait d'un beau défi, et j'ai eu beaucoup de plaisir à le relever.

Personne n'a été congédié, mais j'ai établi un système commun de ventes relevant de mon bureau. j'ai organisé aussi des réunions de vente avec les représentants des six compagnies à la fois, de telle sorte que chaque entreprise s'est trouvée avec un service quintuplé. Si chacun des transporteurs avait trois vendeurs, je lui permettais d'en avoir 18 avec mon système. J'avais établi une liste des villes desservies par les six transporteurs. Les vendeurs distribuaient cette liste à leurs clients, et cela faisait boule de neige.

Naturellement, l'idée première était que je pouvais aider les transporteurs lorsqu'ils avaient de sérieux problèmes de taux, de réclamations ou d'augmentation de taux, etc. Dans ces cas-là, je me rendais personnellement rencontrer le client et je réglais l'affaire à l'avantage de mon transporteur. J'apportais l'expérience à chacun de ces camionneurs et j'ai provoqué d'énormes changements dans leur façon de gérer leurs opérations.

L'amitié dans le monde du transport

Les années passées dans le monde du camionnage ont été probablement les plus grosses du transport par camion au Québec. Tout le monde connaissait de bons moments, que ce soit l'entreprise comme telle, le propriétaire, le représentant ou même le fournisseur. Tout a bien changé depuis. À l'époque, j'avais formé un groupe de copains qui se rencontraient régulièrement. Pour en faire partie, il fallait d'abord aimer la pêche, jouer aux cartes et, bien sûr, apprécier un bon petit verre. Quiconque ne respectait pas ces trois «principes» était exclu du groupe. Parmi cette belle bande de gais lurons, il y avait mon bon ami Gilles Lefebvre, président de Glengarry; Guy Dufour, directeur général de la vente de Manac; Albert Dionne, directeur général de Mack Truck (Québec); Gérard Cadieux de chez Dosco; François Forget président de chez Forget Transport, et Barry Durocher, de chez Mack. J'avais beau recevoir des dizaines d'offres de la part de fournisseurs qui voulaient joindre notre «club», tous savaient bien que je sélectionnais plus les membres en fonction de l'amitié que de la vente comme telle. Notre «gang» était très uni et lorsqu'un nouveau était invité à se joindre à nous, il était passé au crible par les autres, et son retour l'année suivante dépendait du verdict final.

158

Un voyage de pêche était organisé chaque année. Nous emportions notre nourriture et notre bière. Des discussions et des parties de cartes s'éternisaient jusqu'aux petites heures du matin. Lorsque nous avions un nouveau avec nous, nous lui faisions passer son initiation : le faire coucher dans la même pièce que Guy Dufour. Le pauvre gars passait la nuit à entendre Guy ronfler. Les meubles en tremblaient.

Lors d'un voyage de pêche dans le parc des Laurentides, nous sommes allés acheter nos permis auprès du garde-pêche à la barrière du parc. En entrant, j'ai remarqué une affiche concernant les personnes n'ayant pas domicile au Québec et, pour faire une petite blague à mon ami Gilles Lefebvre, j'ai avisé le garde-pêche que la dernière personne qui entrait était un bon citoyen d'Alexandria. À tour de rôle, nous avons payé nos permis, à raison de 15 dollars chacun.

Guy Dufour, Albert Dionne et Gerry Cadieux ont passé le contrôle sans aucune difficulté, mais Gilles Lefebvre, lui, a eu la surprise de se faire demander l'enregistrement de sa voiture. Naturellement, lorsque le gardien a constaté que la voiture était enregistrée en Ontario, il a exigé 35 dollars à ce pauvre Gilles, c'était le règlement. Ce dernier est entré dans une de ces colères... Il se doutait bien que j'étais derrière cette «machination». Nous étions tous morts de rire à le voir ainsi fulminer, mais nous étions bien d'accord avec le garde-pêche : les Ontariens devaient payer plus cher pour venir chercher notre poisson dans nos lacs. Heureusement que nous avions pris deux voitures ce jour-là, car je vous assure que je serais resté sur le carreau!

Sainte-Sophie

Une autre tranche de ma vie et de celle de ma petite famille prenait fin le 27 septembre 1966. En effet, c'est ce jour-là que mon beau-père, Henri Massy, est décédé d'une crise cardiaque à l'âge de 66 ans.

Henri et Rose-Anna Massy avaient acheté une maison de campagne dans la région de Sainte-Sophie, près de Saint-Jérôme. Pendant trois ans, toute la famille y passait ses fins de semaine. J'avais graduellement occupé le beau-père, retraité, en achetant cochons, pigeons, poules, lapins, chiens et notre fameux poney. Comme nous habitions près d'un lac, nous faisions aussi l'élevage de canards. L'été, Pierre passait ses vacances avec son grand-père, qui l'adorait. Le décès de ce dernier fut un triste moment pour Francine et Pierre, mais je suis certain qu'ils gardent de très bons souvenirs des moments passés à Sainte-Sophie.

Après l'enterrement de mon beau-père, il a fallu descendre à Sainte-Sophie avec un groupe imposant de parents et d'amis afin de nous occuper de tous les animaux qui s'y trouvaient. Quand est venu le temps de tuer le cochon (280 livres), nous étions une dizaine de personnes pour nous en occuper. Chacun avait une tâche précise : l'un tenait les pattes avant, l'autre les pattes arrière, un autre la tête, etc. Au premier coup de patte du cochon, nous nous sommes tous retrouvés par terre et mes «collaborateurs» se sont tous sauvés. Je me suis retrouvé tout fin seul avec une résidente du rang pour saigner l'animal. Celui-ci était vidé de son sang depuis une quinzaine de minutes déjà quand nous avons étendu de la paille sur lui pour le griller.

160

À la surprise générale, au moment où j'ai mis le feu à la paille, le cochon s'est brusquement levé et a couru dans toutes les directions. C'est sans doute comme la poule qui prend la poudre d'escampette après avoir été décapitée. La famille a eu une réaction de panique générale : le petit Girard a sauté une clôture impossible à franchir, les cousines Diane et Ginette Saulnier se sont barricadées dans le chalet... Je n'ai jamais autant ri de ma vie.

Organisateur spécial

En 1967, Gilles Lefebvre a ouvert une succursale de G.T.L. à Trois-Rivières. Comme il voulait que sa compagnie fasse une entrée remarquée dans cette ville, il m'a chargé d'organiser l'inauguration officielle avec le député, le maire, le curé, les journaux, la radio, tous les expéditeurs du coin, etc.

Pour moi, il était très important de trouver une vedette locale qui accepte d'être associée à G.T.L., afin de démontrer que l'entreprise voulait s'intégrer à Trois-Rivières et pour montrer également qu'elle était acceptée par la communauté. Après quelques jours de réflexion, j'ai eu ce qu'on pourrait appeler une illumination : Jocelyne Bourassa.

D'abord, elle demeurait à Shawinigan, près de Trois-Rivières. Elle avait décroché en 1965 le championnat amateur canadien de golf. Je savais qu'elle avait été invitée en Écosse pour le trounoi de golf Scottish Girls, qu'elle allait d'ailleurs gagner, alors je lui ai fait une proposition assez alléchante. G.T.L. lui offrait une bourse lui permettant de se rendre en Écosse sans se soucier de rien. En échange, elle acceptait d'être vue et photographiée en compagnie des personnes présentes à l'inauguration.

Je crois que cette fois-là, j'ai vraiment fait preuve de flair puisque Jocelyne Bourassa est devenue par la suite une véritable vedette internationale. Non seulement elle a gagné le tournoi écossais, mais elle a pris d'assaut le circuit de la L.P.G.A. en gagnant «La Canadienne» en 1973. En 1996, le quotidien *La Presse* titrait : «Jocelyne Bourassa entre au Temple de la renommée du golf canadien par la grande porte.» J'ai eu la chance de la rencontrer de nouveau en 1985 alors qu'elle était de passage au terrain de golf Islesmere avec son groupe de la L.P.G.A.

Le Guide du transport par camion

J'étais associé avec Armand Gratton dans la compagnie Gravel, Gratton lorsqu'un ami m'a parlé du *Guide du transport par camion*. C'était durant l'Exposition universelle de 1967. Le propriétaire du *Guide*, Jacques Bolduc, venait de mourir et l'on me conseillait d'acheter la publication, l'épouse du disparu n'ayant aucun sens du commerce. Selon cet ami, j'étais le seul qui pouvait prendre la relève du *Guide* puisque je connaissais tout le monde de l'industrie du camionnage. Il n'avait peut-être pas tort, après tout.

Il faut dire que depuis plusieurs années, je connaissais les Bolduc, père et fils. Peu de temps plus tard, je me trouvais dans la cuisine de madame Mérilda Bolduc qui était accompagnée de son beau-père, âgé de 85 ans. Madame Bolduc m'a confessé que quelqu'un était déjà venu lui proposer d'acheter la publication, mais le beau-père, monsieur Hector Bolduc s'est interposé immédiatement en déclarant qu'il ne voulait rien entendre de ce gars-là, car il avait déjà eu des problèmes avec lui par le passé.

Comme je l'ai déjà dit, je connaissais bien le *Guide* et j'avais assez d'expérience pour deviner ses chances de succès. J'ai donc renchéri de cinq mille dollars sur l'offre qui leur avait été faite, et le père Bolduc a approuvé sur-le-champ.

Une semaine plus tard, le 5 mai 1967, je me présentais chez le notaire accompagné de mon fils Sylvain (il avait 10 ans; j'aimais initier mes enfants aux affaires dès leur bas âge) pour la signature des papiers. Ce que j'achetais n'était pas formidable, mais les droits d'auteur étaient enregistrés à Ottawa. Cela voulait dire l'exclusivité de publication.

Il n'existait ni livre comptable, ni aucun rapport financier, ni liste de clients. Tout ce qu'on m'a remis consistait en deux boîtes de carton poussiéreuses pleines d'enveloppes accumulées depuis trois ou quatre ans.

Lors de ma première année d'activités, le revenu total de la publicité et de la vente de la publication s'élevait à 12 000 dollars. J'avais requis les services de Maurice Harbour et de Roger Rajotte pour mettre de l'ordre dans toute la paperasse afin de sortir le premier numéro. À l'époque, le *Guide* se vendait 2,50 $ l'exemplaire. Aujoud'hui son prix est de 75,00 $.

Le *Guide* était un volume de plus de 300 pages. C'était, et c'est toujours, la bible du transport et c'était devenu mon gagne-pain. L'ouvrage faisait référence à toutes les villes du Québec, de l'Ontario, de l'Ouest ou l'Est du Canada, ainsi qu'à toutes les villes américaines desservies par les transporteurs de Montréal. Tout manufacturier et tout acheteur de marchandises devait avoir en main un *Guide* à l'expédition ou à la réception.

On y trouvait tous les renseignements sur chacun des transporteurs du Québec. C'était un livre complet amélioré chaque année. Les gouvernements fédéral et provincial en achetaient 150 exemplaires chacun, un pour chaque service de la police à l'impôt. En tout, je publiais 5 000 copies chaque année.

Madame Liliane Duchesne, qui était ma secrétaire chez Dumont, est devenue la gérante du *Guide* dès le début des activités et est restée à mon service pendant dix ans. Une autre personne très compétente qui m'a aidé pendant plusieurs années a été Françoise Marois.

C'est en 1977 que madame Rita Périard s'est jointe au *Guide du transport* à titre de vice-présidente. Elle avait eu son propre commerce de mode prêt-à-porter pendant une quinzaine d'années à la Place Bonaventure et avait le sens des affaires ainsi que l'habitude de gérer du personnel. Son travail consistait surtout à monter le *Guide* (assembler les pages, agencer les couleurs, etc.).

Quelques années plus tard, sa fille Carole -qui parlait quatre langues- s'est jointe au groupe à son tour comme responsable du marketing et de la vente. C'est elle qui a modernisé la publication en installant un système informatique nous permettant de faire des corrections d'épreuves de manière rapide et efficace. Avant son arrivée, chaque faute de frappe était corrigée à la main, c'est-à-dire que si une faute de frappe s'était glissée dans le nom d'une entreprise, il fallait retrouver ce nom à chaque endroit mentionné dans le *Guide* et faire la correction manuellement. Quand une grosse compagnie était citée plus de mille fois, ça faisait beaucoup de choses à surveiller.

Elle a eu la main heureuse en engageant Marcelle Hould, la personne qui a tranféré tout le *Guide* sur l'ordinateur. Jusqu'à la vente du *Guide*, c'est elle qui a été l'unique patron du service d'informatique.

Lorsque Carole nous a quitté pour aller vivre aux États-Unis avec son mari, je suis allé chercher une vraie fille du transport pour la remplacer. Johanne Dean s'occupait de tarifs et de vente chez Clarke Transport. Lors de nos voyages à l'étranger, Johanne menait la barque à elle seule. Elle aimait tellement le transport qu'elle y est retournée après la vente de la compagnie. On pouvait donc la retrouver à titre de directrice de trafic chez Clarke Transport.

Parmi les employés que j'ai eus au *Guide*, il ne faudrait pas oublier Lucille, l'autre fille de Rita, qui venait nous donner un coup de main chaque fois que nous en avions besoin.

Avec l'achat du *Guide*, j'étais l'ami de tout le monde, il n'y avait plus de compétition. Je faisais ma tournée paroissiale une fois l'an et je me sentais chez moi partout, puisque j'avais l'expérience des syndicats, des opérations, de la comptabilité et de vente dans les plus grosses compagnies. Certains petits transporteurs profitaient de mon passage pour me demander conseil. Comme je n'ai jamais rien compris aux épreuves ou à la séparation de couleurs dans les publicités, je laissais ce travail à mes collaboratrices. Lorsque j'allais voir nos clients, nous parlions pendant une dizaine de minutes de la publicité, signions le contrat, et passions trois heures à parler de transport. Durant vingt ans, ce métier a été pour moi le plus beau du monde.

Lorsque j'allais à Québec rencontrer Jean Guilbault et le beau-frère, Michel Gignac, c'était la bataille totale durant des heures sur l'avenir du Québec. On me menaçait d'annuler les publicités mais je ne reculais devant rien. Lorsque Simon Poiré, de chez Mack Truck, venait y mettre son grain de sel, là c'était l'enfer. Que de bons souvenirs j'ai conservés de tout ce bon monde. De vrais Québécois.

René Bussières a certainement été l'un des gars du transport qui m'a le plus impressionné, surtout le fait qu'il venait de la région de Québec (Saint-Henri-de-Lévis). Il avait été maire de l'endroit. Pierre Asselin, son fidèle employé, prenait part aux échanges interminables. Un bon administrateur, ce Pierre. Je le trouvais déjà très intelligent, car il partageait souvent mes opinions!

Le plus caustique était sans doute Rosaire Raymond. Il était maire de Cowansville. Un jour, j'arrive à l'improviste et je dis à sa secrétaire : «Je veux voir le maire. Je veux un permis pour ouvrir un club de danseuses nues. Demandez-lui combien je dois lui donner comptant pour obtenir un permis.» La secrétaire fait le message mot pour mot. Rosaire, 6 pieds 4 pouces, 220 livres, sort de son bureau en arrachant presque la porte. Il me voit... «Mon christi, toi! J'aurais dû y penser!»

Aux tournois de golf, les discussions sur la souveraineté du Québec ont été des faits marquants pendant trente ans. On se bousculait à ma table sachant que la discussion allait être vive et parfois même féroce. Marcel Chartier et son fils Pierre étaient toujours les modérateurs. Cependant, tout s'est toujours terminé dans l'harmonie et l'amitié. Parfois j'étais obligé de «beurrer» épais : ils étaient tous contre moi!

Une année, nous étions au congrès de l'Association du camionnage, à Québec. Tous les gros fournisseurs se faisaient un devoir d'avoir les plus belles suites possibles remplies de nourriture et de boisson. Des serveurs prenaient soin des clients. Marcel Chartier, son fils Pierre et son frère Roland, avaient l'une des plus belles suites royales, étant l'un des plus gros bureaux d'assurances générales et spécialisées dans le transport. Marcel était en concurrence avec André Fugères, son beau-frère. J'avais l'habitude de les visiter tous les ans à titre d'ami et de client. Ça se terminait toujours par une discussion enflammée.

Cette année-là, je me suis dit qu'il fallait que je fasse quelque chose de spécial. J'ai donc rencontré une quinzaine de leurs clients et je leur ai donné rendez-vous à la suite Chartier, Moisan assurances à 21 h 30. Ils étaient tous prévenus que si le ton montait entre Marcel et moi, et que je donnais un certain signal, ils devaient sortir tous en même temps même s'ils ne comprenaient pas ce qui se passait.

À l'heure précise, mon monde était au rendez-vous. On attendait impatiemment mon signal et on avait convaincu les autres de suivre. Pendant la discussion, le ton a monté et j'ai signalé à mon hôte que, s'il devenait arrogant, je pourrais faire évacuer la suite. «Pour qui tu te prends, calviniss! Te prends-tu pour le premier ministre du Québec? T'es pas un monseigneur. Le monde ici sont mes clients, mes amis. Pas tes amis, tes clients et t'en as pas d'amis ici toi». «Ah! oui?» lui ai-je rétorqué. J'ai levé le bras en l'air et je lui dis : «Tu l'auras mérité.» Silence de mort dans la suite. En 30 secondes, tous les gens présents m'ont suivi et évacué la suite. Les trois Chartier, sont restés sidérés. «Ça doit être arrangé avec mon oncle André Fugères» a lancé Pierre, le fils.

Quelques instants plus tard, je revenais dans la suite avec tous les invités. Marcel m'a dit : «Il n'y a que toi pour réussir un coup comme ça. Cependant, je vais être très poli avec toi ce soir. Mais tu es un...» Dans ces années-là, il régnait une amitié indescriptible entre les membres du transport.

À tous les ans, j'allais visiter mon ami de toujours, Jean-Guy Lemire, en haut de son garage à Saint-Roch-de-l'Achigan. J'attendais au printemps, après le dégel avant de monter à Saint-Roch de peur que les routes soient fermées. C'était loin de Montréal, on risquait de se perdre et ce n'était pas tous les représentants qui s'y hasardaient. Le village n'était pas gros et Jean-Guy non plus.

Jean-Guy avait quelques camions et quelques remorques toujours «spic and span». Je n'ai jamais vu un gars de transport aussi fier de son équipement. Il ne passait pas un chat par là le dimanche, mais il fallait que l'équipement soit rangé au demi-pouce. Il laissait beaucoup d'espace entre les véhicules, question de grossir la flotte. Chaque année, j'allais lui donner mes conseils de vieux renard de l'industrie. Jean-Guy les écoutait religieusement et les mettait en pratique assez souvent.

Aujourd'hui, Jean-Guy est reconnu comme l'un des meilleurs transporteurs poids lourd du Québec spécialisé en transport de marchandises sous température contrôlée. Il a quitté le village pour la grande ville il y a quelques années, ce qui ne l'a pas empêché de rester un gars de Saint-Roch, un gars du peuple. Je suis fier de sa réusite. Bravo! le kid de Saint-Roch!

Un jour, Berthold Papineau, président de Papineau Transport m'a invité à une partie de cartes chez lui avec mon épouse Madeleine. J'ai senti qu'il y a plus que cela : on ne me fait pas venir seulement pour jouer aux cartes. Nous nous sommes rendus en banlieue de Saint-Jérôme où il possédait une belle maison et un terrain agrémenté de fleurs et d'arbustes. Berthold était un personnage important à Saint-Jérôme. Je l'avais baptisé le «maire de Saint-Colomban.»

Après quelques brassées de «dame de cœur», Berthold, qui était de la race des bâtisseurs, m'a déclaré : «Bernard, toi qui connais le monde du transport, ses hauts et ses bas, j'ai une question bien personnelle à te poser. Mon épouse Carmel et moi, on se demande si on devrait vendre notre commerce de camionnage. Ça va très bien pour le moment, mais on ne sait pas pour plus tard.» Ils étaient vraiment inquiets. Je savais que ma réponse serait prise très au sérieux.

Berthold avait deux fils, Robert et Richard, qui travaillaient déjà dans la compagnie et qui se complétaient très bien, Robert à la vente, tarif et administration et Richard au garage. Quel beau duo!

La première chose qui m'est venue à l'esprit a été la visite que mon père m'avait faite au bureau... En effet, Berthold n'était pas certain des capacités, de la valeur de ses deux gars. Moi, je l'étais. Je me suis installé avec un verre de bière et je lui ai dit : «Il ne faut pas que tu vendes. Tu as une des plus belles relèves au Québec. Donne-leur toute ta confiance. Laisse-les faire quelques erreurs. Un jour, tu seras très fier de ta décision, de tes deux gars et... de ta partie de cartes.»

La mère de Robert et de Richard a reconnu que c'est ce qu'elle pensait elle aussi, mais qu'ils avaient eu besoin de quelqu'un de l'extérieur et en qui ils avaient pleine confiance pour les aider à prendre une décision finale.

Quelle belle réussite que ce que ces deux gars ont fait du commerce de leurs parents et quelle partie de cartes importante! Aujourd'hui, l'entreprise compte 1 200 véhicules, 600 employés et a un chiffre d'affaires de 52 millions de dollars. Elle est sortie de Saint-Jérôme depuis longtemps pour devenir internationale. Le 8 janvier 1984, j'ai eu le plaisir de téléphoner à Robert pour le féliciter d'avoir été nommé personnalité de l'année de Saint-Jérôme. J'étais fier de lui. Bravo les jeunes! Et n'oubliez pas que vous m'en devez une.

Un autre bel exemple de réussite est certainement celui de la maison Hervé Lemieux Transport. Mon ami Hervé a commencé dans l'industrie en 1947. Son entreprise était modeste. Plusieurs années plus tard, ses «taons» sont venus à la rescousse. Les comptes de dépenses ont commencé à grimper un peu. Mais Richard et Guy y ont mis du cœur. Encore aujourd'hui, ils n'hésitent pas à sauter dans un tracteur et à aller charger un plein voyage. L'équipement augmente tous les ans. Je sais qu'il y a un des deux fils, deux bons gars, qui est plus intelligent que l'autre, mais je n'ai jamais pu deviner lequel. Richard a été nommé gouverneur de Transfret en 1994. Il n'en reste pas moins que des leçons de golf pourraient améliorer son *standing* à Islesmere!

Au risque d'oublier plusieurs de mes amis, je tiens à saluer ici quelques grandes familles du transport.

La famille Delangis. Jean Delangis a été un innovateur dans notre industrie.

La famille Hamel. Comment ne pas remercier Alfred Hamel pour la contribution qu'il a apportée au monde du transport par son bénévolat à l'Association du camionnage du Québec. Tous ses frères l'ont bien soutenu.

La famille J.-E. Fortin. De père en fils, ils ont été nos ambassadeurs partout aux États-Unis.

Les Goyette ont développé une partie du Québec sur le plan du transport. Robert a fait connaître Sainte-Martine à toute la province, alors que Jean-Louis a rapproché Saint-Hyacinthe de Montréal. Quant à Louise, elle a prouvé qu'il y avait de la place pour une femme dans l'industrie du transport; sans compter aussi qu'en 1996, Stéphanie, la fille de Robert, a été élue membre du conseil d'administration de l'Association du camionnage du Québec.

Le groupe Robert, quelle réussite! Madame Réjeanne et son fils Claude ont été des travailleurs acharnés. Qui dit Bourret dit Drummondville. Quelle belle relève Omer et Jean ont eu la chance d'avoir en la personne de François. Malgré les épreuves, la famille Gosselin a su se tailler une place au soleil. Les Nadeau, de Sainte-Mélanie, une autre famille de pionniers. À Saint-Jean, il n'y en a qu'un «vrai de souche» et c'est Jacques Lemaire avec sa relève.

Marcel Dutil, de Beauce. Manac, de Saint-Georges de Beauce, est un exemple de réussite. Lorsque j'ai connu Marcel Dutil, le président fondateur de Manac, cette entreprise fabriquait deux semi-remorques par semaine. En 1995, elle en a fabriqué 5 565 et a réalisé des ventes de plus de 180 millions de dollars. C'est aujourd'hui le plus important fabricant de semi-remorques au Canada. Le fils de Marcel, Charles, qui est aussi actif dans l'entreprise, démontre les mêmes aptitudes que son père en prenant la direction en 1994 de la nouvelle usine de Manac en Ontario. Le président, Gaston Bureau et le vice-président des ventes de l'Est du Canada Roger Gendron, adhèrent à la même philosophie que Marcel, soit celle de satisfaire la clientèle en lui offrant un service exceptionnel et des produits de qualité.

Michel Besner, un gars qui est «sorti de nul part» et dont l'entreprise utilise la moitié du village de Saint-Nicolas pour garer un parc de 600 véhicules. Un mot pour remercier Camille Archambault qui pendant des années s'est porté à la défense des transporteurs. Après son départ pour la retraite, l'industrie n'a jamais été la même.

Quand on pense à Rivière-du-Loup, on pense aux Morneau. Une famille de travailleurs et de gens fiers. À Plessisville, c'est Boutin, il n'y en a pas d'autre. Léo Paul a été un vrai pionnier très bien secondé par son fils Bernard. Pour la machinerie lourde, les poids lourds, un seul s'est démarqué : Desmond Guy.

Le «Guide»

Un jour que je parlais affaires avec Georges Gratton de Lévesque Beaubien, il m'a demandé si j'avais déjà pensé vendre le *Guide*. Il me proposait ses contacts si jamais j'étais intéressé. Son épouse était la secrétaire de Pierre Péladeau, propriétaire du *Journal de Montréal*. À ce moment-là, Péladeau achetait tout ce qui bougeait. Je l'ai donc rencontré. Il m'a proposé de me payer 80 % de l'entreprise comptant et le reste trois ans plus tard; je restais à son service avec plus de responsabilités pendant cette période et, par la suite, je décidais si je restais ou quittais l'entreprise.

Toujours avec l'aide de Georges Gratton, j'ai aussi rencontré Rémi Marcoux, président des Publications Transcontinentales. Ce dernier était aussi très intéressé à intégrer mon commerce dans son groupe de publications, et ce qui l'intéressait le plus, c'était mon expérience dans le transport et tous les contacts que j'avais.

Les revenus d'imprimerie au sein du transport étaient énormes, et il prévoyait lancer un journal dans le milieu. À ma deuxième rencontre avec lui, j'ai demandé à mon fils Pierre -qui était propriétaire de plusieurs magazines associés au transport- de se joindre à moi afin de le faire profiter du contact. Monsieur Marcoux était alors accompagné de son bras droit, Claude Beauchamp, un homme poli et compétent. Il anime maintenant à la télévision une émission à caractère économique qui bat tous les records. Il était propriétaire du journal *Les Affaires,* qu'il a vendu à monsieur Marcoux. Il a pensé se présenter à la mairie de Montréal contre Pierre Bourque mais a jugé bon de se retirer avant l'élection. Dommage...

Quelques jours plus tard, Pierre est venu me voir accompagné de son avocat, Guy Parenteau. Il m'a dit que si le *Guide* était intéressant pour Péladeau et pour Marcoux, il l'était pour lui aussi. Deux mois plus tard, soit le 2 juillet 1986, Pierre devenait le seul et unique propriétaire du *Guide du transport par camion*. Après dix ans, le commerce roule toujours à pleine vapeur. Les noms des transporteurs changent et se renouvellent continuellement.

L'Agence Gravel

Le matin du 12 février 1968, je terminais mon entente avec Gravel Gratton. La même journée, je demandais à mon avocat, Me Roland Chauvin, d'enregistrer la raison sociale «Agence Gravel Agency» *Le Guide du transport* était déjà en exploitation depuis le 25 avril 1967. J'avais conservé Champlain et Overnite à titre de conseiller. Je faisais des travaux à commission ici et là. Je savais que le *Guide* allait devenir un travail à plein temps, ce qui est arrivé rapidement. L'Agence Gravel a vu le jour le 12 février 1968; elle a cessé ses activités le 29 janvier 1980. Toutes sortes de transactions passaient par l'agence, ce qui me permettait d'être toujours en règle vis-à-vis des gouvernements et des clients. Un jour, Gilles Lefebvre m'a invité à dîner. Il venait d'acheter Laurin Express, une entreprise de transport desservant le nord de Montréal jusqu'à Mont-Laurier, avec un entrepôt-bureau à Grand-Remous. Son but était d'avoir le droit de desservir Saint-Jérôme. À cette époque là, il était plutôt difficile pour un propriétaire de vendre un permis à un compétiteur. En général, les propriétaires de compagnies de transport ne s'entendaient pas trop et ne se faisaient pas confiance.

J'ai demandé à Gilles combien il voulait pour la partie de la compagnie dont il voulait se départir. Il était catégorique : 100 000 $. Je lui ai signalé que l'Agence Gravel pouvait l'aider. Tout ce qu'il me fallait, c'était une lettre d'autorisation pour la vente. Le lendemain, lettre en main, j'ai communiqué avec Jean-Marie Gagnon, vice-président de Brazeau Transport. Il acceptait d'acheter le permis, mais pas l'entrepôt. Ce n'était pas mon homme. Mon appel suivant a été pour mon ami Aurèle Lamothe, propriétaire de Lamothe Transport. Il se trouvait à Rouyn, mais m'a promis d'être à mes bureaux le lundi suivant en compagnie de son avocat et de son comptable. De mon côté, j'ai pris Jean-Luc Caron, contrôleur chez Glengarry Transport, comme témoin. L'avocat d'Aurèle était Jean Bruneau, un vieux de la vieille dans l'Union nationale et ancien joueur de hockey de la ligue Dépression, un gars vite en affaires. Après deux heures de discussion intense, j'ai accepté un compromis : je laissais l'affaire à 110 000 $ et je réduisais le taux de l'hypothèque. Marché conclu. Gilles Lefebvre m'a avoué qu'il pensait en avoir 100 000$ tout au plus. Dans la semaine qui a suivi, j'ai reçu le surplus de ce que Gilles avait pensé recevoir. Nous étions bien satisfaits tous les deux. J'ai fait quelques autres transactions de la sorte. Ma seule erreur a été de ne pas en avoir fait plus. La réputation que je m'étais bâtie dans l'industrie jouait toujours en ma faveur.

Première visite de l'Europe

Mon premier voyage en Europe, je l'ai fait avec Madeleine en 1968. Pendant 21 jours, nous avons visité, en autobus, la France, l'Allemagne, la Suisse, l'Autriche, le Liechtenstein et l'Italie. Ce voyage organisé s'appelait «La Mosaïque», un tour des plus belles cathédrales d'Europe.

L'aventure des «blocs appartements»

En 1968, j'ai décidé de me lancer dans le domaine des immeubles à logements multiples. J'en ai acheté trois de quatre logements chacun à Anjou. Rue Roy-René, près du boulevard Métropolitain. Monsieur Maurice Morin me les a laissés pour 37 300 dollars chacun, ce qui n'était pas cher. J'avais décidé de me lancer dans cette aventure parce qu'on pouvait, de cette façon, économiser énormément d'impôts. J'avais beau épargner beaucoup d'argent, je peux vous dire que c'est un paquet de troubles, les immeubles d'appartements. Je me rappelle, par exemple, de «l'aventure du poteau de téléphone». Un beau samedi matin, mon voisin d'en face à Roxboro, Fernand Langelier, vient sonner à ma porte, son journal à la main et m'annonce tout bonnement que je faisais la une de *La Presse*. Quoi?

Moi, tout ce que je voyais, c'était la photo d'un poteau d'électricité. Alors, quel rapport avec moi? Et bien, un de mes locataires avait décidé de s'installer une corde à linge. Comme il habitait au quatrième étage, il fallait grimper très haut dans le poteau pour y fixer un crochet. Avec l'aide d'un ami, locataire du deuxième, il avait appuyé une échelle d'aluminium sur le poteau et était monté pour fixer son fameux crochet. La petite fille du locataire du deuxième jouait dans la cour et allait se blottir de temps à autre contre les jambes de son père. Parvenu en haut, mon locataire du troisième avait perdu l'équilibre et s'était frappé la tête contre le transformateur électrique. Comme l'échelle était en aluminium, elle avait servi de conducteur et mes deux locataires frappés de plein fouet par la décharge électrique étaient morts. La petite venait à peine de lâcher son père.

J'ai rapidement vendu mes immeubles! C'est Roger Rajotte -il travaillait pour moi depuis des années- qui en a pris possession. Malheureusement il avait perdu son emploi et ne pouvait acquitter les taxes. Alors c'est moi qui a reçu l'avis de la Ville m'ordonnant de payer les impôts fonciers dans les 48 heures.

C'est finalement le 19 février 1975 que je me suis débarrassé pour de bon de mes immeubles d'appartements. C'est un certain Saul Barnach, un bon Québécois, qui les a achetés. Il était déjà propriétaire de 400 logements à Montréal. Pour moi, cette aventure ne s'est soldée que par des problèmes sans nombre et peu de profits. Heureusement, il y avait les rabattements fiscaux.

Le monde des publications

Camille Archambault, très connu dans l'industrie du transport, publiait un magazine : *Transport routier du Québec* avec la coopération de l'Association du camionnage du Québec. À la suite de quelques rencontres privées avec lui, j'avais décidé d'acquérir la publication et d'en faire un produit digne de l'industrie. Je trouvais que Camille était trop relié à l'Association à ce moment-là, ce qui l'empêchait d'exprimer ses opinions librement.

Nous avions couché notre entente sur papier : j'achetais le magazine à raison de 5 000 dollars comptant, et Camille en restait le rédacteur et vendeur de publicité. L'Association étant d'accord, nous avons envoyé les documents aux avocats afin de conclure l'affaire.

Le 29 septembre 1969 était la date prévue pour la signature du contrat, mais Camille -pour une raison que j'ignore encore aujourd'hui- ne s'est jamais présenté à notre rendez-vous et la proposition est tombée à l'eau. Mon fils Pierre avait seize ans au moment où j'ai essayé d'acquérir *Transport routier du Québec*. Quelque huit ans plus tard, soit en 1977, il a décidé de lancer son propre magazine, *L'Écho du Transport*, qui est devenu par la suite la seule publication de l'industrie.

La Crise d'octobre

J'ai connu personnellement Pierre Laporte pour avoir travaillé avec lui à l'occasion de certaines campagnes électorales. En 1969, le 31 octobre, il m'avait écrit de sa résidence de Saint-Lambert pour solliciter mon appui financier et personnel à sa candidature à la direction du Parti libéral du Québec. Malheureusement, il fut assassiné le 17 octobre 1970 par le Front de libération du Québec FLQ. Son corps fut retrouvé dans le coffre d'une voiture à Saint-Hubert. Il avait 49 ans. Le 3 octobre 1970, je partais pour un voyage de chasse dans les environs de Mont-Laurier avec trois de mes amis, dont Robert, de la Sûreté du Québec. Ce dernier avait l'air préoccupé par son travail, mais il ne semblait pas vouloir en parler.

Comme nous faisions une battue dans le but d'attraper un chevreuil, je me suis retrouvé terré dans une cache avec Robert pendant plus de deux heures. C'est à ce moment-là qu'il m'a confié ses inquiétudes. La police se doutait qu'un enlèvement ou quelque chose de semblable allait se produire à Montréal dans les jours suivants mais il était impossible de savoir de qui il s'agissait ni quand cela aurait lieu.

Il m'a rappelé par la même occasion l'assemblée du Parti Québécois à laquelle nous avions assisté quelques semaines auparavant, à l'aréna Maurice-Richard. Il était en service ce soir-là et il m'avait demandé de l'accompagner. Il s'était déguisé en «gars-qui-veut-rien-savoir», cheveux longs, barbe de trois ou quatre jours, veste à carreaux rouge et noir, etc. Pour nous rendre à la réunion, nous avions pris un taxi et, par habitude sans doute, mon agent secret s'était mis à questionner notre chauffeur, un certain Marc Carbonneau, un homme âgé de 37 ans.

À mon retour de chasse, le 5 octobre au matin, j'ai reçu un coup de téléphone de mon ami Robert qui me confirmait la nouvelle de l'enlèvement du haut-commissaire britannique James Richard Cross, qui demeurait rue Redpath à Montréal. La radio annoncerait sûrement la chose dans les heures suivantes.

Dans la foulée de ces événements, des communiqués avaient été trouvés à Montréal et les environs. Les journaux avaient rapporté que plusieurs d'entre eux avaient été rédigés et déposés par la police elle-même. L'immeuble où habitait Robert avait été la cible des policiers. Je dois dire qu'il n'était pas très heureux de la blague de ses confrères qui avaient envahi l'immeuble.

C'est un peu pourquoi il me téléphonait le 3 décembre au matin; il désirait me donner un «scoop». Il me conseillait de prendre en note une adresse, et de me rendre au 10 945 de la rue des Récollets à Montréal-Nord; c'était à cet endroit que le FLQ avait caché le diplomate Cross. Il m'apprenait également que notre chauffeur de taxi, Marc Carbonneau, était à l'intérieur et lui faisait des grimaces par la fenêtre.

Un autre coup de téléphone de Robert m'apprenait qu'un groupe composé de Jacques Lanctôt, Jacques Cossette-Trudel et Marc Carbonneau s'apprêtait à se rendre à Terre des Hommes et qu'il passerait dans la demi-heure, près de mon bureau alors situé au centre commercial Boulevard, à l'angle Pie IX et Jean-Talon. Je me suis donc rendu au coin de la rue et j'ai effectivement vu passer le groupe en question dans une vieille Cadillac mauve.

Marc Carbonneau avait fait la «une» des journaux quelque temps auparavant. Il avait participé à une manifestation contre la compagnie Murray Hill, à Dorval, et avait été atteint par une décharge de plombs sur tout le corps tirée par un ami du propriétaire qui s'était perché sur le toit du commerce. Il faisait l'objet d'un mandat d'arrestation émis à son endroit depuis le 18 octobre, car il avait été identifié comme l'un des ravisseurs soit de James Cross, soit de Pierre Laporte.

Durant cette période agitée, j'étais président de la section Dorval de la Société Saint-Jean-Baptiste de Montréal. Je faisais donc partie de la direction de la Société, comme tous les autres présidents de section. Nos assemblées avaient lieu dans l'édifice qui nous appartenait à ce moment-là à l'angle des rues Saint-Denis et Sherbrooke. Le Monument national, situé boulevard Saint-Laurent nous appartenait, ainsi que d'autres édifices, comme ceux de la rue des Carrières qui servaient à la construction des chars allégoriques pour le défilé du 24 juin. J'assistais aux congrès annuels et j'avais été nommé au sein d'un comité de finance à titre d'homme d'affaires.

Quand la police a entrepris ses recherches dans le but de contrer la crise du FLQ, elle s'est mise à éplucher les listes de toutes les organisations nationalistes du Québec. Alors, quand le premier ministre de l'époque, Pierre-Elliott Trudeau, a proclamé les mesures de guerre, 453 personnes ont été interpellées et arrêtées. Plus tard, cependant, 400 d'entre elles devaient être relâchées sans aucune accusation.

Quelques semaines plus tard, lors de l'une des assemblées de la SSJB, chacun avait son anecdote à raconter. Parmi toutes les histoires malheureuses, Jean-Marie Cossette, alors présidente de la SSJB et photographe aérien renommé, avait par exemple, fait l'objet d'écoute électronique. On avait dissimulé un micro dans sa chambre à coucher. Quant à moi, on s'était permis d'entrer illégalement de nuit dans mon bureau afin de passer mon «cas» au peigne fin. Au matin, tous mes dossiers relatifs à la Société avaient été extraits de mes tiroirs ainsi que mes livres comptables. On avait tout enregistré sur film. J'ai retrouvé des enveloppes de films dans mon panier à rebuts. J'ai aussi retrouvé une bouteille de 26 onces de gin vide en plein milieu de mon pupitre.

Il est facile d'imaginer combien des nôtres ont été suivis et interpellés inutilement à ce moment-là. On cherchait des traces de financement possible de groupes terroristes, ce qui n'existait pas évidemment. À l'époque, en pleine Chambre des communes, à Ottawa, Jean Chrétien avait déclaré qu'il y avait plus de 3 000 «coopérants» directement reliés au FLQ, mais à la fin de toutes les opérations d'espionnage, on en avait à peine trouvé une dizaine.

Deuxième voyage en Europe

Nous sommes retournés en Europe, Madeleine et moi, en juillet 1970. Cette fois, nous avons visité le Portugal, l'Espagne et une partie du Maroc, jusqu'à Fez. Au Portugal, nous avons eu quelques inquiétudes d'ordre politique, car le dictateur Salazar est décédé à Lisbonne le jour même de notre arrivée. Nous avions peur d'un soulèvement populaire, mais notre guide nous a évité tout problème.

Le «Holding» Goudreau

Au début de 1970, Jacques Goudreau et monsieur Tremblay m'ont invité à devenir associé dans leurs trois compagnies (Goudreau Location, Goudreau Transport, Goudreau Entrepôt). Ces entreprises avaient été fondées en 1950 par les frères Antonio et Léo Goudreau. En 1966, Jacques Goudreau et monsieur Tremblay étaient devenus les seuls propriétaires du Groupe. Ils avaient obtenu leurs permis de la Régie des transports et Goudreau Location était ainsi devenue l'une des premières compagnies, sinon la première, à obtenir un permis de location à court et à long terme.

Le 10 décembre 1970, j'étais coactionnaire de la compagnie-mère, étant déjà propriétaire du *Guide*. J'ai investi 10 000 dollars ce qui me rendait responsable du tiers de l'hypothèque du «Holding» dans cette aventure.

Les entreprises qui possédaient 45 véhicules de transport, avaient leur siège social au 4300, de la rue rue Gascon, à Montréal, près de la rue Iberville. L'entrepôt, lui, était un véritable cauchermar : pour y avoir accès, il fallait passer par la ruelle, un cul-de-sac. Quand nous voulions utiliser un camion, il fallait en sortir trois autres pour lui laisser le champ libre. L'enlèvement de la neige représentait un casse-tête épouvantable et très coûteux. Le service à la clientèle s'en ressentait. Le garage était dans un état lamentable et les bureaux étaient installés illégalement dans une roulotte stationnée rue Gascon. Il ne m'a fallu que deux ou trois visites pour réaliser que la première chose à faire, c'était de sortir de ce trou.

Grâce à mes nombreux contacts, j'ai su que la maison Duval Chevrolet Oldsmobile, située au 4700 de la rue Amiens, à Montréal-Nord, avait fermé son atelier de peinture. Sur 100 000 pieds carrés de terrain, un entrepôt, un garage des plus modernes, des bureaux à faire rêver et une pompe à essence bien installée et en bon état. Bref, l'endroit idéal pour installer les entreprises du Groupe Goudreau. J'ai donc pris contact avec le président de Duval et je l'ai rencontré au bureau de la compagnie, rue Lajeunesse.

Il m'a expliqué qu'il était difficile d'utiliser l'atelier de la rue Amiens parce que le maire de Montréal-Nord, Yves Ryan (le frère de Claude), avait homologué l'emplacement pour l'installation d'une «fondeuse à neige». Son problème, c'était que l'entente finale avec la Ville ne serait peut-être pas signée avant quelques années. En entendant, l'endroit était libre rien ne s'opposait à ce qu'il fut utilisé.

Nous avons donc conclu une entente pour l'utilisation de l'atelier dans le but de le maintenir en marche et d'obtenir ainsi un meilleur prix à la vente. Je n'avais aucun loyer à payer ni aucune réparation à assumer. J'avais même loué quelque 25 000 pieds carrés de surface pour entreposage extérieur; cela couvrait les frais d'électricité et les dépenses. Il ne restait plus qu'à transférer les 45 camions et les bureaux rue Amiens.

Une fois cette épine retirée de mon pied, je me suis mis à faire le tour de la comptabilité. C'était un désastre : tout se faisait à la main, aucun appareil pour aider, aucun système d'installé pour la gestion. J'ai utilisé mes contacts et j'appris de Claire Fafard que la compagnie Champlain Express venait de renouveler son système comptable et que l'ancien était au rancart. J'ai donc rencontré le propriétaire de la firme, mon ami Maurice Parenteau, et, dès le lendemain, toute la machinerie était livrée rue Amiens comme cadeau pour services rendus. Il fallait faire vite, car la clientèle augmentait plus vite qu'on ne pouvait la servir. Le 19 avril 1971, j'ai engagé Roger Rajotte -un de mes hommes de confiance quand j'étais chez Dumont- à titre de directeur et copropriétaire.

J'étais secrétaire-trésorier du Groupe Goudreau, mais j'avais du mal à obtenir les rapports financiers à la fin du mois. Le 1er mai un des deux associés m'a appelé pour m'avertir que notre président émettait des chèques en imitant sa signature... Tout ce qui semblait rouler à merveille la veille se transformait soudainement en cauchemar. Il va sans dire que je n'ai pas laissé l'affaire aller plus loin; le lendemain, avocats et police se mêlaient du dossier.

Le jeune Gravel vient de faire son entrée parmi les grands du Motor Truck Club.
À 35 ans, le plus jeune président que le club ait eu encore à ce jour.
Trois anciens présidents me souhaitent la bienvenue :
Tom Taylor, Art Gauthier et Lloyd Headland.

Un joyeux groupe du Motor Truck Club :
Jacques Beauchamp, Bernard gravel, Guy Séguin,
Jean Turgeon, René Raymond et Jean Delangis

J'étais le chef ouvreur d'huîtres.
À mes côtés : Stan C. Newey,
Jean-Marie Gagnon avant sa diète
et Jean Turgeon.

La grosse gomme du Motor Truck Club : Bernard Gravel, Floyd Headland,
Gordon Emblem, Ted Holt, Art Gauthier, Guy Lavallée, Sid Warwick,
Ralph Yale et Tom Taylor

Un groupe d'anciens présidents du Club des professionnels du transport.
1re rangée : Ed Maquignaz, Ron Flannery, Tom Kelly et Art Gauthier. 2e rangée : Ralph
Yale, Max Slatkoff, Lloyd Headland, René Brassard, Peter Kenwood, Gordon Emblem,
Bernard Gravel, Ted Holt, Jean-Paul Boucher, Raymond Vaillancourt et Guy Lavallée.

Construction de la résidence des religieuses dominicaines : monsieur le président de la Commission scolaire de Roxboro lève la première pelletée de terre. On reconnaît : André Degrobois, S.-A. Green, Fernand Labelle (commissaire), Guy Gagné (architecte), Laurent Jasmin (entrepreneur), Guy Bougie, René Lusignan, monsieur le maire René Labelle, G. Ouimet, Gérard Gougeon, Jean Labelle, Marc Mayrand, monsieur le curé Georges Robitaille, le secrétaire Gaston St-Jean, L.-P. Bertrand, Maurice Veilleux, Jacques Laferrière et mère Marie-de-Nazareth.

Inauguration de l'école Charles-E. Kirkland, à Roxboro, à laquelle 1 000 personnes ont assisté. Je recevais les dignitaires à ma résidence : madame Claire Kirkland-Casgrain (avocate de la Commission scolaire), messieurs Gaston St-Jean (secrétaire), Paul Earl (ministre libéral à Québec) et Fernand Labelle, moi-même, monsieur Philippe Casgrain, madame Charles Kirkland (épouse de feu C.-E. Kirkland), messieurs André Degrobois et Lou Clément (commissaires).

De la grande visite à mon domicile, le Très Honorable Paul Earl, ministre des finances du Québec.

◀ Philippe Casgrain, mari de Claire Kirkland Casgrain, organisateur du Parti Libéral du comté Jacques-Cartier. Louis-Philippe Chamberland responsable de Ville Saint-Laurent et aux alentours, et Bernard Gravel, responsable de Roxboro et les alentours.

Le président haranguant la foule lors de la bénédiction des travaux
de la nouvelle école Charles-E. Kirkland à Roxboro.

On reconnaît Louis
Lamoureux, Maurice Veilleux,
Fernand Labelle, Jacques
Roland, l'abbé Georges
Robitaille, Bernard Gravel,
président, Laurent Jasmin,
Charles-E. Kirkland, ministre,
André Degrosbois, Lou
Clément, Philippe Casgrain,
Gaston St-Jean, Louis-Philippe
Chamberland, Claude Gagné
et S.-A. Green.

À l'inauguration de l'école Charles-E. Kirkland :
Mme Charles Kirkland et sa fille unique, Claire
Kirkland-Casgrain, me remettent la photo de
Monsieur Kirkland en l'honneur de qui l'école
était nommée.

A LA **MAIRIE** VOTONS
FOR **MAYORSHIP** LET'S VOTE

BERNARD GRAVEL

Le 6 novembre

VOTONS

BERNARD GRAVEL
Maire

No 1
MARC MAYRAND
Échevin

No 2
JEAN GOSSELIN
Échevin

No 3
W. J. C. DAMANT
Échevin

No 4
AL BREWER
Échevin

*Monsieur Bernard Gravel, président
et Messieurs les Commissaires
de la Municipalité Scolaire Catholique de Roxboro
ont l'honneur de vous inviter à une cérémonie
marquant l'inauguration et la bénédiction de
l'École Kirkland
à 106 rue Cartier, Roxboro*

*le dimanche, quinze octobre mil neuf cent soixante et un
à trois heures p. m.*

*L'Honorable Paul Earl en la présence de Madame Charles A. Kirkland
invitée d'honneur
dévoilera une plaque commémorative rappelant la mémoire de
l'Honorable Charles A. Kirkland*

L'Éducation de vos enfants dépend de votre vote.
LUNDI, LE 11 JUILLET 1960
de 8 A.M. à 6 P.M.
Élections à la
Commission Scolaire Catholique de Roxboro
Vous votez à l'Ecole Catholique de Roxboro
VOTEZ

| Bernard Gravel | PRÉS. SORTANT | X |
| Lou E. Clement | COMM. SORTANT | X |

Comité : MU. 4-2697 — MU. 4-2186

LE CLUB DE TRAFIC DE MONTRÉAL, INC.
THE TRAFFIC CLUB OF MONTREAL INC.

CHAIRMEN AND THEIR COMMITTEES 1967-68

ENTERTAINMENT

CHAIRMAN
BERNARD GRAVEL
Co-Owner
Gravel, Gratton & Co.

COMMITTEE
Jean D. Nadeau,
Manager, Traffic & Customs,
RCA Victor Co. Ltd.
G. Roger Tremblay,
Distribution Asst. Manager,
Canadian Breweries Eastern Ltd.

Leonard L. Lefebvre,
District Sales Manager,
Norfolk & Western Rly. Co.
Thomas F. Kelly,
Manager,
Smith Transport International Ltd.

MEMBERSHIP

CHAIRMAN
DON D. URQUHART
Montreal Sales Mgr.
Kingsway Transports
Ltd.

VICE-CHAIRMAN
Frank R. Porter, (Roster),
Swedish Atlantic Line

COMMITTEE
Don L. McDonald,
Traffic Manager,
B.P. Canada Ltd.
Wally J. Clune,
Sales Representative,
Maislin Bros. Transport Ltd.
Henry Desprey,
Export Traffic Clerk,
The Robert Reford Co. Ltd.
Bern C. Jones,
Dist. Traffic Manager,

GOODWILL

CHAIRMAN
T. J. (TOM) MARTIN
Freight Sales Mgr.
Shipping Ltd.

VICE-CHAIRMAN

MONTRAFFIC NEWS

EDITOR
STAN C. NEWEY
Editor
Canadian Guide

EDITEUR
ADJOINT
LUC L'HEUREUX
Gérant Bureau
Ph. McCarthy Transport
Inc.

Annual Dinner Committee

LOUIS DI FRUSCIA
CHAIRMAN

EDWARD HLUSKO
VICE-CHAIRMAN

GORDON EMBLEM

RECEPTION
Gordon J. Emblem, Chairman
Laurent Lamarche, Vice-Chairman
Frank Kenwood
Peter Kenwood
Bruce Emblem
Rex Parks
Fraser Ritchie
Harry Webber
N. A. Emblem
Allan McEvoy
George Maybury
Bernard DeVan
Joe Zalopany
Gord Hanson
Tom Murphy

DENNIS HUNTER

BERNARD GRAVEL

SEATING
Dennis Hunter, Chairman
Peter Lavender, Vice-Chairman
Irvine Dawson
Richard Meloche
Hugo Perfetti
Donald Russell
Art Archer
John Fraser

TICKETS
W. G. Gordon, Chairman

PROGRAMME
Stan C. Newey

ENTERTAINMENT
Bernard Gravel, Chairman
Gérard Cadieux, Vice-Chairman
Jean D. Nadeau
Roger Huot

PUBLICITY
Parker Gamble, Chairman
Ivan Rochette, Vice-Chairman
Larry Sweeney, Vice-Chairman

PARKER GAMBLE

ADVISORY
Lorne Lyndon

Comité du premier congrès canadien du camionnage

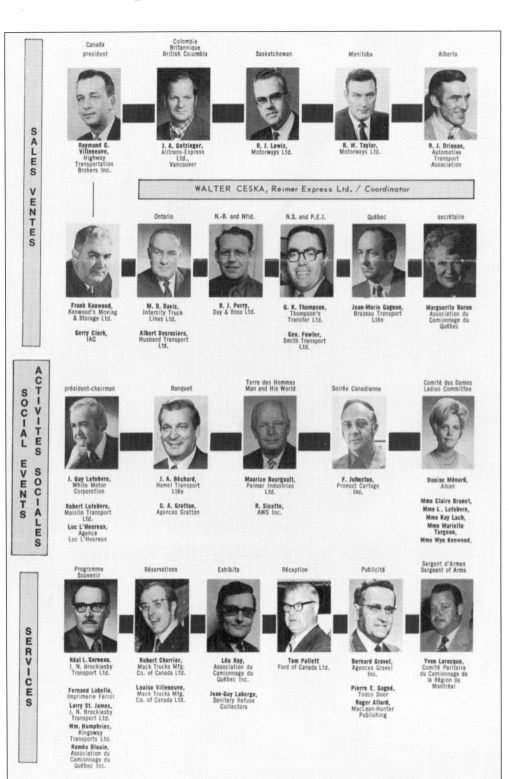

▲ Nous sommes les hôtes de Fidel Castro à La Havane. Ce camion Mack 1910 a probablement été vendu par Albert Dionne à ses débuts. On remarque Omer Malbœuf, Yvon Larocque, Pierre Deschamps, André Fugère et moi-même.

Une jeune fille qui n'a pas besoin de longue présentation : Jocelyne Bourassa. Gilles Lefebvre, président de Glengarry Transport, lui remet une bourse pour lui permettre de participer au championnat en Europe.

▲
Je suis piégé par nul autre que l'animateur de télé Jacques Normand. Ma «gang» avait apprécié ma réplique si on en juge par son expression. À partir de la gauche : Marcel Chartier, Luc L'Heureux, Pierre Asselin, Paul Lafrance et un ami personnel qui est disparu beaucoup trop vite, Fernand Charest.

Une rencontre toute souriante au début, qui deviendra plus grave par la suite. Monsieur Claude Ryan, alors ministre du Parti libéral.

M. Robert Bourassa, à la recherche d'appuis pour reconquérir le pouvoir, nous rend visite à l'Association du camionnage. Luc L'Heureux semble impressionné par le livre que vient de publier Monsieur Bourassa.

Au 17ème tournoi de golf du Cercle de la traction sur routes du Québec

(Club des professionnels du Transport)

F. Moisan, Paul Coutu, Maurice Bélisle et Roland Chartier.

Bernard Gravel, Guy McDuff et Célin Adams.

W. E. Canning, G. H. Lintault, Maurice Janin et O. W. Aumand.

Ted Holt, Fernand Bolduc, Georges Gouin et Jos Laurin.

Marcel Chartier, Pierre Nadon, Gerald Clerk et H. Pendergast.

W. M. Scott, J. Hickey, H. Delacour et P. O'Reilly.

suite à la page 26

Remise des trophées de l'Association du camionnage

Trophée de l'Association du Camionnage du Québec Inc. présenté par M. Georges-E. Simard, président provincial, à M. Gaston Gauthier, (G. G. Transport Inc.).

Trophée H. Lapalme Transport Ltée, présenté par M. Gaston Lapalme, président de la Région de Montréal de l'Association à Me Jean-Paul St-Laurent, président du conseil d'administration de H. Smith Transport Ltée.

Trophée J. N. Brocklesby Transport Ltd. présenté par M. Réal Garneau à M. John Buchan (Hertz Truck Rental (Canada).

Trophée John Rolland, présenté par M. Gustave St-Jacques, vice-président de la Régie des Transports, à M. Donat Sicotte (Sicotte Transports Ltée).

Trophée St-Léger, présenté par M. Camille Archambault, directeur exécutif de l'Association, à M. Marcel Lafrance (Guilbault Transport Inc.)

Trophée M & M Transport Ltd. présenté au Juge Pierre Roger, président de la Régie des Transports par M. Maurice Spector, président du Groupe de la Ville de Montréal.

Trophée du Guide du Transport par Camion, présenté par M. Bernard Gravel à M. Don Marshall (Automotive Sales & Service).

Trophée des Membres-Associés de l'Association, présenté par M. Guy Lavallée, vice-président de cette section, à M. R. Feigel (GMC Truck Branch).

Trophée GMC présenté par M. Paul Falardeau, à M. Luc L'Heureux (Service d'Assurance Fugère Inc.).

▲ Je débutais parmi les grands du Transport au golf : John Lewis, Bernard Gravel, Phil Martin, P.-A. Marchand

Un groupe sérieux : Ron Flannery, Adrien Royer, moi-même et Gaston Gauthier. À remarquer que les lunettes noires reviennent à la mode.
M. Adrien Royer était l'oncle de notre directeur général Monsieur Alain Royer du Club de golf Islesmere. ▼

Bernard Gravel, Roger Tremblay, B. Wimsby et Albert Desrosiers, mon ancien patron et ami de toujours.

Pierre Gravel, un jeune qui promet, Fernand Charest, qui fut un de mes grands amis (c'était un vrai) et Bernard Gravel.

Bernard Gravel, Maurice Filiatrault, Léo Thériault et André Fugère, des gars qui ont marqué l'industrie.

Adrien Royer, cet homme m'a conseillé pendant plus de 15 ans, je fus un des rares à assister à ses obsèques. Avec lui, Léo Roy, le fils de Georges, Bernard Gravel et Marcel Fugère, le frère d'André.

Guy Parenteau, l'avocat des pauvres; Bernard Gravel, Larry St-James, un vrai québécois et mon ami Gilles Lefebvre.

◀ On travaille fort dans l'industrie d transport. Il faut bien se détendre de temps en temps. Un bon moyen : le golf. On reconnaît Royal Lefebvre, Pierre Gravel, Jole Bédard (devenu représentant des canadiens-français à Toronto) et Bernard Gravel.

▶ (1983) Gilles Custeau, Paul-Émile Michel, Bernard Gravel et Jean-Guy Lemire. Depuis que cette photo a été prise, Jean-Guy a changé de grandeur de t-shirt...

◀ Un autre Lefebvre, de Rigaud celui-là, Robert. Puis : Pierre Gravel, Albert Dionne et Bernard Gravel.

▶ La «clique» de Québec vient nous saluer tous les ans. De gauche à droite : Jean-Marie Gagnon, Jean-Guy Tondreau, Albert Dionne, Jean Guilbeault, Bernard Gravel, Michel Gignac et Simon Poiré.

Un quatuor qui ne lâche pas depuis plus de 15 ans! Marcel a beau donner des cours à Gilles, il n'y a rien à faire. Dans l'ordre habituel :
Gilles Lefebvre, Bernard Gravel, Luc L'Heureux (un gros joueur) et Marcel Chartier.

Quand on fréquente la haute gomme, on vit en grande. C'est en jet privé que nous nous sommes rendus aux 500 milles d'Indianapolis. De gauche à droite : Bernard Gravel, Gilles Lefebvre, Keith Petrosky de chez Cummins et Claude Vincent, un pro du golf.

◄ Serge Duchesne (quel bon gars), Bernard Gravel, Jean-Yves Letarte, (un gars compétent) et Gilles Lefebvre.

▲ On fête l'anniversaire de Gilles chez Gibby à Montréal, le 10 décembre 1987. Guy Séguin, Guy Dufour et Marcel Chartier sont de la partie.

Bernard Gravel, Gilles Lefebvre, Charles Beriau, notre hôte et Lou Lord. Ça gageait fort dans le temps !

De gauche à droite, première rangée: Lloyd Headland, 1er vice-président du Cercle; W. Merrick, gérant de succursale, Fruehauf Trailer; Maurice Bourgault, en charge du tournoi; Bernard Gravel, président du Cercle; Camille Archambault, Association du camionnage du Québec; Nat Boyd, président de Boyd's Lachute Express. Seconde rangée, même ordre: Guy Lavallée, secrétaire du Cercle; A. Gauthier, ancien président du Cercle; Gilles Lacerte, en charge des sac "Booster"; Ted Holt, 2ème vice-président du Cercle; Sid Warwick, trésorier du Cercle; A. Théoret, de Fruehauf Trailer.

A la table d'honneur, au cours du banquet qui suivit la journée de golf, on remarquait les personnalités suivantes: assis, gauche à droite, Paul Laframboise, Bill Merrick, Tom Taylor, président du Cercle, Maurice Bourgault, grand responsable l'événement, R. J. Telford et Georges Gouin; debout, dans le même ordre, André Fugère, Bernard Gravel, vice-président Cercle, Jean-Louis Dyotte, J.-P. Blais, J. Beer, Guy McDuff, Syd Warwick et Camille Archambault.

Notre président avait prévu bien des façons de s'en sortir dans l'éventualité où ses manigances seraient découvertes. Le 3 mai j'ai été appelé à comparaître devant monsieur Gervais, de la Régie des transports, qui a également interrogé quatre ou cinq autres personnes pour se faire une idée de la situation. Son jugement semblait être fait avant même le début de l'enquête.

Mes actions dans la compagnie n'avaient pas été déclarées à la Régie... Trois jours plus tard, l'épouse du président est venue me porter un chèque visé de 10 000 dollars à mon bureau. L'autre associé, devait avoir moins de chance : il reçut une série de chèques postdatés et n'a été remboursé que plusieurs années plus tard. Cette expérience a été enrichissante de bien des plans... sauf financièrement.

Montréal Tacho

Par la suite, j'ai fait une courte incursion dans l'industrie du tachygraphe, mieux connu sous son nom anglais *tachograph* ou «tacho». Il s'agit d'un appareil qu'on installe sur le tableau de bord d'un camion ou d'un tracteur et qui permet de mesurer et d'enregistrer la vitesse du véhicule. Les routiers appellent aussi cet appareil un «bavard». Il est actionné au moment où le véhicule démarre et enregistre sur papier, chaque arrêt et départ. Les patrons peuvent ainsi savoir exactement ce que font leurs chauffeurs de longue distance, la nuit. Les syndicats, quant à eux, l'acceptent de bonne grâce puisqu'il permet de protéger le chauffeur, d'une certaine façon lorsqu'il doit justifier son emploi du temps ou en cas d'accident.

185

Un jour, j'ai vendu une publicité, au nom du *Guide du transport*, à une entreprise spécialisée dans la vente de «tachos». Le propriétaire, Paul-Émile Séguin, était un ami depuis plus dix ans. Malgré les appels répétés de ma secrétaire, le compte de publicité de cette compagnie restait impayé et cela commençait à m'inquiéter.

Dossier en main, je me suis présenté personnellement pour voir de quoi il en retournait. Les échanges de vieux souvenirs terminés, monsieur Séguin a fini par m'avouer qu'il avait des problèmes financiers. Son compétiteur torontois, H. Ruhl Machinery, l'avait littéralement écrasé avec son capital plus élevé. Les deux compagnies vendaient le même produit importé d'Allemagne. Seuls la couleur et le sigle de l'appareil étaient différents.

Flairant la bonne affaire, j'ai demandé à examiner les livres de l'entreprise et j'ai passé le reste de la journée à en étudier le bilan financier, mais ce n'était pas riche. La seule chose qu'il restait à faire, c'était de déclarer faillite. Il avait quelques milliers de dollars en marchandises, mais cela n'avait aucune valeur pour les créanciers. Le syndic qui s'est occupé de son affaire, Harry Miller, m'a proposé de tout racheter à 450 dollars, y compris le camion.

C'est ainsi que j'ai créé une nouvelle entreprise, le 10 février 1971, sous le nom de Montréal Tacho. Il faisait un froid sibérien. Toujours sur ma lancée, j'ai engagé mon ami Paul-Émile Séguin pour me seconder. Son bureau était voisin du mien et nous partagions les services de ma secrétaire.

Le problème, c'était que je ne connaissais rien aux «tachos» (pas plus qu'aux gâteaux à une certaine époque en fait) et je ne disposais d'aucun garage pour les installer dans les tracteurs. Le bon côté de l'affaire, c'est que je connaissais tous les acheteurs potentiels de mon nouveau produit.

Je me suis alors lancé dans une campagne du style : «Achetez chez nous, c'est bien mieux», un brin nationaliste. Je faisais valoir à mes futurs clients qu'il valait mieux encourager une entreprise d'ici, contrôlée par des francophones et qui payait des taxes au Québec, plutôt que d'acheter d'une firme torontoise qui ne se préoccupait pas de leur niveau de vie, etc. De son côté, monsieur Séguin visitait les directeurs de l'exploitation des grosses entreprises de transport et obtenait les renseignements pour les achats futurs.

Nous vendions également des gadgets aux transporteurs, comme un odomètre qui permet de calculer les distances très utile lorsqu'on loue un camion.

Une fois les renseignements en main, je rencontrais le propriétaire -toujours un ami personnel- soit Club de Trafic au Club des professionnels du transport à la Chambre de commerce, à l'Association du camionnage du Québec ou tout simplement lors d'un tournoi de golf. Je lui faisais comprendre qu'il était important qu'on se parle et, en général, j'avais une vraie rencontre d'affaires dès le lendemain.

Comme Séguin était absolument incapable de vendre à Maislin Bros, j'ai appelé Clément Beauregard à son bureau pour lui vendre ma salade. Le résultat ne s'est pas fait attendre. Il a fait venir son responsable des achats et lui a dit devant moi que, dorénavant, il devait acheter tout chez Montréal Tacho. Mon chiffre d'affaires venait de faire un véritable bond en avant. Tout allait bien : mon fournisseur, Robert Bosch Canada, m'accordait sa pleine coopération et j'avais trouvé un horloger qui réparait les mécanismes défectueux.

Comme tout allait sur les roulettes j'ai décidé de prendre trois semaines de vacances à l'extérieur du Canada. Deux semaines s'étaient écoulées quand j'ai reçu un appel de ma secrétaire, Lilianne Duchesne. Elle m'informait que mon fameux compétiteur torontois, H. Ruhl, avait engagé Paul-Émile Séguin et que ce dernier quittait Montréal Tacho deux jours plus tard. Les vacances étaient à l'eau.

J'ai laissé Séguin le temps de s'installer un peu chez Ruhl, c'est-à-dire deux semaines, puis je l'ai appelé, question de prendre un rendez-vous avez lui. Plutôt que d'essayer de le ramener ou de l'engueuler comme il s'y attendait, je lui ai offert plutôt de se faire mille dollars facilement. Après trois bières, il a téléphoné à monsieur Ruhl à Toronto, lui répétant textuellement le petit scénario que j'avais préparé. En gros, Séguin l'encourageait à acheter Montréal Tacho, sinon Ruhl ne pourrait pas continuer à faire affaires au Québec parce que Gravel était trop fort dans l'industrie. Il serait peut-être intéressé à vendre...

Si mon fils Sylvain avait été un peu plus âgé, j'aurais préféré poursuivre la bataille plutôt que de vendre. Quelque temps plus tard, j'ai reçu un appel de monsieur Ruhl lui-même, et nous avons organisé une rencontre dans les jours suivants.

Le 3 septembre 1971, je signais un contrat de vente qui me rapportait 20 000 dollars sur deux ans, une somme astronomique à l'époque. Paul-Émile Séguin s'est alors retrouvé avec un bel emploi sans compétition et 1 000 dollars vite faits. Il était même parti avec le camion que je lui avais donné. Même les clients en sortaient gagnants, puisque H. Ruhl avait accepté de respecter les garanties offertes par Montréal Tacho.

De choses et d'autres...

Le frère Armand Gingras, de l'École Meilleur dirigée par les Frères du Sacré-Cœur, organisait, en 1971, une amicale des anciens où j'ai pu me remémorer quelques bons moments du passé.

Le 14 juin 1972, l'Association du camionnage du Québec me remettait un certificat en reconnaissance de ma participation active dans l'industrie pendant 25 ans. Vingt-cinq années se sont écoulées depuis.

Mon père

Le 22 septembre 1973, ma sœur Thérèse me téléphonait pour m'annoncer le décès de notre père, victime d'une crise cardiaque, à l'hôpital Notre-Dame-de-la-Merci. Il avait 79 ans.

Mon père était un homme peu instruit -il avait quitté l'école en bas âge- mais d'une honnêteté à toute épreuve. En raison de sa fragilité physique, il ne travaillait que quelques mois par année comme menuisier. Toute sa vie a été un exemple de sobriété et de droiture. Je me souviens de lui comme d'un homme très sévère pour lui-même, qui ne fumait ni ne buvait jamais. Il ne pratiquait aucun sport. Le seul passe-temps que je lui ai connu a été l'élevage de pigeons. Lui et moi avions certains problèmes de communication, notre vision de l'avenir n'était pas la même, mais cela ne m'empêche pas de garder de lui un très bon souvenir.

Bien sûr, il a consacré sa vie à sa famille, mais il en a aussi donné une bonne partie à la politique, surtout au Parti libéral, à Québec comme à Ottawa. La politique, c'était sa façon d'améliorer le monde en général. Il n'en a pourtant jamais tiré avantage. C'était un homme trop droit, trop honnête pour accepter quoi que ce soit.

Je pense que c'est à sa mort que la politique lui a rendu le plus grand hommage. Un bon ami à moi, Me Jean-Paul Saint-Laurent, était venu offrir ses condoléances. Il faut dire que Jean-Paul était le fils de Louis-Stephen Saint-Laurent, premier ministre du Canada de 1948 à 1957.

Toute la famille avait retenu son souffle à l'entrée de Jean-Paul dans le salon. Tout le monde pensait que mon père allait se lever de sa tombe. Comme il aurait été heureux de lui serrer la main. Enfin!

La chasse et la pêche

Ma famille et moi avons adopté la Floride pendant une dizaine d'années. En effet, dès la fin des classes pour le congé de Noël, nous partions tous les six en voiture vers Hollywood non loin de Miami. Nous avions trouvé un motel qui satisfaisait toute la famille. Lucie, qui n'était âgée que de trois ou quatre ans, était aussi à l'aise dans l'eau qu'un poisson. Elle passait des heures à la piscine du motel pour faire des plongeons, sous la surveillance discrète de France et de Pierre, bien sûr. Souvent, les autres clients sortaient de leur chambre pour l'applaudir.

Chaque année, Pierre et Sylvain m'accompagnaient pour notre fameux voyage de pêche en haute mer. Plus souvent qu'autrement, nous revenions bredouilles. Sauf lors d'une année exceptionnelle où nous sommes revenus avec plus de quinze gros poissons, dont un dauphin de 40 livres que j'ai fait empailler. Je le possède toujours, d'ailleurs.

La chasse a longtemps été l'un de mes sports favoris. J'y avais débuté très jeune. Mon frère Roger, le grand sportif de la famille, m'invitait avec son groupe et nous allions chasser le chevreuil dans la région de Ferme-Neuve non loin de Mont-Laurier.

Un jour, nous marchions à la queue leu leu sur un terrain accidenté. Nous étions tous armés de carabines 30-30 Winchester. Le compagnon qui me suivait avait oublié de verrouiller sa carabine, et ce qui devait arriver est arrivé. Il a fait un mauvais pas et une balle est partie accidentellement et est venue frapper le sol à quelque six pouces de mon talon. Un silence de mort a flotté pendant quelques instants et mon frère Roger a réuni tout le groupe pour mettre certaines choses au clair. Je n'ai pas besoin de dire que j'ai reçu une leçon de prudence ce jour-là. Quelques années plus tard, je suis retourné à la chasse à plusieurs reprises avec Pierre et Sylvain, mais cette fois dans le bout de Louvicourt. C'est là que Pierre a tué son premier ours. Nous en avons goûté la viande et je l'ai fait empailler par un taxidermiste. Nous avons gardé le trophée pendant des années.

J'ai aussi pratiqué la chasse au canard avec mon oncle Marcel Massy. Il avait un chalet non loin de Sorel et, chaque année, il m'invitait avec la famille. Nous nous embarquions dans une chaloupe complètement recouverte de branchages qu'on appelait une «cache». Nous installions des canards de bois près de la chaloupe et utilisions un sifflet imitant le cri de la cane pour attirer nos proies. Nos dernières parties de chasses ont été consacrées à l'orignal. Quelle bête! J'ai eu l'occasion d'en voir à plusieurs reprises, que ce soit à la pêche, en camping ou à la chasse, mais je n'ai jamais réussi à en abattre un. Par contre, je suis revenu de chasse à plusieurs reprises avec un chevreuil sur le capot comme on dit. Personnellement, je n'en ai abattu qu'un seul, à Kiamika, près de Mont-Laurier.

J'ai cessé de pratiquer ce sport, car il était devenu trop dangereux. Les chasseurs déçus de ne pas avoir fait de victimes parmi la gent faunique s'adonnaient au tir libre sur une bouteille ou une cannette de bière avec une carabine 303, un 12 ou encore une 30-30. De vrais dangers publics!

Au Québec, pendant plus de dix ans, au mois de juillet, toute la famille m'accompagnait pour un voyage de pêche dans le parc de la Vérendrye, au Dorval Lodge, et monsieur Dorval, le propriétaire, était devenu un bon ami. Parfois, nous allions aussi à Louvicourt, au lac Gueguen. J'avais inculqué le goût de la pêche à mes deux fils. Lorsque Sylvain avait deux ans, on attachait des barbotes à sa ligne et il en était très fier. Nous pêchions surtout le brochet et le doré.

Lors d'un de ces voyages de pêche chez mon ami monsieur Dorval, j'entre au restaurant, par un après-midi de pluie, pour prendre tranquillement un café. Qui est-ce que j'aperçois, attablé, en train de manger? Nul autre que Réal Caouette, notre Réal national! Qui ne connaît pas ce personnage unique, tribun probablement jamais égalé au Québec?

Il a été candidat créditiste dans la circonscription de Villeneuve aux élections générales de juin 1962. Non seulement a-t-il été élu, mais il a entraîner vingt autres députés créditistes dans son sillage. Dès leur arrivée à Ottawa, tous se sont empressés de réclamer et d'obtenir beaucoup plus de bilinguisme à la Chambre des communes. Il ne subit jamais la défaite par la suite. Il a été réélu en 1963, 1965, 1968, 1972 et 1974.

J'aimais ce personnage historique. Il se tenait debout, lui. Il avait un seul langage ne disposait d'aucune caisse électorale. Nous avons discuté pendant des heures, toujours sur un ton serein. Il m'avait fortement recommandé de lui rendre visite à Ottawa et m'avait aussi mentionné qu'il avait un poste important pour moi dans son organisation. J'avais une grande estime pour lui. C'était un partisan du gros bon sens. Mais sa façon de voir la vie économique restait nébuleuse à mes yeux.

Tous mes amis abitibiens avaient beaucoup d'estime et de respect pour Réal. Les Jean-Marie Gagnon et Maurice Filiatrault (et surtout son aimable épouse anglophone, France) se targuaient de connaître Réal Caouette. Ils votaient sûrement tous pour lui sans trop en parler. Ah, ces fédéralistes!

Mon dernier voyage de pêche avec Pierre et Sylvain date de quelques années déjà. Nous nous sommes rendus à Sainte-Agathe en voiture et, de là, avons entrepris un vrai voyage que j'avais organisé avec avion privé aller-retour et chalet particulier à la pourvoirie César, à plus de 100 milles au nord de Sainte-Agathe. Nous avons pris toutes les truites désirées et avons été emballés par la qualité de la nourriture. Bref, notre séjour a été très agréable. Le retour, lui, le fut moins. Le ciel était tellement nuageux que nous avons dû amerrir à plusieurs reprises sur des lacs, au hasard. Combien nous avons apprécié de pouvoir rejoindre notre point de départ, Sainte-Agathe, en toute sécurité!

La famille aimait se rendre à Sainte-Anne-de-la-Pérade pour la pêche aux petits poissons des chenaux. Nous louions une suite à l'hôtel de Sainte-Anne pour la fin de semaine ainsi qu'une cabane sur la glace. Nous achetions du foie de veau pour nos vingt-deux lignes et prenions beaucoup de plaisir à chaque prise. Je me souviens qu'une année, nous sommes revenus de Sainte-Anne avec plus de 600 poissons. Inutile de vous dire que nos voisins et amis ont tous profité. C'est Francine qui avait sorti le plus de poissons cette fois-là. Une autre année, nous étions accompagnés de nos amis Richard et Yvette Hamel. Tout s'était bien passé jusqu'à notre retour. Jamais nous n'avons autant regretté nos demeures chaudes et confortables que lorsque nous nous sommes retrouvés.

Choisir une carrière...

Le 26 juin1973, j'ai vendu ma maison à Lucille Murdoch. Une vente rapide et sans gros profit. J'abandonnais Roxboro.Lorsque mon fils Sylvain a quitté l'école -il n'aimait pas les études- nous nous sommes bien demandé quel travail il pourrait faire, quel métier il pourrait bien apprendre. Il n'était pas du genre à s'enfermer dans un bureau, mais c'était un jeune homme travaillant et honnête. Je me souviens qu'à l'âge de 12 ou 13 ans, il pouvait démonter une souffleuse à neige ou une tondeuse à gazon et la remonter sans aucun problème. Je n'ai donc pas été surpris lorsque -durant une discussion d'homme à homme- il m'a appris que la mécanique l'intéressait.

La semaine suivante, j'ai pris rendez-vous avec un ancien camarade de juvénat, Jacques Chartrand. Il était directeur général de la Cité des jeunes de Vaudreuil et l'on y offrait, un cours de mécanique primaire, auquel cependant aucun certificat n'y était délivré. Jacques m'a suggéré d'utiliser mes contacts dans le monde du camionnage pour faire entrer Sylvain dans l'atelier d'un transporteur. Je communiquai donc avec mon ami Gilles Lefebvre afin de trouver un emploi d'été à mon fils. Après avoir réglé quelques problèmes de syndicat, il l'a engagé comme stagiaire.

Lorsque septembre est arrivé, Sylvain était tellement qualifié pour son âge que la compagnie l'a engagé à temps plein. Quelques années plus tard, il s'est retrouvé directeur de l'exploitation pour Royal Lefebvre chez Camionnage Atomic. Il était responsable de l'achat et de la réparation d'un parc de plus de mille camions. Pas surprenant, pour un Gravel!

Aujourd'hui Sylvain est propriétaire de son propre garage. Il répare camions, tracteurs et semi-remorques. Il a 10 employés à son service et son chiffre d'affaires dépasse le million. Ai-je besoin de dire à quel point je suis fier de lui?

LES VOYAGES

Haïti

En 1974, la mode à Montréal était de partir deux couples ensemble vers la Jamaïque, à Montego Bay, et d'y louer une villa de millionnaire pour la somme de 300 dollars pour deux semaines. Les services d'une domestique étaient fournis pour faire les repas, une autre pour l'entretien des vêtements et de la villa, et un homme s'occupait de la piscine et du jardin.

Nous sommes donc partis pour la Jamaïque avec un couple d'amis. Durant le vol qui nous emmenait vers nos vacances, j'ai fait la connaissance d'Amable Cloutier, le fameux «Roi-de-l'habit-à-deux-pas-de-l'église», de Saint-Eustache et de la rue Papineau à Montréal. Je me suis rapidement lié d'amitié avec lui, et nous avons décidé de faire un saut de quelques jours en Haïti pendant notre séjour dans les Caraïbes. Haïti était à 30 minutes de vol seulement.

Mon épouse, notre couple d'amis et moi-même sommes partis les premiers pour Port-au-Prince. Amable et son épouse devaient venir nous rejoindre un peu plus tard. À l'aéroport, on nous avait suggéré d'acheter nos billets de retour à Port-au-Prince plutôt que de prendre des billets aller-retour, ce que nous avons fait, car il était trop tard pour faire autrement.

À peine étions-nous descendus d'avion qu'un Haïtien s'est avancé vers nous en prononçant mon nom. Il s'est présenté sous le nom de Sylvain et nous a déclaré qu'il serait notre chauffeur durant notre séjour à Haïti. Nous pouvions l'appeler chez lui à n'importe quelle heure du jour ou de la nuit.

Le soir de notre arrivée, nous avons assisté à une séance de vaudou, expérience plutôt inquiétante. Le lendemain, Sylvain nous a fait visiter les alentours du parlement. Comme tout bon touriste, j'ai voulu garder un souvenir de l'édifice, mais au moment où j'allais prendre une photo, j'ai senti quelque chose de dur dans mon dos. Un garde armé d'une mitraillette m'a vite fait comprendre qu'il était strictement interdit de photographier l'endroit. Je lui ai offert mon appareil tellement j'étais surpris. Je dois avouer que j'ai eu également un peu peur aussi.

Nous sommes aussi allés au casino, et je dois dire que je n'ai jamais vu de croupiers plus rapides que ceux d'Haïti. La rapidité faisant parfois commettre des erreurs, il était pourtant inutile de dire quoi que ce soit quand ces erreurs les avantageaient.

Le lendemain, nous avons visité une fabrique de rhum, puis nous nous sommes rendus dans une agence de voyage pour acheter nos billets de retour pour la Jamaïque. Toutefois, comme il n'y avait plus de place avant trois semaines, nous sommes retournés à notre hôtel quelque peu désemparés et apeurés, surtout que nous nous sentions tous malades. Convaincu de ma responsabilité face au groupe, j'ai décidé d'agir.

Il était 19 heures quand j'ai appelé Sylvain, notre chauffeur. Je lui ai fait comprendre qu'il fallait partir coûte que coûte pour la Jamaïque le lendemain matin. Il m'a répliqué que c'était impossible, mais quand je lui ai fait miroiter 500 dollars plus un généreux pourboire, il a réfléchi et promis de venir nous prendre le lendemain matin à 7 h 30.

À l'aéroport, il n'y avait toujours pas de places disponibles pour nous et nos bagages sont disparus. C'est alors que Sylvain a surgi et nous a indiqué de le suivre. Nous avons emprunté une sortie d'urgence, et nous sommes retrouvés sur la piste d'atterrissage, sans billet. Quand je lui ai souligné que nous prenions la place de personnes qui avaient déjà payé leur billet, il m'a répondu qu'en Haïti, on fusillait ceux qui n'étaient pas contents. En disant cela, il a tendu la main pour être payé.

Nous étions environ 200 passagers dans l'avion. Au moment du décollage, une voix a résonné dans les haut-parleurs pour nous informer que le départ devait être retardé. La porte de l'avion s'est ouverte et le chef de police est monté à bord. Un certain monsieur Smith avait oublié sa carte de crédit et il désirait la lui rendre. Preuve qu'on est honnête en Haïti! Je ne retournerai plus jamais là-bas, c'est certain.

Cuba

L'Association du camionnage du Québec avait décidé, à l'instigation de Camille Archambault d'organiser pour ses membres un voyage dans un pays différent. Le premier choisi en 1975 était Cuba. Comme nous voulions être reçus avec le tapis rouge, nous avons informé Ottawa de notre projet. C'est Jean Marchand, alors ministre libéral fédéral, qui a averti les autorités cubaines de notre visite. En tout, nous étions une trentaine de membres à vouloir nous rendre au pays de Fidel Castro.

En arrivant dans l'île, on nous a remis un papier-passeport, document d'autant précieux qu'alors même que nous étions assis dans l'autocar, deux soldats sont entrés et ont demandé à le vérifier. Cette vérification de routine aurait pu se passer sans incident si mon voisin de gauche, Lucien Thibodeau, propriétaire de Thibodeau Transport (dont le fils Pierre a pris la relève quelques années plus tard) n'avait pas égaré le sien. On l'a fouillé pas moins de dix fois sans succès, et la patience commençait à s'émousser. Voulant alléger l'atmosphère, Camille Archambault a soufflé à l'un des soldats que Lucien était un agent de la CIA incognito. Quelle erreur!

Le temps de le dire, trente soldats ont cerné l'autocar et des officiers ont pénétré dans le véhicule. De mon côté, je me suis mis à fouiller toutes les affaires de Lucien avec l'aide d'André Fugère, dans l'espoir de retrouver le fameux papier. Mon ami André possédait à ce moment-là le plus gros bureau d'assurance-flotte du Québec, sinon du Canada. Il n'avait jamais été peureux et les soldats de Fidel Castro ne l'impressionnaient pas beaucoup. André a fini par dénicher le fameux papier à l'intérieur du chapeau de Lucien, qui avait des sueurs froides. En recourant à ses rudiments d'espagnol, Camille s'est vite excusé de sa plaisanterie et nous avons pu continuer notre chemin. Maudite boisson!

Quelques jours après notre arrivée, nous avons reçu, par l'entremise de l'ambassade canadienne, une invitation à visiter le parlement cubain. Le lendemain, nous n'étions que huit braves à monter dans la limousine. Nous avons été introduits dans le salon ovale du Palais de la Révolution, où trois ministres de Castro nous ont accueillis. Un interprète était à notre disposition pour nous rapporter les propos des dirigeants cubains. C'était un grand événement : la radio et la télé étaient sur place. Ce soir-là, pendant 30 minutes, nous avons été le point de mire dans tout Cuba.

Les questions et réponses de nos hôtes étaient toutes fabriquées d'avance afin de promouvoir leur propagande politique. Par exemple, ils nous ont demandé combien de semaines de vacances bénéficiaient nos chauffeurs au Québec. À la réponse «deux semaines», ils se sont tous montrés très peinés pour nos chauffeurs, puisque les leurs avaient droit à quatre semaines.

Je n'ai pas toléré très longtemps ce dialogue de sourds. Aussi, avec l'aide de l'interprète bien sûr, leur ai-je demandé combien de voitures possédaient leurs chauffeurs, s'ils avaient les moyens de visiter l'Europe ou d'autres pays et quel était leur salaire, leur rappelant que nos chauffeurs à nous gagnaient plus de 500 dollars par semaine. Je savais très bien que leurs chauffeurs ne gagnaient pas plus de 100 dollars par mois. Après mon intervention, on a commencé à nous couper et mes collègues, eux, ont commencé à craindre le pire. Mais moi, j'ai continué sur ma lancée.

En revenant à l'hôtel, le véhicule à bord duquel nous voyagions a eu une crevaison, et André Fugère nous a proposé à Camille et à moi de nous rendre dans les maisons avoisinantes pour y obtenir des oranges. C'était aussi un moment privilégié pour visiter l'endroit puisqu'il n'y avait pas de police ou de soldat pour nous en empêcher. C'est ainsi que nous avons pu constater qu'à peu près 80 % des foyers possédaient un téléviseur et que toutes les maisons étaient très propres et bien meublées. Pas moins de 8 femmes nous ont offert des oranges. De là, nous nous sommes rendus à la Baie-des-Cochons, là où a eu lieu le fameux débarquement raté des mercenaires en provenance des États-Unis en 1961. Des pierres tombales rappellaient partout la mémoire des soldats cubains morts au combat. En fait, l'histoire de Cuba aura occupé une place de premier plan au XXe siècle. Il est peut-être bon de rappeler brièvement quelques faits et dates sur Cuba et son voisin, les États-Unis. Avec pour capitale La Havane, Cuba est un pays de quelque onze millions d'habitants. Le général Batista, protégé des États-Unis, en devint le président en 1952. En 1953, à la suite de l'attaque ratée de la principale caserne militaire du pays la Moncada, un révolutionnaire du nom de Fidel Castro, fut emprisonné, puis exilé au Mexique. Revenu à Cuba quelques années plus tard, il se réfugia dans la Sierra Maestra, d'où, à la tête de son armée le «barbados» il parvint à renverser Batista à la tête du pays. Castro devint dès lors premier ministre de Cuba avec le support de l'URSS. Les Américains, qui étaient anticastristes, financèrent et organisèrent un débarquement en terre cubaine en 1961, mais ils furent repoussés. Il y a eu plusieurs morts dans les deux camps, mais l'armée de Castro refoula les envahisseurs. L'endroit du débarquement, la Baie-des-Cochons, porte aussi le nom de «Playa Giron».

Nous avons également visité une baie où étaient entassés plus de 35 000 crocodiles. À l'époque on envisageait de porter ce nombre à 50 000 en vue de la fabrication de sacs à main des souliers et d'autres articles du genre. Je n'ai jamais su ce qui était arrivé par la suite de ce projet. J'avais été intéressé par la visite de Cuba, car j'avais eu l'occasion de serrer la main de Fidel Castro lors de son passage à la tribune de la Chambre de commerce de Montréal en 1960-61. À ce moment-là, la Chambre de commerce avait amassé un bateau plein de vêtements, de souliers et de toutes sortes d'autres choses; Castro était l'enfant chéri du Québec. Je suis retourné à Cuba en 1980, car c'est un pays qui m'impressionne beaucoup avec ses universités et ses industries qui n'existent pas dans d'autres pays voisins.

Cependant, je ne peux pas mentionner mes voyages sur le territoire de Castro devant mes amis américains, avec qui je vis six mois par année depuis dix ans. Ces gens ont tellement été marqués par le problème cubain qu'ils sont incapables d'accepter que nous, Canadiens, fassions affaires avec ce pays. En fait, il est pratiquement sacrilège de prononcer le nom de Castro devant eux.

Le lac l'Achigan

Au Québec, mon endroit de villégiature favori a longtemps été le lac l'Achigan, à quelques milles au nord de Saint-Jérôme dont les berges foisonnent des propriétés de toute beauté. Je louais d'ailleurs une de ces propriétés. C'était l'endroit idéal non seulement pour s'adonner à la baignade, mais également pour faire du ski nautique, du bateau léger et aussi de la motoneige. Ma petite famille y passait l'été et toutes les fins de semaine de l'hiver.

Pierre était un chasseur émérite. Il passait une partie de son temps avec sa copine Lucie Tremblay à poser des collets pour les lièvres. La tournée des pièges se faisait de bonne heure le matin, en plein bois.

Le temps du renouvellement du bail arrivé, Raymonde, la propriétaire, a décidé de doubler le prix du loyer. Offensé par ce geste, je l'ai fait traduire devant la Régie du logement à Saint-Jérôme, mais la location de chalets n'était pas de sa juridiction.

J'ai pris ma revanche lors à un voyage d'affaires à Québec. J'ai remarqué une petite annonce dans le journal : un terrain de 15 000 pieds carrés était à vendre au lac l'Achigan. Il était situé près du chalet que je louais auparavant. Je n'ai pas pris de temps à communiquer avec le propriétaire, Pierre Poupart. L'achat s'est fait en moins de trente minutes, le 17 octobre 1975. J'ai donc préparé les plans de notre chalet et nous nous y sommes installés le 25 décembre de la même année. Les voisins étaient abasourdis par la rapidité de la construction.

Nous avions toujours notre petit bateau Cadorette et je me suis acheté un *Glastron* 18 pieds avec un moteur de 85 forces Mercury. C'était l'une des plus belles embarcations. Le sport du temps était le ski nautique. C'est pourquoi j'avais fait installer une hélice spéciale pour permettre des départs plus rapides. On pouvait faire monter quatre skieurs à la fois. Mon fils Sylvain était devenu le meilleur skieur du lac et j'étais fier de ses prouesses lorsque nous avions des visiteurs.

Quand on a un chalet dans les Laurentides, on ne peut pas rester sans rien faire l'hiver. Pour profiter à fond de la saison froide, j'ai acheté deux motoneiges Bombardier et j'ai équipé toute la famille pour la pratique de ce sport. Ma belle-mère était présente à l'achat de notre équipement chez mon ami Marcel Piché de Saint-Jérôme également voisin de notre chalet. Elle s'est informée des prix d'une motoneige et, à ma grande surprise, s'en est acheté une également. Les randonnées que nous avons faites sont indescriptibles. Nous prenions un réel plaisir à ce sport, surtout Pierre qui était toujours le premier à nous entraîner en forêt.

Un soir où j'étais accompagné de mon ami Maurice -et, il faut bien le dire, après avoir pris quelques coupes de vin-, nous nous sommes engagés sur le lac qui était surmonté d'une épaisse couche de glace. J'ai malencontreusement frappé un obstacle et j'ai culbuté dans les airs comme un papillon. Les lunettes ont été projettées d'un côté, mon casque de l'autre et moi, je me suis retrouvé à l'hôpital de Saint-Jérôme avec une clavicule cassée. J'ai été privé de motoneige pendant trente jours, pris dans un carcan. Heureusement, cet accident sportif a été le seul enregistré pendant toutes des années passées dans les Laurentides.

À la suite de problèmes familiaux, j'ai vendu mon chalet le 6 avril 1977 au docteur Réjean Beaudet, un des premiers médecins à opérer à cœur ouvert à l'hôpital Notre-Dame de Montréal et propriétaire du Club de golf de Lachute. Je n'ai pas souvent ressenti de tristesse en quittant les différentes propriétés que j'ai occupées, mais j'étais vraiment attaché au chalet du lac l'Achigan. Puis, il y a eu le divorce; moment pénible auquel je me serais volontiers soustrait.

Je citerai simplement deux pensées glanées dans un livre: «Pardonner, c'est faire économie de colère, de haine et d'énergie» et «On ne peut cacher longtemps l'amour où il est, ni le feindre où il n'est pas.»

Entente financière...

Le 4 octobre 1974, j'avais acheté à Laval une propriété des Constructions Mezières, d'un monsieur André Pigeon au coût de 42 700 dollars. J'ai vendu cette propriété le 1er octobre 1984 à madame Yolande Trottier pour la somme de 73 000 dollars. J'ai partagé les revenus de cette vente avec mon ex-épouse. C'est à ce moment-là que notre entente financière s'est conclue à jamais.

Le Mexique

Lors de la prise de pouvoir du premier gouvernement péquiste, le 15 novembre 1976, j'étais en vacances au Mexique. Officiellement, c'était mon premier voyage avec Rita Périard. Nous avons séjourné sept jours dans la région de Mexico et avons visité les villes de Guadalajara, Puebla, Oaxaca et Taxco. Nous avons passé les sept derniers jours de nos vacances à Acapulco, l'un des centres de villégiature les plus fréquentés au monde.

Comme tout bon touriste naïf, je me suis fait prendre par un vendeur de bijoux. Un Mexicain m'avait abordé pour m'offrir une panoplie de bagues, montres et bijoux de toutes sortes, le tout pour une valeur de 150 dollars américains. Fier de mon esprit de marchandage, je lui en ai offert 100. Naturellement, l'homme a sauté sur mon argent et est parti sans plus tarder, sans me remettre ni reçu ni garantie.

Moi, j'avais peur de me faire prendre aux douanes avec tous ces bijoux. Aussi les ai-je dissimulés dans la doublure de mon veston.

Lorsque nous sommes arrivés à Acapulco, j'ai pris comme parure une des bagues achetées quelques jours auparavant, et je suis allé souper au restaurant avec Rita. De retour à l'hôtel, j'ai enlevé ma bague et c'est là que j'ai pris conscience de la véritable valeur de ma marchandise : de la camelote.

Le lendemain soir, j'ai porté fièrement un autre de mes bijoux mexicain, une médaille comme celles qui étaient à la mode à l'époque. Le maître d'hôtel du restaurant où nous étions allés avait remarqué ma médaille et l'admirait franchement, pensant qu'elle était d'origine européenne. Alors, à la fin de notre copieux repas, je l'ai fait venir et lui ai offert ma médaille en échange de la facture du repas. Croyant à une bonne affaire, l'homme a sauté sur l'occasion et, moi, j'ai filé à l'anglaise, fier de mon coup.

Comme bien d'autres gens avant et après moi, l'un de mes plus grands souvenirs du Mexique est sans contredit la «tourista». De plus, Acapulco m'avait causé allergie et infection d'oreille à cause du manque d'hygiène, de l'eau pas toujours potable et de la nourriture pas toujours fraîche. Je n'ai plus jamais remis les pieds dans cette région du continent.

Vancouver

En août 1977, c'est l'Ouest canadien qui a été notre destination vacances. Nous avons pris l'avion jusqu'à Calgary où nous avons loué une voiture. Nous avons visité le lac Louise, Banff, Kamloops et Jasper : des paysages absolument magnifiques qui m'ont donné des frissons.

Par la suite, nous nous sommes rendus dans la région de Vancouver, puis dans l'île attenante à Victoria, une des plus belles régions du pays. De là, un traversier nous a conduit à Seattle, dans l'État de Washington. Nous avons profité de notre passage dans cette ville pour dîner au prestigieux restaurant tournant *The Pin Needle*.

De retour à Vancouver, nous avons décidé de retourner à Montréal par le train. C'était un voyage de quatre jours et trois nuits comprenant des arrêts dans les plus grands centres canadiens avec visite guidée.

Nouveau déménagement

Malgré les problèmes familiaux qui me préoccupaient, je n'arrêtais pas de faire des affaires. Tant que je respirerais, je continuerais à vivre. Je restais désormais avec Rita dans les appartements Bellerive à Laval, face au parc Belmont. Mon bureau du *Guide du transport par camion* était toujours situé dans le centre commercial situé à l'angle coin boulevard Pie IX et de la rue Jean-Talon.

J'avais pensé acheté un duplex afin d'y installer mon *Guide* au rez-de-chaussée et d'y résider. J'avais communiqué avec le Service des permis de la Ville de Montréal à ce sujet. En me déclarant consultant je pouvais avoir un permis. J'ai donc visité quelques édifices en compagnie de madame Dorothée Faubert, agente immobilière qui m'a rappelé un soir pour m'informer qu'un certain Jean Lapointe -rien à voir avec mon chanteur préféré-, un policier retraité de Montréal, vendait son immeuble situé au 5890 de la rue Repentigny, car il venait d'acheter un motel à Clearwater, aux États-Unis. Elle m'a proposé de négocier l'achat pour moi en échange de quelques centaines de dollars comptants.

Je me suis présenté chez monsieur Lapointe à 14 heures. Rita est venue me rejoindre à 16 heures; à 17 heures l'entente était conclue. Il ne restait plus qu'à passer chez le notaire, ce que nous avons fait le 30 novembre 1977. Le prix : 92 500 dollars pour un édifice de trois logements. L'achat s'est fait par l'intermédiaire du *Guide* puisque j'allais déménager ses bureaux dans ma nouvelle propriété. Les Lapointe sont devenus de bons amis. Nous sommes restés au premier jusqu'au 26 septembre 1980, date où j'ai vendu mon triplex à un autre policier de la Ville de Montréal, André Saint-Jacques, avec un bon profit.

Slats et Mim

Alors que l'hiver commençait à envelopper tout le Québec de son grand manteau blanc et que le temps des Fêtes approchait à grands pas, j'ai senti l'appel de la Floride s'insinuer en moi. Je venais d'acheter le triplex de la rue Repentigny et j'avais promis aux anciens propriétaires, les Lapointe, d'aller leur rendre visite le 24 décembre après-midi à leur motel de Clearwater.

211

Les Lapointe n'attendaient plus vraiment notre visite, mais une promesse est une promesse. À 13 heures précises, je faisais entendre mon klaxon. Ils étaient bien contents de nous voir, d'autant plus qu'ils regrettaient d'avoir quitté le Québec et de nous avoir vendu leur propriété. Nous avons passé Noël avec eux et avons gardé contact par la suite.

Après Clearwater, nous avons pris la route de Hollywood. À notre grande surprise, la température n'était pas tellement clémente. Alors, nous avons décidé de faire une croisière pour faire changement.

Il y avait justement un bateau qui était sur le point de partir, le Léonardo da Vinci. Il nous restait à peine trois heures pour essayer de nous trouver une place à bord. Nous n'avions pas exactement les vêtements pour partir en bateau, mais un coup de tête, c'est un coup de tête... J'ai eu beau parlementer et parler à des hauts gradés du navire, nous n'avons pu embarquer. J'étais sur le quai d'embarquement en train de discuter avec Rita quand j'ai senti une «masse» tomber sur moi. Un Américain de six pieds venait d'être victime d'une crise cardiaque et me tombait mort dans les bras. Il m'est venu à l'idée de demander à sa famille les deux billets de croisière qui venaient de tomber par terre, mais je n'en ai rien fait... politesse oblige.

Après cette malheureuse aventure, nous avons opté pour la Jamaïque. Nous avons donc consulté une agence de voyages afin de réserver des billets d'avion, mais nous ne pouvions pas partir avant le lendemain. Il nous fallait donc trouver un hôtel pour la nuit. La dame de l'agence de voyages nous a offert de passer la nuit chez ses parents, affirmant que ça leur ferait plaisir.

Comme je ne la prenais pas au sérieux, je lui ai répondu que rien ne pouvait me faire plus plaisir, convaincu que j'allais passer la nuit à l'hôtel. Quelle n'a pas été ma surprise lorsqu'elle m'a donné l'adresse de ses parents en m'indiquant comment m'y rendre. J'ai été davantage étonné en voyant la résidence de ses parents : une propriété qui devait valoir plus de 500 000 dollars. J'étais complètement bouche bée, je me demandais si j'allais rester ou partir lorsque Rita m'a conseillé de sonner. Après tout, on était des amis de leur fille.

C'est un homme d'environ 70 ans qui nous a répondu. Il s'est présenté sous le nom de Slats et m'a aidé à entrer les valises. Il était d'une gentillesse et d'une politesse hors du commun. Il nous a fait visiter la maison, dont les meubles et la décoration étaient vraiment superbes. Ensuite, il nous a installés dans une chambre et nous a donné les clés du manoir. Il devait partir, car il était maître-chantre à l'église. Son épouse devait arriver vers 21 heures; il lui laissait une petite note à notre sujet. Nous étions à la fois confus et agréablement surpris de cette hospitalité. Lorsque la maîtresse des céans est arrivée, elle est venu frapper à notre porte et s'est présentée sous le nom de Mim.

Elle s'est dite heureuse d'avoir des francophones sous son toit, et nous a invités à passer nos vacances chez elle. Un soir, elle a invité tous ses amis du club de bridge pour dîner avec nous. Nous étions devenus leur joie de vivre. Slats avait été le premier maire de Hollywood et, avait été élu par la suite, sénateur de la Floride. Mim était sa deuxième épouse. Les enfants étaient tous loin. Le soir, il aimait s'asseoir avec moi pour me raconter sa vie. C'était vraiment un homme remarquable, un grand de ce monde.

Rita et moi avons maintenu une correspondance suivie pendant quatre ans avec ce couple vraiment pas ordinaire. Chaque année, nous nous faisions un devoir de passer de 10 à 15 jours avec Mim et Slats.

Notre dernière visite chez eux a vraiment été très particulière. Mim était atteinte du cancer, en phase terminale. Elle était étendue dans son lit avec des tubes respiratoires. Il avait tous les soins qu'on pouvait avoir à la maison. Quand nous sommes arrivés, Slats était dans le garage. Il nous a dit tout simplement : «Elle vous attendait pour mourir.» Comme pour confirmer les dires de son mari, Mim est morte le soir de notre arrivée. Nous étions ses seuls «enfants» à son chevet.

Bouleversés, nous sommes retournés à l'hôtel où nous allions avant de faire leur connaissance. Nous avons encore les lettres et les cadeaux que Mim avait faits. Ce sont des souvenirs que nous conservons bien précieusement.

Les amis...

On dit souvent qu'on a très peu de vrais amis dans la vie. C'est pourquoi Rita a tenu à me faire rencontrer sa meilleure amie, Odette. Elles s'étaient rencontrées il y a 43 ans alors qu'Odette venait d'épouser un jeune et brillant agent de la police provinciale, Bruno Tousignant. Elles avaient en commun le goût de la couture et sont restées très liées tout au long de leur vie. De mon côté, je peux comprendre l'attachement que Rita a pour les Tousignant depuis que je les connais. Je me suis découvert beaucoup d'affinités avec Bruno, un gars qui a travaillé fort toute sa vie.

Bruno est un homme qui a puisé une grande érudition des lectures et voyages qu'il a effectués. Aujourd'hui, les Tousignant se sont retirés sur une petite ferme de Lanoraie. Ils auront été les derniers à venir nous rendre visite à Fort Myers avant notre déménagement.

Roger

Par une froide journée de février, 1978, j'ai reçu un appel téléphonique de mon neveu Jean Gravel, le fils de mon frère Roger. Il m'appelait pour m'apprendre le décès de son père, qui souffrait depuis quelques mois du cancer du pancréas.

Roger était un leader dans la famille. Il était toujours prêt à aider, tout le monde. Il était menuisier et avait réussi à faire sa place dans ce domaine. C'est ainsi, entre autres, qu'il avait été l'un des hauts dirigeants du chantier du Stade Olympique, rue Sherbrooke à Montréal.

Il avait élevé une famille de plus de dix enfants, et son épouse, Marie-Marthe, l'avait secondé dans toutes ses activités. Je l'avais visité à l'hôpital de Saint-Jérôme et à quelques reprises chez lui, à Laplaine, près de Terrebonne. Malheureusement, en l'espace de quelques mois, cette terrible maladie qu'est le cancer avait fait son œuvre.

Décoration honorifique

Le 6 décembre 1978, j'ai reçu la mention : «Quart de siècle» au Club de trafic de Montréal. Cet honneur m'a été conféré en même temps qu'à mon bon ami Elmer Lach, le fameux joueur de la «punch line» du Canadien de Montréal, ainsi qu'à Sydney Maislin, de la fameuse famille bien connue du transport, copropriétaire des Expos de Montréal.

215

Hawaï, 1978

Cette année-là, je me suis rendu dans un pays de rêve, Hawaï. J'étais accompagné de Rita, de Gilles Lefebvre, de son épouse Pauline et de leurs deux enfants, Gerry et Brigitte. Nous avons passé 21 merveilleuses journées à travers les quatre îles de l'archipel. Nous avons d'abord visité la plus grande des îles, Hilo, dans laquelle un volcan est toujours en activité. Comme le phénomène est très impressionnant et même un peu inquiétant, nous ne nous y sommes pas attardés.

Nous avons préféré passer plus de temps dans l'île d'Oahu, la plus populaire de toutes, là où se dresse Honolulu. Nous avons pris notre dîner de Noël au restaurant *Backwell* en compagnie de la famille Lefebvre bien sûr, mais aussi aux côtés de la famille de Tom Jones, le fameux chanteur, qui nous a fait le plaisir de partager notre repas. Les femmes étaient en pâmoison devant lui, mais Gilles et moi, le trouvions plutôt petit, mal habillé, ventru... Enfin, chacun ses goûts; les nôtres relevaient sûrement de la jalousie, mais on n'y peut rien.

Naturellement, nous ne pouvions visiter l'archipel d'Hawaï sans aller voir Pearl Harbour dans l'île d'Oahu -là où une partie de la flotte de la marine américaine a été détruite par les Japonais le 7 décembre 1941-, mais aussi les deux autres îles, Maüi et Kauaï. Nous avons tellement aimé notre voyage que nous y sommes retournés en 1980-81 pour célébrer Noël et le jour de l'An à Honolulu.

La Grèce

La Grèce a été notre destination «olympique» en 1979. Les 31 jours que nous y avons passés m'ont laissé un souvenir absolument impérissable. Ce pays a connu tant de grands personnages que chaque lieu est imprégné d'une atmosphère particulière. Que ce soit l'Acropole consacrée à Athena, le théâtre Epidaure dont la transmission du son de manière naturelle est un véritable phénomène, la ville d'Athènes où sont nés les jeux que nous connaissons si bien, le 6 avril 1896, tout est imprégné de souvenirs à la fois lointains et toujours présents et fascinants.

Après avoir visité la Grèce du nord au sud, nous nous sommes embarqués à bord de l'*Aquarius* pour une croisière de huit jours à travers les îles Egine, Santorini, Olympe, Delphus, Rhodes, Patmos et Mykonos. Le bateau s'est ensuite dirigé vers le détroit des Dardanelles pour se rendre à Istanbul. Là-bas, ce qui m'a le plus impressionné, ce sont les marchés aux puces (les souks).

Les croisières

À mon avis, les croisières constituent les plus belles vacances. Imaginez : pas de trafic, pas besoin de se préoccuper du stationnement, tout est réglé dans les moindres détails! La première croisière que j'ai faite avait New York comme lieu de départ. Il y a eu une époque où faire une croisière signifiait 21 jours à bord d'un bateau, mais de nos jours, la durée du voyage varie en règle générale entre 7 et 10 jours. Le plus souvent, les îles visitées sont : la Jamaïque, Bonaire, Caracas, San Blas, Nassau, Saint-Thomas, Sainte-Croix, Freeport et le canal de Panama.

Pendant l'une de ces croisières, je me suis retrouvé en compagnie de Danielle Dorice, de son mari et de sa fille Penny. J'avais connue Danielle lorsque j'étais directeur du comité des spectacles du Club de Trafic. Elle était venu faire un spectacle à l'hôtel Reine-Élisabeth et avait obtenu un énorme succès auprès de mes confrères du transport. Sur le *S.S. Rotterdam*, je la retrouvais encore une fois comme artiste vedette de la croisière.

Elle nous a invités pour les cocktails avec le commandant et nous a réservé des places pour la première du spectacle où nous avons pu constater son grand succès. Quand la salle lui a réservé une ovation debout, j'étais très fier d'être à ses côtés.

Ma croisière la plus mémorable a été sans contredit la visite de Cuba en 1980. Près de 90 % des passagers du bateau, le *S.S. Rotterdam*, étaient des Américains. Pour eux, Cuba, c'était l'enfer, les communistes, l'ennemi numéro un des États-Unis. J'ai réussi à convaincre 15 d'entre eux de me suivre et je leur ai fait visiter La Havane.

Comme j'y étais déjà allé auparavant, je pouvais mieux les guider à travers les rues de la capitale. Ils ont accepté de me suivre à la condition que si l'on posait des questions, je répondais que j'étais Canadien sans révéler qu'eux étaient Américains. Ils avaient peur de ne pas pouvoir remonter à bod du bateau. Finalement, tout s'est déroulé sans problèmes et mes craintifs amis ont pu apprécier les charmes de Cuba.

Chaque fois que je fais une croisière, je n'oublie pas de m'inscrire aux tournois de ping-pong qui y sont organisés. Je n'ai jamais oublié ce sport qui a fait de moi un champion au collège. J'avais l'habitude de m'y mesurer avec mon fils Pierre chaque vendredi soir, lorsqu'il revenait du Collège Notre-Dame, qu'il a fréquenté comme pensionnaire pendant quatre ans.

Les casinos

À travers tous les voyages que j'ai faits, je suis retourné à quelques reprises à Las Vegas, capitale des casinos et de l'extravagance. Le séjour le plus mémorable que j'ai effectué dans cette ville est indiscutablement celui où je suis descendu au *Desert Inn*. À la fin de notre dernière nuit dans cet hôtel, je suis sorti sur le balcon pour voir quelle température il faisait.

En regardant vers la rue, j'ai constaté que tous les clients sortaient en courant, l'air terrorisé la plupart en robe de chambre, certains traînant leurs valises. Une vingtaine de voitures de police et autant de camions de pompiers étaient sur place.

À la fois curieux et inquiet, je suis descendu pour voir ce qui se passait. Un groupe menaçait de faire sauter notre hôtel et celui d'en face, le *Frontier*. Il réclamait une rançon d'un million de dollars pour d'anciens employés insatisfaits. Ah, ces Américains!

Rita et moi étions à peu près les seuls à ne pas avoir été averti de l'évacuation qui avait lieu. J'ai remonté les onze étages qui me séparaient de Rita à toute vitesse. Nous avons vite fait nos valises et avons sauté dans un taxi pour nous rendre à l'aéroport, où régnait une cohue générale.

Quelque dix ans plus tard, en guise de cadeau de Noël, Rita m'a offert un voyage de cinq jours à Las Vegas, mais cette fois-là, à *l'Excalibur*. Cette grande ville excentrique offre une panoplie incroyable d'hôtels et de casinos pour les 25 millions de visiteurs qu'elle accueille annuellement.

À mes premières expéditions dans ses casinos, on jouait au Black Jack, à la roulette et au Baccarat. Aujourd'hui, il faut savoir jouer au Red Dog, au Pai Cow Poker, au Caribbean Stud, au Let-it-Ride et combien d'autres jeux de hasard.

Autant plusieurs choses changent à la rapidité de l'éclair à Vegas, comme les hôtels et les amusements offerts, autant certaines autres ou spectacles semblent immuables, comme le spectacle «Jubilee» que nous avions vu dix ans auparavant et qui était toujours à l'affiche.

C'est également durant un séjour à Las Vegas que j'ai battu mon propre record d'endurance à une table de Black Jack. Je venais de voir un spectacle de Liberace à l'ancien Las Vegas Hilton quand je me suis assis à une table de jeu. Je ne me suis relevé que huit heures plus tard. Les cartes tournaient pour moi cette nuit-là et j'étais sorti du casino le sourire aux lèvres.

Je suis un grand amateur de casinos. Aussi, lorsque Atlantic City a inauguré officiellement son premier casino, *l'International Resort*, nous y sommes allés par curiosité un mois plus tard. À ce moment-là, il n'y avait pas de vol direct depuis Montréal. Il fallait se rendre à Philadelphie pour ensuite prendre une limousine vers Atlantic City. Une fois au casino, l'attente était de deux à trois heures pour obtenir un siège pour le Black Jack. Les joueurs locaux ne savaient pas jouer et ne connaissaient pas les règles du jeu.

Quand j'y suis retourné quelques années après, la ville comptait douze casinos. Cette fois-là, nous avions réservé une chambre à l'hôtel Playboy Club pour une semaine à raison de 60 dollars la nuit. À notre arrivée, il n'y avait aucune chambre de libre. Rita a demandé à voir le gérant, et ce monsieur a dû se rendre à l'évidence qu'il y avait bien eu réservation de faite à nos noms. Il s'est excusé et a demandé à un chasseur de nous conduire à une autre chambre en lui tendant un trousseau de clés. Aussi incroyable que cela paraisse, nous avons eu droit à la suite royale avec miroir au plafond, bar ouvert, suite parfumée et fleurs changées tous les jours. Cette suite valait bien dans les 1 500 dollars la nuit. C'est ce qui s'appelle une vraie compensation.

Après avoir visité plus d'une centaine de casinos, je peux dire que la pauvreté suit toujours de très près ces établissements. Certains y vont dans l'espoir d'avoir un peu de pain, d'autres parce qu'ils ne peuvent pas s'empêcher de jouer. Le *gambling* est vraiment un grand fléau. C'est pourquoi je n'ai jamais été d'accord avec l'établissement de casinos dans des centres urbains comme Montréal ou Atlantic City.

221

Quand on va à Las Vegas, il faut au moins avoir les moyens de s'y rendre, et comme c'est en plein centre d'un désert, on ne peut s'y rendre à pied ou en taxi.

Lakeshore

En 1980, j'étais propriétaire d'un triplex et je louais un chalet dans les Laurentides. Un soir, j'ai entrepris de faire des calculs. Je me suis dit qu'en n'ayant qu'une seule propriété à payer, j'économiserais temps et argent avec le téléphone, l'entretien hivernal, les trois garages, les trois comptes d'eau et d'électricité, les assurances etc. C'est pourquoi j'ai pensé m'installer chez les Anglais, à Pointe-Claire. Sur le bord de l'eau, il y avait deux maisons à vendre, dont le 134 du boulevard Lakeshore.

Cette propriété avait été bâtie par Roméo Laniel, le propriétaire de la firme Les Amusements Laniel. Cet homme était tellement perfectionniste qu'il avait révisé les plans de sa maison à six reprises avant de commencer à la construire. C'était l'une des plus belles propriétés du Lakeshore : terrain de 25 000 pieds carrés, 185 pieds de façade sur le lac Saint-Louis, quai pour bateau, facilités pour le ski de fond, court de tennis, piscine, lave-auto dans le garage, 17 haut-parleurs dissimulés dans toutes les pièces ainsi qu'à l'extérieur, mur de 42 pieds dans le salon et escalier hollywoodien.

Monsieur Laniel a vendu la propriété à un Italien qui avait investi à son tour 100 000 dollars pour y effectuer des améliorations, surtout à l'extérieur. Malheureusement, ce dernier avait perdu son enfant et, dans son désarroi, avait décidé de vendre la maison, et ce, à n'importe quel prix.

Je n'ai pas besoin de dire que nous sommes tombés en amour avec ce petit château et que j'ai fait une offre sur le champ. L'agent est reparti pour Pointe-Claire à 2 heures du matin. Le contrat de vente a été signé le 2 octobre 1980.

Les bureaux du *Guide du transport* ont été déménagés rapidement. Mes deux employés avaient leur propre entrée, système d'alarme et salle de bains. C'est le *Guide* qui a acheté la maison, et qui payait l'électricité, l'entretien et les taxes. Le chalet a été vendu rapidement et le bail du *Guide* a été transféré à mon voisin de droite qui en avait besoin.

À Pointe-Claire, j'avais comme voisin Larry St.James, un grand monsieur. Il était président de Kingsway Transports pour tout le Québec. Il nous arrivait souvent, à Rita et à moi, de nous joindre à lui et à sa charmante épouse Jacqueline pour aller déguster un bon steak au restaurant *Le Péché Mignon*, à Sainte-Anne-de-Bellevue.

Alors que je venais d'emménager dans ma nouvelle résidence, mon ami Royal Lafebvre m'a appelé : «Bernard, accepterais-tu que je laisse ma bicyclette chez toi? Nous sommes dans la peinture... » Ce vélo était sur le bateau qu'il possédait à l'Ile Perrot et qu'il avait acheté de Pierre Marcotte, l'animateur de télévision. On y faisait des «parties» avec plus de 75 personnes.

Deux mois plus tard, j'ai toujours la bicyclette dans les jambes. Rita me demande ce que je vais en faire. J'appelle alors le service des petites annonces du *Journal de Montréal* et je place l'annonce suivante : «Bicyclette 10 vitesses neuve à vendre. Cause : trop âgée. Prix 50 $. Appeler n'importe quand jusqu'à minuit. Demandez Louise ou Royal.»

Mes amis ont reçu des appels pendant trois semaines. Gilles Lefebvre appelait pour connaître la couleur de la bécane, Lionel pour savoir s'il s'agissait d'un vélo pour homme ou pour femme et Robert pour demander de quelle année la bicyclette était. Je m'invite à l'improviste : le téléphone sonna au moins six fois... pour la même bécane. Royal était à bout : «Le vélo a été vendu» ou «Mauvais numéro» répondit-il sèchement aux appels. Lorsqu'il s'est rendu compte que le gag venait de moi, il me sauta dessus : «Mon tabarouette tu m'as bien eu!».

Son fils Jacques avait reçu un appel d'un client qui avait reconnu le nom et le numéro de téléphone et qui voulait la bicyclette. Cette affaire avait fait le tour du Congrès du camionnage, à Québec, quelques jours plus tard. Il ne nous falait pas grand chose dans ce temps-là pour s'amuser.

De nouveau la France

En septembre 1981, Rita et moi avons entrepris un périple de 21 jours en France. Il y avait tant de choses à voir et à faire que nous avons parcouru beaucoup trop rapidement à mon goût des endroits tels : Lyon, Valence, Les Baux-de-Provence, Juan-les-Pins, Saint-Paul-de-Vence, Avignon, Grasse, Cannes, Nice et Monaco.

Nous avons été reçus membres à vie du prestigieux casino Ruhl de Nice. Ce jour-là, Rita jouait au Black Jack sur une table dont les mises débutaient à 5 dollars, lorsqu'un émir s'est avisé de mettre un jeton de 5 000 dollars sur la même case qu'elle. Le croupier lui a fait signe que c'était légal et que c'était en fait un compliment pour sa beauté. Heureusement, la chance a favorisé Rita et l'Arabe a gagné sa mise, mais il n'a quand même pas laissé de pourboire pour la beauté qui lui avait amené cette chance.

Nous avons joué dans un autre casino aussi, celui de Monaco. À mon grand étonnement, c'est le casino le plus malpropre et le moins bien entretenu de tous les établissements où j'ai joué. De plus, on y tolérait plusieurs joueurs en état d'ébriété avancée, chose absolument inacceptable presque partout ailleurs.

Le Maroc

Le jour de l'An de 1983, nous l'avons passé au Maroc. Quel beau pays à découvrir! On a l'impression d'entrer dans un autre monde : les femmes sont voilées, le transport se fait à partir de charrettes tirées par des ânes, même les maisons les plus riches font partie du décor vieillot. L'arrivée et le départ se faisaient à Casablanca, puis nous avons séjourné sept jours à Agadir, une ville magnifique et une station balnéaire absolument extraordinaire. J'ai pu visiter l'endroit où a eu lieu l'immense tremblement de terre de 1960, qui a fait plus de 25 000 victimes.

Par la suite, nous nous sommes dirigés en direction du désert, vers Tafraoute. Il n'y avait pas de route, que du sable, que le désert. Il fallait être gentil avec le guide si nous voulions revenir, car il n'y avait aucun point de repère. Là, nous avons visité une tribu berbères des gens qui vivent sans électricité, sans moyens de communication. Joseph, notre guide, nous a invité à prendre le thé à la menthe chez lui. D'après lui, on n'a jamais de rhumatisme quand on en boit. Depuis ce temps, Rita boit sa menthe à tous les soirs, mais c'est de l'arthrite qu'elle fait, pas du rhumatisme.

Après le désert, nous avons pris l'avion pour nous rendre à Ouarzazate, presque le bout du monde... De là, nous nous sommes dirigés vers Marrakech, ville époustouflante où il faut plusieurs jours pour faire le tour des «souks».

Club de golf Île Perrot

Avant de prendre ma retraite, on m'avait conseillé de devenir membre d'un club de golf. Je n'y avais pas pensé auparavant, car ça me semblait quelque chose pour les autres. Je me décide donc en 1983 et je suis devenu membre du Club de golf de l'Île Perrot. C'était près de chez moi. Je ne connaissais pas tellement les rouages des clubs de golf, mais le parcours de ce terrain avait été très bien fait. C'était un défi à toutes les joutes et je me suis mis à aimer le golf. Rita en était aussi mordue que moi. J'y suis resté deux ans avant de faire le saut dans la haute.

Les 500 milles d'Indianapolis

Mon ami Gilles Lefebvre est vraiment très particulier. Je peux être plusieurs mois de suite sans entendre parler de lui, quand tout à coup, il apparaît comme une tornade. C'est ce qui est arrivé le 2 août 1983. J'ai reçu un coup de fil le matin, par lequel il m'ordonnait ni plus ni moins d'être prêt à 10 heures le lendemain. Il refusait de m'en dire davantage. Tout ce que je savais, c'est que je devais me préparer à trois jours de voyage. Je me suis donc retrouvé à ses côtés, ainsi qu'à ceux de Claude Vincent, le matin du 3 août, et nous sommes partis à bord d'un jet privé à destination de Columbus, en Ohio.

Il faut préciser que Gilles Lefebvre était l'un des plus gros clients de la firme Cummins à Montréal et que la maison mère de Cummins -fabricant de moteurs- se trouve à Columbus. J'ai fini par apprendre que le but de notre voyage était pour assister aux «500 milles d'Indianapolis» célèbre course automobile. Chaque année la multinationale invitait ses gros clients à assister à ce prestigieux événement. Cette année-là, un de ces clients s'était désisté, ce qui avait permis à Gilles d'avoir les places disponibles et il avait eu la gentillesse de penser à moi.

C'était très impressionnant de voir les bolides rouler à plus de 340 km à l'heure au milieu de cette immense foule. Ce jour-là, il y a eu trois accidents graves, ce qui n'est pas étonnant quand on considère la vitesse et les dépassements effectués. Plus de 450 000 personnes assistaient à cette grande course, une véritable mer de monde avide de sensations.

L'Italie

Un mois plus tard, je partais pour 28 jours en compagnie de ma compagne de vie. Cette fois, c'est l'Italie qui nous a accueillis à bras ouverts. Nous faisions partie d'un voyage organisé avec l'aide de l'agence Alitalia. L'endroit qui m'a le plus marqué est sans contredit Rome. J'y serais resté un mois et même un an que je n'aurais pas tout vu.

Nous avons visité le fameux colisée, ce fabuleux amphithéâtre de 50 000 places, mais le clou de notre séjour dans cette ville a été la visite du Vatican. Nous avons pu pénétrer à l'intérieur de la Chapelle Sixtine, et visiter les chambres et les loges de Raphaël ainsi que les jardins du Vatican. À mon grand plaisir, nous nous sommes retrouvés à quelques pieds du pape Jean-Paul II. La vue de ce grand homme m'a vraiment impressionné; je suis resté là, sans bouger, un bon moment. Il avait l'air grandiose dans sa soutane blanche. Nous lui avons rendu visite par la suite à Castel Gandolfo.

Après Rome, nous nous sommes rendus à Florence, capitale de la Toscane, une autre grande ville historique. Bien entendu, nous ne pouvions visiter l'Italie sans voir la tour de Pise ainsi que les villes de Naples, de Pompéi, de Salerme, de Bologne et de Gènes, principal port italien, centre industriel important et qui possède une cathédrale construite au Moyen Âge.

L'île de Capri, ce bijou de l'Italie, a été à notre portée grâce à un aéroglisseur qui nous y a conduits. C'était ma première expérience de ce genre de locomotion et la rapidité avec laquelle nous avancions m'a beaucoup surpris. Sorrento, sur le golfe de Naples, avec la beauté de son site, reste difficile à décrire. Nous avons également visité Milan, la cathédrale gothique Le Duomo, le théâtre de la Scala, sans manquer de faire un voeu à la fameuse fontaine de Trevi.

Une autre ville qui m'a fait grande impression est Venise. Une des plus captivantes du monde avec ses canaux, sa cathédrale Saint-Marc (de conception byzantine), son palais des Doges, son pont du Rialto (le pont des soupirs), et tous ses autres attraits. Venise mériterait un voyage à elle seule. Que dire de plus sur l'Italie? Que ses restaurants et sa cuisine sont excellents et que les Italiens sont vraiment accueillants et polis.

La fête de Denise Lefebvre

Un jour, Gilles Lefebvre m'appelle pour me dire qu'il veut fêter l'anniversaire de Denise, «sa deuxième». Il a loué la discothèque *Monte Carlo* au complet pour la fête. Je communique avec Claude Vincent, directeur du transport chez Domtar, et Jean-Marc Perron, le mari de madame Pierrette Venne, actuellement députée du Bloc québécois à Ottawa, Guy Séguin et Guy Dufour.

Gilles me dit qu'il a choisi les pires photos de Denise, qu'il va les faire agrandir et les afficher partout dans la disco. Jean-Marc va préparer un discours très sarcastique sur Denise. On va s'amuser.

Il y avait plus de cent personnes à l'événement. On a bien fêté Denise pendant une heure. Mais j'avais convoqué mon «état-major». La consigne était de fêter Denise jusqu'à 23 heures, puis de retourner le tout contre Gilles. Sa secrétaire nous avait livré son sac de golf, cadeau de sa belle-mère. Avec l'aide de Claude Vincent, Guy Séguin a organisé un encan pour une œuvre de charité : on a vendu chacun des bâtons de golf. Denise, sans savoir ce qui se préparait, m'avait envoyé des photos affreuses, même gênantes. Lionel, le frère de Gilles, s'était occupé des agrandissements et l'autre, André, d'accumuler les faits d'arme du frérot.

C'était le bordel total. Gilles était en furie. Il s'interposait, voulait arrêter la soirée. Rien à faire, «The show must go on.» J'avais tout prévu, on a filmé l'événement. À la fin de la soirée, Claude Vincent lui a présenté un sac de golf neuf rempli de nouveaux bâtons. On a retourné le vieux sac à sa belle-mère qu'il aimait tant. Quelque temps plus tard, Gilles nous a avoué que ce «party» avait été le plus beau de sa vie. J'ai encore le film. Avis aux intéressés.

Le séjour de Lucie

Durant notre séjour à Pointe-Claire, ma fille Lucie a décidé de venir demeurer avec Rita et moi. Un grand enthousiasme s'est emparé de nous et nous avons vite fait de peindre et de réaménager une pièce pour la grande visite qui nous arrivait. Nous en avons profité pour sortir avec elle dans tous les endroits qu'elle désirait visiter, entre autres à Niagara Falls. Les quelques mois où Lucie est restée avec nous resteront éternellement gravés dans mon esprit.

Le club de golf Islesmere

C'est le 2 mars 1984 que j'ai signé ma demande d'admission au Club de golf Islesmere à Laval. Mes parrains étaient Claude Davidson, J.-M. Lafontaine, père de Jean, Théo. Éthier, J.-A. Brunet et John Davidson. Le droit d'entrée était de 2 500 $, et l'action se transigeait à 3 500 $.

Islesmere a été fondé en 1919. On fêtait le 75e anniversaire en 1994. Au moment de mon adhésion Islesmere était, avec le Club Laval, un des clubs les plus prestigieux au Québec. Cependant, il a connu des hauts et des bas depuis, surtout à partir des années quatre vingt-dix.

Ce club a été dirigé pendant plusieurs années sans élections. Année après année, on choisissait des amis qui avaient les mêmes affinités, les mêmes philosophies. À tel point que le Club n'avait pas de règlements précis quant aux élections, car il n'y en avait jamais eu.

Le président élu faisait tout ce qu'il pouvait pour avoir une année paisible en allant chercher un surplus, si possible, et il essayait de se faire un nom soit en faisant installer de nouveaux système d'arrosage, en aménageant un nouveau lac, etc., sans toutefois trop se tracasser pour l'avenir à long terme. Dans une situation semblable, on finit par remettre à plus tard ce qui devrait être fait dans l'immédiat.

C'est ce qui explique la situation devant laquelle nous nous sommes retrouvés en 1993 : la direction héritait d'un terrain mal entretenu, les «verts» étaient dans un état désolant. Au cours des années, on avait eu recours à des experts toutes catégories. Chacun d'eux semblait avoir la formule magique. Pour remédier aux problèmes, ils venaient de Toronto, de Montréal, de partout. Les coûts d'expertise étaient énormes. Les membres étaient de plus en plus désabusés, malheureux, choqués, surtout les anciens, de voir le nom d'Islesmere ridiculisé à travers le Québec. Là comme ailleurs, il n'était pas facile de se lever et de parler fort, le cas échéant. Il ne fallait pas blesser nos amis de la direction ou ceux qui en sortaient. Il ne fallait pas non plus devenir le «critiqueux» du Club. En même temps, nous ne pouvions pas laisser les choses empirer.

Le déclic a eu lieu lorsque les membres ont reçu de la direction, le 23 juillet 1993, une convocation à une assemblée générale extraordinaire pour le 12 août suivant. L'objet de l'assemblée : approuver le projet de réfection des verts. On parlait à ce moment d'une dépense pouvant facilement dépasser 400 000 $. On avait essayé tellement de produits chimiques depuis quelques années qu'on voulait prendre les grands moyens et refaire entre autres, plus de neuf «verts». Les membres ne l'entendaient pas de cette oreille. Gilles Perrault, un membre de la cuvée 1965, est venu me rencontrer et m'a déclaré qu'il fallait absolument faire quelque chose, qu'il y avait de l'hystérie dans l'air, qu'il fallait agir avant qu'il ne soit trop tard. Une assemblée des membres-actionnaires non satisfaits a donc été convoquée au restaurant *Le Bordelais*, le 29 juillet 1993 à 19 heures. À ma grande surprise, 40 d'entre eux s'y sont présentés, tous très déçus.

L'assemblée était présidée par Gilles Perrault, Guimond Hotte et moi. Un comité de 13 membres a été formé. J'ai été élu président à l'unanimité. André Gougeon m'a soutenu constamment. Son temps, et celui de ses employés, étaient à ma disposition. Outre moi-même comme président le comité était composé de : Marcel Bergeron, Pierre Delorme, André Drouin, secrétaire; Gérald Dundon, Gilles Durocher, Réjean Duval, André Gougeon, vice-président; Camille Labrecque, Jean-Claude Lauzon, Gilles Perrault, Lauréat Pouliot et André Robillard.

Le comité est entré en action et les choses se sont mises à bouger.

- Dans sa lettre du 2 août 1993, le Conseil d'administration a annulé le scrutin du 12 août concernant une dépense de plus de 400 000 $.

- Le 1er septembre suivant, le comité des 13 a envoyé une demande formelle pour la convocation d'une assemblée extraordinaire des actionnaires. Près de 200 membres-actionnaires ont signé, en l'espace d'une fin de semaine, une pétition pour appuyer cette demande. Une première à Islesmere.

- Le 20 septembre, tous les gouverneurs ont été mis au courant du travail énorme du comité des 13.

- Le 7 octobre, une assemblée extraordinaire a lieu, à laquelle participaient plus de 150 membres. Cette assemblée avait été convoquée à la demande du président du «comité des 13».

Une entente est conclue : le président du comité des 13 parlerait au nom des 200 signataires de la pétition et des 150 membres présents dans la salle, et maître Pierre Delorme expliquerait les nouveaux règlements proposés par le comité.

- En tant que président du comité, j'ai annoncé pendant la réunion que les noms de quatre candidats avaient été déposés pour occuper les postes des sortants et j'ai nommé : Marcel Bergeron, Pierre Delorme, Réjean Duval et Claude Lecavalier.

Du jamais vu. C'était une autre première au Club. Les applaudissements fusaient de partout dans la salle. Nos quatre candidats ont remporté l'élection haut la main. L'assemblée générale prévue pour janvier se tiendrait en septembre et tous les règlements seraient modifiés ou révisés à la demande des membres contestataires. Heureusement que quelqu'un s'est levé à Islesmere, car le déficit révélé dans les livres s'élevait à 391 966 $ au 31 octobre 1993, sans compter les dépenses qu'on voulait faire le 23 juillet 1993.

Par la force des choses, et pour des raisons différentes, le président, le vice-président, le secrétaire, le trésorier et le directeur général ont tous quitté leur poste. Une bouffée d'air frais est entrée à Islesmere depuis. Les règlements ont été changés complètement. Des études de toutes sortes ont été faites et aujourd'hui les membres sont très satisfaits du terrain. Le 9 mai 1997, on a procédé à l'ouverture d'un nouveau chalet.

L'arrivée de Raymond Lachapelle, de Serge de Gagné et de leur équipe à la tête du Club a donné à ce dernier un souffle nouveau. Le terrain a retrouvé sa beauté. La construction du chalet a été faite à la satisfaction de 80% des membres. Je dis bravo aux administrateurs. Il nous reste à voir si d'ici deux ans, le projet connaîtra autant de succès financier.

Départ de Pointe-Claire

Nous sommes restés à Pointe-Claire jusqu'au 30 mars 1984. Quelques semaines auparavant, un agent m'avait téléphoné pour savoir si la maison était à vendre. Ma réponse étant négative, il avait quand même demandé à me rendre visite, ce qu'il avait fait le lendemain. Un de ses clients, un Palestinien qui venait d'arriver à Montréal, était intéressé par ma propriété. Je lui ai répondu que je ne quitterais pas mon château en-deçà de tel montant... Avec moi, tout est à vendre en tout temps. Il m'a conseillé d'ajouter 50 000 dollars au montant et est retourné voir son client. Moins de 48 heures plus tard, le contrat était signé et nous avions 30 jours pour déménager.

Le problème, c'est que nous devions partir pour l'Europe. J'avais déjà les billets en poche, il fallait donc déménager dans les plus brefs délais. Deux jours plus tard, mon bureau se retrouvait déménagé au 3675 boulevard des Sources avec un bail de trois ans. Pour mon propre déménagement, c'était une autre histoire.

Nous avons visité cinq propriétés plus petites avant de nous décider pour le 68 de la rue Fredmir, à Dollard-des-Ormeaux, une belle maison de style avant-gardiste dont seul le terrassement n'était pas terminé. C'était un jeune entrepreneur du nom de Richard Jiason qui l'avait bâtie, mais il ne trouvait pas d'acheteur. Il demandait 175 000 $, mais il a dû se résigner à me la laisser pour 137 000 $

L'Espagne

En mars 1984, nous sommes retournés en Europe, cette fois pour visiter l'Espagne. Nous avons séjourné au plus beau Club Med du continent celui de Marbella. L'hôtel construit par des Allemands était vraiment magnifique et les spectacles qui y étaient présentés pouvaient facilement être comparés à ceux de Las Vegas.

Comme nous étions en Espagne pour plus de 21 jours, nous en avons profité pour visiter le plus possible ce très beau pays. À bord d'un autocar, nous avons découvert l'Andalousie de long en large. Je garde de très bon souvenir de villes comme Almeria, Cadix, Cordoue, Grenade, Rouda et Séville ainsi que de la Costa del Sol. Nous avons profité de notre passage à Tolède pour visiter la demeure du célèbre peintre El Greco. Amateur de golf comme je suis, j'ai aussi fréquenté les nombreux terrains disponibles. Ils sont classés par catégories de difficultés et beaucoup de Québécois s'y rendent pour participer à des tournois, d'ailleurs très bien organisés.

Bien sûr, quand on pense à l'Espagne, on pense corridas, et nous ne pouvions passer à côté de tels événements. Je dois avouer que les deux ou trois premiers combats sont difficiles à regarder. Au Québec, on n'a pas l'habitude de spectacles aussi violents, et voir ces hommes risquant leur vie à tout instant est assez particulier. Ce qui étonne aussi, c'est la réaction du public, qui n'a aucune pitié pour le torero. S'il est très bon, il devient vite un héros, mais s'il rate son combat, la foule le hue, même s'il est en train de mourir dans l'arène.

Pêche au saumon

Au mois de juillet, c'est à Vancouver que je me suis rendu. Chaque année la maison Freightliner de Montréal, dont Jole Bédard était le directeur général, invitait ses clients les plus prestigieux et plus gros acheteurs de tracteurs à un voyage de pêche au saumon à Vancouver. Tous les frais étaient assumés par Freightliner : le transport jusqu'à Vancouver, l'hébergement, l'avion privé entre Vancouver et le Campbell River Aprilpoint Quadraisland, le bateau, le guide, etc.

À cette époque, Glengarry Transport était le plus gros client de la firme Freightliner. Alors, inutile de dire que mon ami Gilles Lefebvre, président de Glengarry, était le premier dans la liste de Freightliner. Naturellement, il a accepté l'invitation, mais à une condition : que, moi, je fasse partie du voyage. Normalement, même si je connaissais presque tout le monde chez Freightliner, je n'aurais pas dû être invité, car je n'étais pas un client de la compagnie, mais si Gilles le voulait ainsi...

237

Ce dernier avait cependant une idée derrière la tête. Il m'a téléphoné pour m'informer que je recevrais probablement une invitation de Jole Bédard et m'a demandé de faire semblant de la refuser. Quand Jole m'a appelé à son tour, j'ai donc décliné l'invitation en déclarant que je n'avais pas l'intention de fraterniser avec des maudits fédéralistes etc, bref, j'en ai mis un peu plus qu'il n'en fallait, à tel point que j'ai cru à un moment donné ne jamais être invité.

Toujours est-il que nous nous sommes rendus à Campbell River en compagnie de Jole Bédard et de Pierre Thibodeau, président de Thibodeau Transport. Lorsque nous sommes arrivés à Vancouver, endroit où sont fabriqués les tracteurs, nous avons été reçus avec des banderoles et tout le tralala, et... en français! Cela prouve qu'on respecte toujours un homme qui se tient debout.

Un voyage mémorable : non seulement le trajet en avion s'est déroulé à la perfection et la réception à Vancouver dans une atmosphère chaleureuse, mais la pêche a été excellente. Il y avait du saumon à profusion. Notre plus grosse prise 22 livres, un rêve pour des amateurs de pêche comme nous.

J'ai eu le plaisir d'être invité de nouveau l'année suivante, mais cette fois-là, je ne me suis pas fait prier pour accepter. Entre-temps, Jole avait été promu à Toronto. En signe d'amitié avant son départ, je l'ai inscrit comme membre de la Société Saint-Jean-Baptiste de Montréal, question qu'il garde quelques contacts avec le Québec.

Mon ami Charles Bériau, un autre désespoir de fédéraliste à tout crin, avait pris la place de Jole à Montréal, et c'est avec lui qu'on a fait le second voyage de pêche. Je me demande encore aujourd'hui comment ces gars-là pouvaient m'inviter à des voyages si dispendieux après tout ce que je pouvais leur dire. C'était, je pense bien, de la vraie camaraderie. Je conserve de ces randonnées de pêche des souvenirs agréables et j'en remercie mes amis Gilles, Jole et Charles.

L'Asie

Toujours en 1984, au mois de septembre, nous avons fait un autre voyage des plus intéressants : un périple de 32 jours à travers le Japon, la Chine, l'Inde, le Népal et Hong Kong. Le voyage était organisé par Globus Gateway, spécialiste de ce genre «d'expédition». En partant de Montréal, nous nous sommes rendus à Los Angeles avant de nous envoler pour Tokyo, un vol de quatorze heures sans escale. Le bout du monde... une fois de plus!

À notre arrivée à Tokyo, nous avons rejoint le groupe d'Américains qui faisait partie du voyage. Nous n'avons pas passé beaucoup de temps au Japon, mais avons pu découvrir quelques facettes de Tokyo. C'est ainsi, par exemple que nous avons essayé le tram, appelé *The Bullet*, dont la vitesse atteingnait 225 kmh. C'était le train le plus rapide au monde à l'époque.

Notre arrêt suivant a été Pékin, aujourd'hui appelé Beijing, capitale de la Chine. Mon premier réflexe en arrivant là-bas a été d'essayer de trouver les petits Chinois que j'avais achetés à l'école pour 25 cents chacun, mais je ne les ai pas reconnus.

Ce qui m'a impressionné, ça été de voir autant de monde en un même endroit. La Chine a beau avoir un territoire plus petit que celui du Canada, n'empêche que le pays compte 43 fois plus d'habitants. Au cœur de Pékin, un seul portrait dominait la place centrale, celui de Mao Tse-Toung (Zedong), l'homme qui a dominé la Chine pendant plus de 50 ans.

Pékin nous a également permis de découvrir la Cité interdite et le Temple du Ciel. Nous y avons également visité un hôpital où un médecin nous a expliqué les grands principes de l'acupuncture. La Chine, c'est aussi cette énorme muraille, longue de 5 000 kilomètres, érigée à la frontière avec la Mongolie. J'ai pu marcher sur ce monument historique et je crois qu'il n'y a pas d'autres moyens de réaliser l'immensité de cette construction. D'ailleurs, des astronautes ont déjà dit que ce mur était la seule construction humaine visible de l'espace.

Notre excursion en Chine s'est poursuivie dans le canton de Guangzhou, où une surprise nous attendait. Notre guide nous a en effet amenés dans une garderie. Cette visite était imprévue, mais une centaine d'enfants de quatre et cinq ans nous attendaient. Pour chacun de nous, un enfant s'est offert comme guide de l'école. Les dames étaient conduites par des petits garçons, alors que les hommes étaient accueillis par des petites filles. Après une visite de l'école, nous avons eu droit à une séance de chants et de danses de la part de nos jeunes amis.

Mon guide était la plus jolie petite Chinoise du groupe et c'était une surdouée; elle s'appelait Yuen. Elle m'a fait asseoir dans le milieu de la salle, a chanté pour moi tout seul et a terminé sa prestation par une petite danse. Vous dire combien j'étais ému et combien j'ai pleuré! L'émotion que je ressentais était intarissable. Cette petite de quatre ou cinq ans m'avait conquis, en fait complètement désarçonné. Son petit minois est toujours gravé dans mon esprit et j'y repense très souvent.

Après cette émouvante expérience, nous avons fait un arrêt à Shanghaï, une ville de 12 millions d'habitants. Ce qui m'a frappé là-bas, c'est le nombre de bicyclettes circulant dans la ville. Il y a beau y avoir plus de 4 millions de vélos, pas un cadenas. On place sa bécane à un endroit le matin et on la retrouve au même endroit le soir. Il y avait aussi les volontaires au brassard rouge qui assuraient la surveillance dans la rue. Malheur à celui qui était pris en défaut!

J'ai aussi fait connaissance avec le système communiste. Il était curieux de voir une dame de 70 ans nettoyer son petit bout de rue afin d'obtenir un coupon pour pouvoir manger ou se loger.

Visiter un nouveau pays, c'est aussi apprendre sa façon de vivre. C'est ainsi que j'ai appris que les familles ayant plus d'un enfant devaient payer des taxes spéciales pendant 20 ans; qu'il n'y avait pratiquement pas de chats ou de chiens; que le pays était athée, que les enfants n'allaient pas dans les temples avant l'âge de 16 ans, et que, par conséquent, il y avait de bonnes chances pour qu'ils n'y mettent jamais les pieds.

Tous les petits hameaux que j'ai visités étaient en reconstruction; on démolissait les taudis pour construire d'immenses immeubles de quatre ou cinq étages, tous pareils, en briques rouges.

Après ce bref séjour en terre chinoise, je suis persuadé que la prochaine force mondiale sera la Chine. Je crois que les générations futures n'auront pas le choix et devront apprendre le chinois pour survivre, car ce peuple surpassera probablement les grandes puissances économiques d'aujourd'hui, que ce soit le Japon, les États-Unis, l'Allemagne et tous les grands pays occidentaux.

Du canton de Yangzhou, nous nous sommes dirigés vers l'Inde, pays du grand homme que fut Ghandi, pays aux 140 dieux, où il y a une journée du chien, de la vache, bref de tous les animaux sacrés. Un jour, à New-Delhi, nous avons dû attendre plus de 40 minutes sur la place principale parce qu'il y avait une vache qui ne voulait pas bouger du milieu de la rue. Notre guide nous a aussi conduit à Agra, ville très importante pour le tourisme. C'est là que nous avons pu visiter une autre merveille du monde, le Taj Mahâl, mausolée de marbre blanc érigé au XVIIe siècle par l'empereur Chah Djahan en mémoire de son épouse.

Le lendemain, Rita est restée à l'hôtel, car le guide nous avait averti que ce serait une journée très difficile. C'est le moins que l'on puisse dire. Nous nous sommes rendus près du Gange, le fameux fleuve sacré. Tout bon Indien doit s'y rendre et s'y baigner au moins une fois dans sa vie pour s'y purifier. Tous les égouts des maisons flottantes et des bateaux s'y jettent. Mais malgré cela, on y prend son bain le matin et on s'y lave les dents.

242

Nous nous déplacions à bord d'une large chaloupe pouvant embarquer 15 personnes. À un moment donné, j'ai vu flotter au large une espèce de momie, c'était un corps humain complètement enrubanné. Le guide nous a expliqué que le défunt avait délibérément été lancé dans le fleuve sacré. Lorsque nous sommes arrivés sur l'autre rive nous avons aperçu quatre ou cinq feux de camp. Curieux, nous nous sommes approchés, mais à notre grand étonnement nous nous sommes retrouvés au milieu de cadavres humains; on voyait une jambe dépasser de tel brasier, un bras sortait du feu voisin, etc. C'était leur façon de disposer des nombreux morts.

Notre dernière étape dans ce pays a été la visite d'une université à Aligarh. Nous avons pu constater à quel point l'Inde est devancé des autres pays en ce qui a trait à l'éducation. Les trois jours passés dans ce pays ont été fort enrichissants mais aussi très pénibles. La différence des cultures et des coutumes est bouleversante. J'ai vu là-bas des choses qui sont absolument inconcevables ici.

C'est une semaine après notre passage là-bas que madame Indira Gandhi, fille de l'ancien premier ministre Nehru Gandhi et premier ministre elle-même, a été assassinée par des Sikhs, comme son père avant elle.

Le prochain arrêt de notre périple a été le Népal. Nous avons commencé par visiter la capitale, Katmandou, avant de survoler la plus haute chaîne de montagnes du monde, l'Himalaya; bien sûr, nous avons pu voir le mont Everest, le rêve de tous les alpinistes.

243

Par la suite, nous nous sommes dirigés vers Hong Kong, où nous avons passé trois jours. Hong Kong est vraiment une plaque tournante du monde asiatique pour le commerce autant que pour tous les plaisirs. J'étais dans cette grande ville le jour où le traité sino-britannique a été signé. Traité qui prévoyait le retour de Hong Kong à la Chine le 1er juillet 1997. Je suis d'ailleurs retourné dans cette grande ville au début du mois de mars de cette même année.

Je considère ce voyage comme le plus important de tous ceux que j'ai faits. Il a changé ma vision du monde, a élargi mes horizons sur le passé comme sur l'avenir. Si Dieu me prête vie encore longtemps, j'aimerais retourner voir la Chine.

L'hiver au chaud

J'aime bien me rendre dans le Sud durant la saison froide, particulièrement durant le temps des Fêtes. J'aime particulièrement faire une croisière. C'est ainsi qu'en 1985, je suis monté à bord du *New Amsterdam* pour les Antilles. Durant ces deux semaines, nous avons visité San Blass, Grenada, Caraçao, San José, Bonaire, Tortola et Saint-Thomas. Le clou du voyage a été sans contredit notre entrée dans le canal de Panama. Ça me faisait d'autant plus plaisir de voir cette grande voie navigable que c'était Slats, celui qui nous avait accueillis pendant trois ans avec son épouse, qui avait signé les papiers lui redonnant une souveraineté panaméenne lorsqu'il était gouverneur de la Floride, en 1979. C'est aussi moi qui l'avais conduit à l'aéroport lorsqu'il était allé signer l'entente au nom des États-Unis.

En janvier 1985, j'ai rencontré par hasard le premier ministre du Québec, René Lévesque, à la Barbade. Il était à mes côtés au restaurant en compagnie de son épouse, Corinne, de sa sœur et son beau-frère. Il partait pour Québec le lendemain. Certains se souviendront qu'il était malade à ce moment-là et qu'il devait laisser son poste de premier ministre peu de temps après. René Lévesque ayant toujours été mon idole, quels n'ont pas été ma joie et mon plaisir de pouvoir converser avec lui durant ce dîner. Il était très détendu, mais paraissait soucieux de sa santé.

L'Est du Québec et les Maritimes

En juillet 1985, nous sommes partis visiter l'Est du Canada. Pendant près de six mois, Rita avait tout organisé pour notre périple de trente jours à travers l'Est du Québec, le Nouveau-Brunswick, l'Île du Prince-Édouard et la Nouvelle-Écosse. Elle avait tracé notre itinéraire, pris tous les renseignements nécessaires, fait les réservations.

Nous sommes donc partis en automobile en direction de Québec, ville que nous prenons toujours plaisir à visiter, ne serait-ce que quelques heures. L'étape suivante a été Charlevoix, La Malbaie plus précisément. Quel panorama merveilleux! Nous avons profité de notre passage dans cette belle région pour séjourner au Manoir Richelieu.

À cette époque, le casino n'existait pas encore, mais il y avait une salle de spectacles où, justement, on rendait hommage à Félix Leclerc. J'ai d'ailleurs eu l'occasion de parler à ce grand homme après le spectacle. Une rencontre mémorable pour moi, puisqu'il a été l'un de nos grands poètes, un vrai Québécois.

245

Notre voyage s'est poursuivi en Gaspésie avec Gaspé, Percé et New-Carlisle, endroit qui a vu naître ce grand Québécois qu'a été René Lévesque.

Notre premier arrêt au Nouveau-Brunswick a été Edmundston, puis, Fredericton et Moncton, nous nous sommes rendus à l'Île du Prince-Édouard dont les paysages sont d'une beauté inoubliable. Après avoir fait le tour de ce petit pays rouge (partout, la terre est rouge), nous avons traversé aux Iles de la Madeleine.

Pour nous y rendre, nous devions prendre le traversier à Souris, mais il fallait être patient. Le bateau suivant partait huit heures plus tard, ce qui nous a permis de faire connaissance avec tous les autres passagers. Pour mon malheur, ma voiture a refusé de démarrer, et malgré toute la bonne volonté de tous les mécaniciens amateurs qui m'entouraient, j'ai dû attendre le bateau suivant.

L'homme d'affaires peut bien prendre des vacances; les affaires n'en prennent pas, elles. Étant dans le domaine du transport, je me suis informé sur CTMA Express, la compagnie qui gérait le traversier vers les Iles. Comme les bureaux de l'entreprise étaient situés à quelques pas de l'hôtel où je logeais à Cap-aux-Meules, j'ai décidé d'y faire un petit tour au nom du *Guide du transport*.

J'ai parlé, entre autres, avec le président, Roméo Cyr, et le trésorier, J.C. Gaudet, et j'ai fini par leur vendre pour 2 000 dollars de publicité. Chose curieuse, en 1995, c'était toujours la même annonce qui apparaissait dans le *Guide*, celle que j'avais vendue en 1985.

Malgré ce petit écart de conduite en tant que vacancier, notre séjour s'est passé à merveille chez les Madelinots. Quel peuple chaleureux et travaillant! Comme il est beau de les voir lancer leurs cages et de les ramasser pleines de homards!

Nos vacances se sont poursuivies en Nouvelle-Écosse. Comme nous n'avions pas de réservation à Sydney et que tout était complet, nous avons dû coucher dans la voiture, mais il en faut plus pour gâcher de si belles vacances. Les jours qui ont suivi, nous avons parcouru *Cabot Trail.* Ainsi nous avons longé la côte jusqu'à Dartmouth, puis Halifax. Encore une fois, nous avons eu le souffle coupé par les paysages des Maritimes.

Halifax est reconnue pour ses journées de brouillard et nous n'avons pu nous y soustraire. Nous avons été bloqués pendant trois jours dans cette ville tellement on n'y voyait rien. Par la suite, nous avons entrepris le trajet du retour vers Montréal.

Dallas

Le mois suivant, c'est à Dallas que nous nous rendions. Carole, la fille de Rita, a été à mon service pendant plus de trois ans à titre de vice-présidente du *Guide du transport.* Ayant rencontré l'homme de sa vie, son beau Paul, elle a suivi son cœur vers Dallas. Je lui ai servi de père à son mariage et j'étais présent au baptême de son fils Phillip.

247

Il m'est donc arrivé de visiter cette ville à plusieurs reprises. C'est une ville très propre et ses habitants sont d'une gentillesse fort appréciable. Paradoxalement, je n'oublie jamais mes patins quand je me rends à Dallas. C'est qu'il y a un centre commercial appelé Galaria, dans lequel est aménagée une patinoire, probablement la seule de la ville. Comme là-bas peu de personnes savent patiner, j'ai profité de la liberté de la patinoire, et les gens ont été bien impressionnés.

La Guadeloupe et la Martinique

Au mois de septembre, nous avons poursuivi sur notre lancée en allant à la Guadeloupe et à la Martinique, Notre séjour d'une semaine à la Guadeloupe a commencé à Pointe-à-Pitre.

Comme dans tous les Club Med, les activités ne manquent pas et nous avions eu juste le temps de faire une petite sieste lorsque, tout à coup, un bruit épouvantable s'est fait entendre. Les murs se sont mis à trembler et les meubles, à se déplacer dans notre chambre. La Guadeloupe, comme toute la France, était en pleine période électorale, j'ai cru que c'était une bombe qui venait d'exploser.

À l'extérieur, c'était la panique générale : des murs s'étaient écroulés, certaines personnes étaient blessées et tout le monde courait dans tous les sens sans trop savoir où. Quand on nous a finalement avertis qu'il s'agissait d'un tremblement de terre, nous nous sommes assis par terre pour attendre la suite des événements. Après tout, les tremblements de terre ne durent habituellement pas très longtemps.

Prochaine escale après La Guadeloupe : la Martinique, où nous avons résidé à Fort-de-France. Notre arrivée dans cette autre île française a coïncidé avec le deuxième tour de scrutin des élections. Ce que j'avais appréhendé à Pointe-à-Pitre est alors devenu réalité, mais au lieu d'une bombe, c'est une fusillade qui a eu lieu. Une touriste américaine a été tuée et toute la ville a été paralysée. La police et l'armée étaient partout. Et dire que nos amis pensaient qu'on était en train de s'amuser dans le Sud!

Un terrain de plus

Toujours en septembre 1985, le terrain voisin de ma propriété à Dollard-des-Ormeaux se trouvait dans un état de délabrement navrant. Je n'ai pas mis beaucoup de temps à retrouver son propriétaire pour lui demander ce qu'il comptait en faire. Ce dernier, Irwin Stermer, m'a répondu que si je disposais de 25 000 dollars, le terrain m'appartenait. Je lui en ai offert 20 000 $. Ma notaire, Suzanne Villeneuve, s'est occupée du dossier pendant la semaine et je n'ai plus jamais entendu parler de ce monsieur Stermer. Grâce à cet achat, j'avais l'intention d'agrandir mon territoire, mais le destin en avait décidé autrement.

Au début du mois de mai 1986, une dame du nom de Myriam Lanail a sonné à ma porte. Elle m'a déclaré tout bonnement qu'elle venait acheter le terrain voisin de ma maison. Elle avait son plan de construction sous le bras et était même prête à conclure l'entente le soir même.

J'avais beau lui dire que j'avais prévu installer mes clôtures dès la fonte des neiges, elle insistait toujours. Dans ma tête, le prix grimpait à chaque minute. J'ai fini par lui dire que Gestion Bernard Gravel -le terrain était au nom de ma compagnie afin d'épargner des impôts- ne céderait pas le terrain à moins de 33 000 dollars. C'était à prendre ou à laisser. C'est avec cette transaction que j'ai découvert qu'il exitait d'autres gens aussi rapides que moi pour prendre des décisions.

La dame a accepté mon prix sur-le-champ et m'a demandé d'aller porter tous les papiers nécessaires chez son notaire, Guy Melançon. Aucune maison n'a été bâtie sur le terrain en question. Deux ans plus tard, il était vendu à un voisin pour la somme de 55 000 dollars. Dire que je me pensais rusé!

De nouveau en croisière

Les navires de croisières sont décidément des endroits charmants où l'on peut se reposer avec toutes les facilités possibles. Le *New Amsterdam,* par exemple, possède huit ascenseurs, un théâtre, une piscine intérieure et une autre extérieure, un casino, un Spa, une librairie, des tables de ping-pong et des courts de tennis.

Lors de l'une de ces croisières, à Porto Rico, une énorme surprise nous attendait. Avec quelques personnes, nous avions réservé dans un hôtel réputé pour son casino, le plus beau de toutes les Antilles, et nous voulions y passer quelque temps.

Quelque 24 heures avant notre arrivée, il y a eu un conflit entre les employés de l'hôtel et les propriétaires de l'établissement. Les journaux ont rapporté que le syndicat ne voyant aucune possibilité d'entente auraient fait sauter l'édifice, causant par le fait même des centaines de morts et de blessés. Nous étions bien contents que notre bateau n'ait pas amarré une journée plus tôt.

Lors de cette croisière, nous avons eu le privilège d'être invités à dîner à la table du commandant ainsi qu'à un cocktail privé, toujours en sa compagnie. Il n'y a qu'une dizaine de personnes qui ont l'honneur d'être ainsi aux côtés du commandant alors qu'il y avait 1 060 passagers sur le navire.

Nous étions à peine entrés dans notre cabine que le responsable des activités a frappé à notre porte, nous remettant l'invitation. Nous ne nous sommes pas fait prier. Nous sommes arrivés à l'heure prévue -les autres voyageurs étaient déjà tous assis- et le commandant nous a invités à le suivre. Les lumières se sont éteintes, sauf quelques projecteurs qui suivaient tout le groupe de la table d'honneur. Nous nous sommes assis sous les applaudissements. Une expérience vraiment très particulière.

Naturellement, j'ai demandé à notre hôte ce qui avait motivé sa décision de nous inviter et comment il désignait ses invités d'honneur. Il m'a répondu tout simplement qu'il demandait à chaque croisière un rapport sur les plus jolies dames du bateau et qu'il les invitait avec joie. Propos très galants pour Rita.

L'Ouest américain

En mars 1986, le goût de voir du pays nous a repris et nous avons décidé de visiter un peu l'Ouest des États-Unis. Un groupe de touristes américains partait de San Francisco et nous nous sommes joints à eux. Pendant quatre jours, nous avons parcouru dans tous les sens cette grande ville de Californie, puis nous sommes montés à bord d'un autocar pour un long périple de 1 500 milles.

À part nous, il n'y avait que des Américains, et ces derniers étaient bien curieux d'en savoir plus sur le Québec et le Canada. Bien entendu, j'en ai profité pour faire un peu de «propagande».

À partir de San Francisco, nous nous sommes dirigés vers Sacramento. Au Nevada, nous avons par la suite visité Lake Tahoe et Reno, deux villes très fréquentées pour le ski et les casinos. Ensuite, nous avons roulé vers Palissade et Wills. Nous nous sommes approchés de l'Etat de l'Utah en passant par les villes de Lucen et Ogden.

Bien sûr, on ne passe pas dans l'Utah sans aller à Salt Lake City, la ville des Mormons. Ce qui m'intriguait le plus dans cette ville, c'était le fait que toutes les vieilles maisons avaient deux cheminées, et je m'en suis informé de la raison auprès de notre guide.

La religion des Mormons leur permettait d'avoir plus d'une femme dans leur vie. Aussi vivaient-ils sans aucune gêne avec deux femmes à la fois. Le soir, l'homme allumait le foyer dans la chambre de sa première femme, puis dans celui de la chambre de sa deuxième femme avant de décider avec laquelle il passerait la nuit. Je crois que plusieurs de mes amis auraient aimé être Mormons à cette époque. Lorsque l'État est devenu membre à part entière de la Confédération, les Mormons ont dû renoncer à la bigamie. Par la suite, notre voyage s'est poursuivi à Palm Spring City où 'nous avons visité la maison de Liberace. Nous l'avions vu en spectacle lors de notre passage à Las Vegas.

De retour à Los Angeles, Rita et moi nous sommes installés pour cinq jours au Beverley Wilshire Hotel, sur Rodeo Drive, l'un des plus somptueux hôtels de la région. Soit dit en passant, la rue Rodeo Drive est probablement la plus huppée de l'Amérique. Les boutiques affichaient leurs prix pour être sûres de ne pas être importunées par n'importe qui. Les robes s'y vendaient entre 15 000 et 20 000 dollars chacune et les magasins étaient toujours pleins. Notre chambre était située au quatrième étage de l'édifice. Le deuxième jour, il y a eu un va-et-vient un peu inquiétant sur notre étage. Il y avait plein de gars armés, plutôt du style «armoire à glace», qui surveillaient toutes les allées et venues. J'imaginais le pire, la mafia ou quelque chose du genre, mais j'ai pris mon courage à deux main; je me suis approché d'un de ces gorilles et lui ai demandé poliment ce qui se passait. Il m'a répondu que c'était le FBI qui protégeait Betty Ford, l'épouse de Gerald Ford, président des États-Unis de 1974 à 1977.

Il m'a aussi expliqué qu'il savait qui nous étions, d'où nous venions et que j'étais considéré comme un bon gars, sinon on nous aurait prié de changer d'étage.

Le séjour de Betty Ford dans la chambre attenant à la nôtre nous a permis de côtoyer quelques artistes américains venus à l'hôtel pour un gala de charité en mémoire de Pat O'Brien, acteur très connu à son époque. Nous étions invités à la réception comme hôtes du quatrième étage, donc tout le monde croyait que nous étions des intimes de madame Ford. Nous étions assis à la même table que Cesar Romero et Virginia Mayo.

Champion au golf...

À Islesmere, il y avait beaucoup d'activités et les membres étaient très actifs. Je participais régulièrement à des tournois organisés à ce club de golf, mais pas toujours avec succès. Je considère que dans la vie, et ce dans tous les domaines, il faut toujours prendre la tête du peloton, pour être respecté, reconnu et devenir un leader.

En gros, cela veut dire qu'on doit prendre les capacités et les talents que Dieu nous donne et les utiliser à leur maximum. On laisse de côté les jours de déception et on vise les quelques jours de gloire qui nous sont accordés, car il y en a toujours quelques-uns si on n'abandone pas.

C'est donc à la suite d'efforts répétés dans mon sport préféré que j'ai remporté avec mon ami O'Neil Long, propriétaire de la fameuse boutique pour femme Mi-Jo à Laval, les honneurs du Championnat deux balles «Classe C» de Islesmere en 1986.

Le président de notre «fan club», Jean Daigle, assisté de son adjoint Guy Gagné, nous prodiguait les conseils d'usage. On aura beau dire que l'important, c'est de participer, il est vraiment très agréable de se voir offrir un trophée de championnat et de recevoir les honneurs lors du dîner annuel des champions. Nous avons recueilli les mêmes honneurs l'année suivante et n'en étions pas peu fiers.

Une copropriété en Floride

Pendant mon séjour à Dollard-des-Ormeaux, ma «multinationale» s'était déplacée chez nos voisins américains. Comme bien des Québécois, j'avais toujours pris mes vacances dans le Sud des États-Unis : Fort Lauderdale, Boca Raton, Hollywood, West Palm Beach, Pompano... Je connaissais ces endroits comme le fond de ma poche pour y être allé en vacances pendant plus de 15 ans avec toute ma famille. J'avais souvent rêvé de m'installer un jour à Boca Raton ou Delray Beach.

Cependant, en 1986, j'ai décidé de visiter Fort Myers, près de Naples, ville tranquille, peu fréquentée par les Québécois, même température qu'à Miami l'hiver. Je n'y étais jamais allé auparavant. Afin de pouvoir explorer la région, j'ai loué pour une semaine une chambre au motel Resort Plantation à Captiva Island. Pendant trois jours, nous avons visité des copropriétés sur terrain de golf à Naples, Bonita Bay et Fort Myers.

Après ces trois jours, je me suis assis pour discuter avec Rita et, d'un commun accord, nous avons choisi la copropriété de Donald W. Schrœder, meublé et situé sur le fameux terrain de golf de 36 trous The Forest; bref, un petit bijou. J'ai signé mon contrat d'achat le 29 juin 1987.

255

Les grands du golf...

Lors d'une de mes visites à Carole à Dallas, j'ai assisté avec son mari Paul à la *Classic Byron Nelson* qui se tenait du 4 au 10 mai 1987 au fameux Las Colinas Sports Club, Irving Texas. Tous les grands noms du golf étaient en action et j'ai pu suivre les Greg Norman, Fred Couples, Tom Kite, Paul Azinger, Lee Trevino dans ce sport que j'apprécie énormément.

Par le plus pur des hasards, je suis arrivé face à face avec Dave Barr, originaire de Kananaski, en Alberta. À l'époque, il était le Canadien le plus connu sur les verts nord-américains. Je sentais que son talent serait connu dans peu de temps et je lui ai fait part de mes réflexions. Je lui ai même demandé un autographe, chose que je fais rarement, mais j'en étais plutôt fier lorsque 15 jours plus tard, soit le 24 mai 1987, il remportait la Classique de golf d'Atlanta.

Le Livre d'or de Montréal

Le 1er juin 1987, j'ai eu le plaisir de signer le Livre d'or de la Ville de Montréal à l'occasion de la Semaine nationale des transports sous l'œil sympathique du maire de l'époque, Jean Doré.

Monseigneur Jean-Marie Fortier

Le 7 décembre 1987 a été un grand jour de deuil pour tout le Québec et même pour tout le Canada. En effet, nous perdions René Lévesque, celui qui avait changé les règles du jeu pour tant des nôtres. Tout le monde n'a pas toujours été d'accord avec lui, mais tout le monde l'estimait et le respectait. C'était un homme qui se tenait debout devant toutes les adversités de la vie. Le cardinal L.-A. Vachon de Québec avait demandé à mon grand ami Monseigneur Jean-Marie Fortier, archevêque du diocèse de Sherbrooke pendant 25 ans, de lire l'homélie au jour de l'enterrement de René Lévesque. Ma voisine à Fort Myers, Rose-Marie Deschamps, était la sœur de Monseigneur. Alors, depuis déjà cinq ans, je partageais des rencontres avec monseigneur Jean-Marie Fortier et les échanges duraient des éternités. Tous les sujets étaient abordés. Il faut dire que c'était un homme ouvert aux changements à l'intérieur de l'Église et un homme qui n'avait pas peur d'exprimer ses idées.

Il m'avait invité à Sherbrooke pour son jubilé de vie religieuse. J'étais parmi les 1 500 invités, dans la première rangée avec la famille et j'en ressentais beaucoup de fierté. J'ai eu la chance de saluer son frère, Marius Fortier, qui a été le premier président du club de hockey Les Nordiques, de Québec.

Quelle belle famille, sans oublier l'Américain Richard Deschamps, de New York, médecin et époux de Marie-Rose. Merci Jean-Marie pour les deux messes de Noël dites dans ma cuisine au Forest. J'en garderai un souvenir inoubliable, ainsi que la vingtaine d'invités présents.

Voyage musical

J'ai beau ne pas être un grand mélomane, j'aime écouter de la belle musique. C'est d'ailleurs ce goût que j'ai voulu satisfaire en optant pour un tour musical en septembre 1987. Ce voyage nous a permis, à Rita et à moi, d'assister à un concert tous les deux jours dans les plus grandes capitales du monde, les villes où sont nés les plus grands compositeurs et musiciens. Peu importe la race, la langue et le pays, la musique est universelle. C'est un phénomène curieux, n'est-ce pas?

De Montréal, nous sommes donc partis sur les ailes de Finair à destination de Helsinki, capitale de la Finlande. Le peuple finlandais est très fier. Dans le passé, il a livré quelques batailles contre la Russie, mais a su se tenir debout en rachetant son pays et en devenant indépendant. Pour sa part, Helsinki est une ville très moderne et très agréable à visiter. Elle a d'ailleurs été l'hôte des Jeux olympiques en 1952. Le concert sur les œuvres de Sybélius était aussi agréable que peut l'être ce pays.

L'étape suivante de notre tour musical a été l'Allemagne de l'Est. À Dresden, sur l'Elbe, pour être plus exact. À cette époque, les communistes russes étaient toujours rois et maîtres sur cette partie du pays. Il faut se rappeler qu'en 1945, Londres avait choisi Dresden pour venger les atrocités nazies, et la ville avait été complètement anéantie. Le concert auquel nous avons assisté avait lieu au Grand Théâtre, que les Allemands ont mis sept ans à reconstruire. C'est ainsi que nous avons pu apprécier à sa juste valeur le fameux opéra La Traviata.

L'arrêt suivant a été Postdam, ville où se sont réunis Harry Truman, Joseph Staline et Winston Churchill pour la division de l'Allemagne à la fin de la Deuxième Guerre mondiale, en juillet 1945. Je me suis d'ailleurs assis à la table même où s'est prise la décision. Toujours en Allemagne de l'Est, nous sommes allés à Leipzig pour visiter une maison consacrée aux œuvres de Jean-Sébastien Bach. La veille de notre départ, nous avons assisté au spectacle éblouissant d'un quatuor baroque.

Notre passage dans Berlin-Ouest a été très rapide puisque nous n'y sommes restés que quatre heures. Cela nous a quand même permis de voir la différence entre les deux Allemagnes. À l'Ouest du mur, la vie était aisée et florissante, mais à l'Est, la pauvreté se sentait à tous les coins de rue. Naturellement, notre guide est-allemand n'a pu nous suivre.

Nous nous sommes donc rendus à Munich et avons profité de notre passage dans la capitale de la Bavière pour visiter sa cathédrale et son église Saint-Michel, bâtiment construit au XVIe siècle. Nous avons également parcouru les installations de l'usine automobile BMW et d'autres sites fort intéressants, comme l'emplacement des Jeux olympiques de 1972. Ce soir-là, le récital se déroulait dans un très beau restaurant, le Käfer-Schanke. Le pianiste, de réputation internationale, jouait une ballade de Engelbert Humperdinck lorsque Rita a lancé qu'Humperdinck était son préféré. Le musicien lui a alors répondu que le célèbre compositeur se trouvait justement à ses côtés, à la table voisine, et qu'il la dévisageait déjà depuis un moment. À notre départ, nous lui avons adressé quelques mots. Je crois que je n'avais jamais vu Rita aussi heureuse.

C'est en train que nous nous sommes dirigés vers l'Autriche, la destination concert suivant. En arrivant à la frontière, nous avons aperçu de nos fenêtres une énorme clôture de fil barbelé de 25 pieds. Le train s'est immobilisé et des soldats allemands ont envahi les wagons. Ils avaient chacun une matraque à la main et un revolver à la ceinture. Tous les bagages ont été frappés à coups de matraque, tous les dessous de sièges ont été fouillés tandis qu'à l'extérieur, des chiens reniflaient sous les wagons. Tout ça avait pour but de dénicher toute personne voulant quitter l'Allemagne sans permission. On se serait crus dans un film hollywoodien. Ils ont fini par dénicher un «illégal» dans le wagon précédent le nôtre -ce n'était pas beau à voir- puis nous avons pu poursuivre notre chemin vers un pays de liberté totale.

L'Autriche nous a accueilli à Innsbruck, ville touristique très agréable, surtout pour les amateurs de ski. De là, nous nous sommes dirigés vers Salzbourg, ville où tout respire la musique. Mozart y est né et c'est là qu'il a composé plusieurs de ces oeuvres, dont *Les noces de Figaro* et *La Flûte enchantée.* C'est aussi dans cette ville qu'a été tourné l'un des plus beaux films, *Sound of Music* (La mélodie du bonheur). Ce soir-là, nous avons assisté à un concert inoubliable. Je ne sais pas si c'est l'âme de Mozart qui flotte toujours sur cette ville, mais nous y avons vécu des heures très particulières.

Par la suite, nous nous sommes rendus à Vienne, ville musicale par excellence. C'est là qu'ont vécu les Beethoven, Johan Strauss, Frank Schubert et combien d'autres. Qui ne connaît pas le Danube Bleu de Strauss ou la symphonie inachevée de Schubert? Cette fois c'est l'Orchestre de Vienne qui nous permis d'apprécier les merveilles de la musique.

Le tour musical s'est arrêté par la suite à Budapest, en Hongrie. Je ne sais pas pourquoi, mais ces deux noms ne me disaient rien qui vaille. D'un côté, ce pays me semblait loin, presque inaccessible, et d'un autre côté, j'avais toujours en tête la dictature de Kadar, un suppôt de la Russie.

Arrêt suivant : Moscou, capitale de l'ex-URSS. Moi qui suis un fervent de politique, j'étais ravi d'apprendre que, dans l'hôtel où nous devions loger, l'Hôtel Cosmos, devait avoir lieu une rencontre entre Mikhaïl Gorbatchev -qui était alors secrétaire général du parti communiste de la Russie et qui deviendrait président de l'URSS en 1990- et 300 Français représentants les différentes couches de leur société. Malheureusement pour moi, nous sommes arrivés à l'hôtel après la fin de cette réunion et... Gorbatchev ne m'a même pas attendu.

Par contre, j'ai pu converser avec quelques représentants français, dont l'ancien premier ministre, Pierre Mauroy. J'avais dîné à la Chambre de commerce de Montréal avec le maire de Paris, Jacques Chirac, quelques semaines auparavant et je me servais de cet élément de conversation pour entrer en discussion avec eux. Je leur ai prédit que Jacques Chirac serait un jour président de la France, mais aucun d'eux n'était d'accord avec moi, puisqu'ils ne l'aimaient pas du tout. Je me demande si certains se souviennent de cette prédiction aujourd'hui.

En discutant politique internationale avec eux, je me suis rendu compte qu'ils avaient grande envie d'en savoir plus sur le Québec et sur ce qui s'y passait. René Lévesque venait de quitter la politique et ils se demandaient ce que cela représentait pour l'avenir etc. Ils avaient tous un très grand respect pour René Lévesque.

Pour en revenir à Moscou, c'est une ville magnifique, mais où règne une atmosphère de pauvreté. C'est impressionnant de voir les files de gens massés dans les rues pour acheter du pain ou de la vodka. Leur métro aussi est impressionnant avec ses quatre étages, ses 84 km de longueur et ses huit millions d'usagers chaque jour.

Nous avons assisté aux représentations du fameux Cirque de Moscou, une organisation vraiment très bien rodée et qui donne des spectacles à couper le souffle. Dans le cadre de notre tour musical, le concert avait lieu à notre hôtel.

De Moscou, nous nous sommes rendus à Leningrad (qui a depuis repris son nom original de Saint-Pétersbourg), ville de cinq millions d'habitants fondée par Pierre le Grand. On ne peut aller à Leningrad sans visiter le Palais d'hiver et, surtout, le musée de l'Ermitage. Les vrais amateurs de musées pourraient passer un mois à en faire le tour qu'ils n'auraient pas encore tout vu.

De notre côté, nous avons fait un tour qui nous a permis de nous faire une bonne idée de ce fameux musée. Il paraît que plus de la moitié des toiles, vases et pieces d'orfèvrerie exposées dans ce musée ont été subtilisés aux pays plus petits qui ont subi les guerres de la Russie.

262

Après Leningrad, nous sommes retournés à notre point de départ, c'est-à-dire Helsinki. C'est là que nous avons eu droit à notre dernier concert de ce tour musical avant de nous envoler vers Montréal. Je dois dire que, même si j'adore voyager, je suis toujours heureux de revenir chez moi après un périple comme celui-là.

LA RETRAITE

Vivre aux États-Unis

Un jour que je suis assis sur mon *lanaï* (balcon recouvert), en Floride, je vois au loin une pancarte annonçant un terrain à vendre. Toujours à l'affût de bonnes occasions, je saute dans mon auto et vais voir cela de plus près. Au premier coup d'œil, je devine qu'il s'agit d'une bonne affaire, alors et je note le numéro de téléphone du propriétaire.

Le lendemain, le 25 avril 1988, j'ai acheté ce terrain 65 000 dollars américains. Au départ, cela m'a paru élevé, mais après avoir fait le tour de la question, j'ai vite compris que dans cette ville, c'était normal. Le 13 janvier 1989, je revendais ce terrain avec un bon profit à un homme qui voulait se rapprocher de sa fille.

En revenant en automobile de notre appartement de Fort Myers, Rita et moi avons eu une bonne discussion sur notre avenir en Floride. Nous venions de passer de très bons moments au Forest Country Club, endroit où il y avait plein d'activités qui nous intéressaient, et cela nous avait donné à réfléchir. Là-bas, nous nous étions fait beaucoup d'amis en peu de temps. Nous étions les seuls francophones -les gens aimaient notre accent-, et nous étions en demande partout.

Le plan était clair : dans un premier temps, il fallait vendre notre propriété de Dollard-des-Ormeaux et nous chercher un appartement à louer à Montréal. Dans un deuxième temps, nous devions mettre notre copropriété Fort Myers en vente pour trouver une plus grande résidence à l'intérieur du club The Forest.

La décision a été prise en quelques minutes, mais impliquait comme démarches (vente de la maison, recherche d'un appartement, déménagements, etc.) n'était pas aussi facile. Heureusement, le temps ne comptait pas : j'avais vendu mon commerce et j'étais à ma retraite.

En arrivant à Dollard-des-Ormeaux, c'est donc avec joie que j'ai trouvé cette note dans ma boîte aux lettres: «Bon retour de Floride! Nous sommes vos nouveaux voisins d'en face depuis bientôt deux mois. Ma sœur, qui arrive du Liban, est actuellement de passage à Montréal et son mari est littéralement tombé en amour avec votre maison. Si vous êtes intéressé, il désirerait l'acheter.» Je n'ai pas mis de temps à leur faire faire le tour du propriétaire et, dans la même semaine, c'est-à-dire le 23 juin 1988, je recevais un chèque.

De toutes les propriétés que j'ai possédées, aucune ne m'a été plus chère que celle de Dollard-des-Ormeaux.   Elle était chaude et accueillante. Chaque pièce avait sa propre couleur, sa propre personnalité. J'ai engagé un décorateur-expert de la maison Corbeil Meubles dont le président est Raymond Corbeil, un des membres les plus estimés du Club de golf Islesmere. Le soir, les jeux de lumière produisait un effet merveilleux.

Après la vente de la maison de Dollard-des-Ormeaux, j'ai loué un appartement au 4570 du chemin des Cajeux, mais ce système ne me plaisait pas. J'ai voulu résilier mon bail en offrant 1 000 dollars de dédommagement, mais on a refusé net. Pour moi, en affaires, un NON, n'est pas une réponse.

J'ai alors réservé un camion de déménagement, et l'appartement a été prestement vidé. C'est alors que sont entrés en jeu ma belle-sœur Pierrette -la sœur de Rita- et son mari André Besner. Ce sont eux qui s'occupent de mes affaires lorsque je ne suis pas à Montréal. Elle a fait venir l'agent du propriétaire des lieux afin de tenter de conclure une entente avec lui. Quand il a vu l'appartement complètement vide, il a vite compris que je n'entendais pas à rire et a accepté le chèque de mille dollars avec empressement.

Pierrette et André Besner sont toujours les premiers informés de mes transactions immobilières à Montréal. C'est à eux que je confie la décoration de mes nouvelles acquisitions. Je leur dois beaucoup, à tous les deux. J'ai toujours grand plaisir à les voir avec leurs enfants, Louise, Nathalie et Maxime, que j'aime beaucoup. Comme je n'ai jamais été un fervent des copropriétés, celui de Fort Myers a été mis en vente après une saison passée là-bas. Un de mes amis, Mike West, m'a appris qu'il avait lui-même un ami éventuellement intéressé à l'acheter. J'avais averti Rita que s'il entrait pour visiter, il en ressortirait avec la clé... et c'est ce qui est arrivé. Il s'est présenté chez moi pour visiter et est ressorti avec la clef, heureux de son achat (sur six ans.)

Nous avons alors quitté l'aile Est de la place pour nous établir dans la partie Ouest du club de golf. J'ai déniché une propriété toute neuve au 16 560, Bear Club, une vaste demeure de 2 700 pieds carrés avec foyer, piscine, spa et vue directe sur le trou numéro 13 du club de golf. De toutes les maisons que j'ai possédées, c'était la plus belle, mais aussi la plus dispendieux. Nous y avons emménagé le 5 janvier 1989.

Décès de ma mère

Cette grande dame nous a quittés le 27 novembre 1988 alors qu'elle avait 91 ans.

Je ne peux écrire ce livre sans dire un mot concernant ma mère. Elle a été l'être que j'ai le plus aimé. Elle possédait une profonde sensibilité ainsi que toutes les qualités pour devenir une grande dame dans la société. Elle était ma confidente, ma conseillère et une des seules personnes qui ait eu sur moi un certain ascendant.

Lorsque ma mère parlait, c'était sacré pour moi. Elle a été peut-être la seule personne capable de me faire changer d'idée, qui me conseillait et que j'écoutais vraiment. Que de discussions j'ai eues avec elle sur tous les sujets possibles! En somme, nous étions sur la même longueur d'ondes.

Elle était sans contredit le chef du clan Gravel. Même à l'âge de 40 ans mes frères allaient la consulter avant d'acheter un nouveau réfrigérateur, un lave-vaisselle toujours en cachette de leur épouse, et ils suivaient ses recommandations.

Le Forest Country Club

Après une première année comme membres annuels au Forest Country Club, nous avons décidé, le 26 novembre 1988, de devenir membre en règle du Club. Nous y jouions quatre fois par semaine et participions à tous les tournois et toutes les activités. Comme j'aime être pleinement impliqué dans ma vie, je n'ai pu m'empêcher de prendre ma place dans ce prestigieux endroit.

Le Club appartenait à un certain David Swor, entrepreneur de métier. Le 3 janvier 1989, il comptait 435 adhérents et plus de 190 membres annuels. Après quelques rencontres stratégiques, les membres ont décidé de racheter leur Club au coût de 7, 9 millions $, un très bon achat selon tous les experts. De mon côté, j'ai suivi toutes les démarches sans dire un mot.

Deux ans plus tard, soit le 13 janvier 1991, les membres-propriétaires étaient appelés à voter un budget de 2 780 000 dollars pour la rénovation du *club house* et des verts. Comme c'était pour le bien de tous, le budget a été accepté et les rénovations se sont terminées avec un surplus de dépenses de 410 000 dollars sur les prévisions. Belle affaire!

La grande erreur dans cette opération c'est qu'il n'y avait aucune opposition au Conseil d'administration qui avait carte blanche; aucun groupement de membres ne s'était formé pour surveiller les finances. Pendant les rénovations, deux présidents se sont succédés dans l'harmonie et la discrétion totale. C'est ce que j'ai appelé «la clique».

Au début de l'année suivante, un mécontentement général régnait parmi les membres. Les rénovations étaient terminées, mais une quantité énorme de travaux restait inachevée et le terrain était en piètre état. C'est alors que je suis entré en action.

J'ai pris mon appareil-photo et j'ai capté sur pellicule tous les détails petits et gros qui mettaient les membres en furie. De plus, j'ai discuté avec une centaine de membres. Comme moi, ils croyaient qu'il fallait faire quelque chose, mais aucun n'osait agir, de peur de déplaire aux dirigeants.

Heureusement, j'ai trouvé des membres qui croyaient qu'il fallait réagir à l'incompétence et à la nonchalance de notre Conseil d'administration. C'est ainsi que, dans la lutte qui débutait, je me suis associé à Russ Holloway, chef du contentieux de General Motors, Howard Andrews, ancien président de Iron Ore -c'est lui qui avait engagé Brian Mulroney à titre de président de Iron Ore Canada-, et William Pickett, ancien président de American Motors Canada, un ami de Robert Dagenais, de Islesmere.

Nous avons réfléchi à un plan d'action et avons préparé une pétition que je me suis chargé de faire signer à plus de 200 membres dans un temps record. La pétition, qui référait à 17 recommandations très étudiées, a été déposée lors d'une assemblée extraordinaire le 2 mars 1992.

Naturellement, j'ai profité de la signature de ma pétition pour bavarder avec les membres. Plusieurs personnes sont même venues me visiter ou m'ont téléphoné pour me dire qu'elles avaient déjà tenté des démarches semblables sans succès. À leur avis, je perdais mon temps avec ce genre d'action et je devrais plutôt employer ce temps à améliorer mon golf. J'en avais déjà vu d'autres et je répondais à chacun que j'espérais qu'ils apprécieraient mon travail si je réussissais.

Deux jours après le dépôt de la pétition, le secrétaire m'a écrit pour répondre à chacune des 17 recommandations. Le 16 mars, c'était au tour du président, Robert Moore, de m'écrire. En 30 jours, 14 des 17 recommandations avaient été suivies et les travaux de réparation, exécutés.

Je savais par expérience qu'il était toujours risqué de s'attaquer à un conseil d'administration, mais j'avais prévu le coup en m'assurant l'appui de six administrateurs nouvellement élus et de quelque 200 membres du Club.

Quelques semaines plus tard, ma réputation d'homme d'action m'a valu d'être nommé au *Property Committee* pendant deux ans, avec budget. J'ai travaillé au sein de ce comité trois jours par semaine et je formais des sous-comités au besoin. Par la suite, on m'a nommé président du *Manicure Committee*. J'ai refait une beauté au Club et les Américains ont apprécié mon travail. En fait, ils ont tellement aimé les changements que j'apportais que j'ai eu droit à une ovation debout lors d'une assemblée générale.

Après une année de repos bien mérité, Frank Freels, président du «comité des verts», m'a demandé mon aide. Il arrivait difficilement à motiver son équipe et faisait appel à mes talents de motivateur. J'ai donc préparé deux séries de recommandations comportant chacune 12 points différents. Un débat a suivi et une vingtaine de mes recommandations ont été suivies.

Évidemment, il est toujours agréable de voir ses efforts couronnés de succès, mais dans ce genre d'entreprise, il faut toujours être prudent. Une réussite est toujours appréciée, mais un échec n'est jamais pardonné.

Le bridge

Après plusieurs années de mondanités de toutes sortes, j'ai pu me rendre compte qu'un des jeux les plus populaires dans le monde est le bridge. Toutes les croisières ont leur tournoi de bridge, les clubs de golf ont leur salle de bridge et plusieurs personnes hésiteront à vous inviter pour une soirée si vous ne jouez pas au bridge. Pour ma part, j'ai fait mes premières armes à ce jeu très compliqué en 1989, d'une manière assez inusitée.

Lorsque nous sommes arrivés à Fort Myers, Rita et moi n'avions jamais joué au bridge de notre vie. Un jour, une association locale a organisé une visite à l'intérieur du *Forest*. Le prix de la visite était de dix dollars et cela nous donnait le droit de visiter, en groupe, les six plus belles propriétés de la place. Les profits de l'activité allaient à une œuvre de charité.

À la sortie de la deuxième résidence, j'ai aperçu un homme qui attendait son épouse dans son auto. Comme nous devions passer près du véhicule pour continuer notre route, nous nous sommes dirigés vers lui et, à notre grande surprise, l'homme s'est adressé à moi en français. Il avait remarqué ma plaque immatriculée au Québec. Il s'est présenté comme étant Daniel Hayes, ingénieur, ancien cadre chez Pratt & Whitney de Longueuil. Il habitait un appartement au *Martinique* depuis onze ans avec sa charmante épouse Georgette. Puis, il m'a dit qu'il venait de Candiac et qu'il nous invitait à passer une soirée chez lui, la semaine suivante.

Ayant accepté l'invitation, nous nous sommes rendus chez les Hayes le vendredi suivant. C'est ainsi que nous avons découvert qu'ils étaient des fervents du bridge, jeu auquel ils nous a offert de jouer dès notre arrivée. Daniel, qui est un pro du bridge, nous offrit de nous montrer à jouer, à la grande joie de Rita qui désirait apprendre depuis quelques temps déjà. Il s'est donc armé de patience et nous montra toutes les subtilités du bridge.

Il y a maintenant sept ans que nous jouons au bridge tous les vendredis soirs avec Daniel et son épouse et, de retour à Montréal, nous nous rencontrons pour jouer toutes les trois semaines. Georgette est d'une gentillesse et d'un savoir extraordinaires, en plus d'être un cordon bleu sans pareil. C'est une femme qui se dévoue énormément pour son entourage; elle a fait du bénévolat toute sa vie.

Au *Forest*, nous avons formé un groupe de douze joueurs, et, tous les mercredis soirs, nous nous rencontrons chez les uns et chez les autres, à tour de rôle. À Islesmere, nous faisons partie d'un groupe de 24 joueurs et nous jouons notre partie de bridge tous les vendredis soirs.

Je ne suis pas encore un expert dans le domaine, mais j'avoue prendre plaisir à ce jeu. Un jour où nous étions à Montréal, mon ami et comptable André Gougeon ainsi que sa charmante épouse Marie nous ont invité à nous joindre à leur groupe un beau dimanche après-midi. Parmi les personnes présentes, il y avait la comédienne Béatrice Picard, qui excelle à ce jeu.

Chacun a donc mis cinq dollars durant l'après-midi et cinq autres dollars dans la soirée. J'ai terminé premier à la fin du premier tournoi et du deuxième tournoi également. J'étais plutôt fier d'avoir déclassé tous les champions de bridge.

Réussir un trou d'un coup...

Un autre grand succès, pour un golfeur, cette fois, c'est de réussir un trou d'un coup. J'ai réussi cet exploit à deux reprises et à Islesmere dans les deux cas. La première fois, c'était le 28 septembre 1990 sur le trou numéro 4, un coup de 186 verges, parcours Blanc. Mon deuxième trou d'un coup a été obtenu le trou numéro 5, un coup de 135 verges, parcours Bleu.

Beaucoup de mes amis golfeurs ne peuvent pas en dire autant, mais mon épouse Rita, elle, m'a déjà égalé. Elle a eu ses heures de gloire à Fort Myers le 6 mars 1990 et le 6 janvier 1992.

Croisière en Alaska avec les Drouin

Nous avons beaucoup d'amis qui nous parlent de faire une croisière avec nous, mais lorsque vient le temps de mettre un dépôt, ils trouvent toujours des raisons pour ne pas mettre leur plan à exécution. Ce n'est pourtant pas le cas de mon ami André Drouin, avocat de profession, et de sa charmante épouse Marielle. Nous avions discuté ensemble d'un éventuel voyage en Alaska, et je peux affirmer que cela s'est réalisé rapidement.

Le 21 mai 1995, nous avons pris l'avion à Montréal en direction de Vancouver et de là, nous nous sommes rendus à Seattle, ville que nous avions déjà visitée lors de notre voyage dans l'Ouest quelques années auparavant. Dès le lendemain, nous prenions un vol de Seattle Alaska Airlines en direction de Anchorage en Alaska. À partir de l'aéroport, nous avons pris un autobus pour nous rendre jusqu'au port de Stewart, à une distance d'environ 200 km. C'est là que nous avons fait connaissance avec le *Ryndam* et nos voisins pour les huit jours qui ont suivi.

La compétition est forte dans le secteur des croisières et les compagnies y mettent le paquet. De nouveaux bateaux sont lancés chaque année et le plus récent à l'époque était certainement le *Ryndam* de la Holland of America avec ses 50 000 tonnes, ses 720 pieds de longueur, ses 10 ponts et sa capacité d'accueillir 1 266 passagers. Entre autres activités sur ce navire, il y avait un casino et un théâtre. Nous avons profité de la deuxième sortie de ce bel hôtel flottant.

On sait que l'Alaska a été cédé aux Américains par la Russie en 1959 pour la somme de sept millions de dollars et que sa population totale est d'environ 600 000 habitants. Notre première visite a été Valdez, cette ville dont tous les lecteurs auront sûrement entendu parler, car elle est le point d'arrivée de l'oléoduc venant de Prudhol Boy. C'est là qu'a coulé le fameux bateau-citerne qui a causé des dommages écologiques inestimables à des milles à la ronde avec le déversement de son pétrole.

Par la suite, une escale au Hulbard Glacier et au Glacier Bay s'est imposée. Il n'y a pas beaucoup d'endroits au monde pour admirer ainsi la nature et voir de quoi elle est capable. C'est le capitaine George Vancouver qui a été l'un des premiers à visiter le *Glacier Bay*. Depuis l'époque de leur découverte, ces glaciers ont reculé de près de soixante kilomètres.

L'escale suivante s'est faite au joli village de Sitka. Il n'y a pas de routes entre les villes et villages de l'Alaska. Pour se rendre d'une place à l'autre, il faut absolument se déplacer par la voie des eaux ou des airs, mais encore là pas avec un avion de n'importe quelle taille. Les terrains sont souvent accidentés et ne permettent pas aux gros avions d'atterrir.

Nous nous sommes ensuite arrêtés à Juneau. Avec ses 27 000 habitants, cette ville est la capitale de l'Alaska. C'est là que sont donnés tous les services publics grâce aux 8 000 fonctionnaires qui y travaillent. En partant de la capitale, nous nous sommes rendus à Ketchikan, un autre beau village à visiter, et de là, nous avons pris le passage intérieur pour nous diriger vers Vancouver.

André étant un expert au bridge, point n'est besoin de dire que les pauvres femmes ont reçu une petite leçon durant les huit jours qu'a duré la croisière. Heureusement, nous avions un peu de répit grâce aux escales et aux magnifiques paysages que nous ne laissions pas de regarder. Contrairement à ce que les gens pensent, l'Alaska n'est pas très froid, même l'hiver. On est porté à le confondre avec le Yukon ou le nord de l'Alaska. Tout au long de notre voyage, nous avons profité de températures plus chaudes qu'à la normale et pas une goutte de pluie n'est tombée. Que demander de mieux?

La Nouvelle-Orléans

Comme j'aime bien jouer de temps à autre, je m'étais assis à une table de Black Jack, dans un des nombreux casinos de la ville de Nouvelle-Orléans. Je jouais mes habituels 5 $ quand j'ai remarqué mon voisin de gauche. Il était à peine assis à la table qu'il demandait 100 jetons de 100 $ chacun. Après une heure de jeu, son tiroir de plastique était vide et il commandait un autre 10 000 $ en jetons.

Dans les casinos, il est fréquent de lier conversation avec ses voisins, question d'alléger l'atmosphère. Comme je suis curieux de nature, je lui ai demandé d'où il venait et ce qu'il faisait dans la vie. C'est ainsi qu'il m'a déclaré avoir perdu 40 000 dollars depuis son arrivée, deux jours auparavant.

En l'examinant de plus près, j'ai constaté que sa figure était reconstituée dans une matière qui ressemblait beaucoup à du plastique. Son aspect physique ainsi que sa désinvolture face à l'argent m'ont poussé à lui demander comment il pouvait se permettre de perdre 40 000 dollars en deux jours.

Voici son histoire. Il s'appelait Robert Giles et venait de Georgie. Il avait été défiguré lorsqu'un voleur avait tiré sur lui durant un hold-up dans une banque. C'est ainsi que son visage avait été entièrement reconstruit; les assurances lui avaient remis quatre millions de dollars. Il était quand même heureux dans sa malchance, car il avait obtenu un dédommagement de deux millions de dollars à la suite d'un accident de voiture et avait gagné une cagnotte de 53 millions de dollars à la loterie.

Comme les Américains sont très friands de ce genre d'histoire, Hollywood avait acheté son histoire et un film lui a été consacré, *The Man Who Don't Want To Die*. Depuis tous ces événements, il recevait trois millions $ chaque année de la loterie, mais n'arrivait jamais à dépenser autant d'argent. C'est pourquoi rien ne le dérangeait de jouer ainsi au casino.

Nous avons continué à discuter et à jouer encore quelque temps. Je lui ai conseillé d'apprendre à jouer au Black Jack et de donner les profits aux pauvres. Après tout, s'il n'appréciait pas d'avoir autant d'argent, il pourrait toujours en faire profiter les autres. À la fin de la soirée, il m'a invité à arrêter chez lui en revenant à Montréal. C'est un gars décidément fort sympathique, mais il devrait vraiment prendre des cours pour jouer aux cartes.

Avec mes amis de voyages, Géraldine et Elmer Demarest, j'ai assisté au défilé du Mardi-gras de la Nouvelle Orléans. Comme c'est une ville qui n'est pas très sûre pour les touristes, nous nous sommes placés non loin du quartier général de la police à l'angle d'une rue. L'idée principale du défilé est de distribuer des milliers de colliers en plastique de toutes les couleurs. On les lance à la volée et les plus rapides sont les favoris. Je n'ai pas laissé ma place; j'en ai récolté plusieurs. Les costumes et les danseurs qui participent au défilé valent vraiment la peine d'être vus. Il n'y a pas de défilé comparable dans le monde.

De bons amis à moi : Pierre Asselin, un homme de transport qui a fait évoluer l'industrie; Camille Archambault, qui a consacré sa vie entière à l'industrie du camionnage. Il a livré de nombreuses batailles à Québec et à Ottawa; Robert Goyette, homme intelligent, dévoué et sincère, qui a su innover et a osé changer les règles du jeu.

À une réunion de l'Association du camionnage on reconnaît moi-même, le prof. Louis Beaupré, de dos Gilles Lefebvre, de dos Guy Dufour, Yvon Larocque, Camille Archambault, Maître Jean-Paul St-Laurent et, de dos, Pierre Gauthier.

(1964) Je remerciais comme conférencier maître Gérard Delage, un mordu de la gastronomie. Avec lui, on passait une soirée inoubliable. À nos côtés, de dos, André Fugère, Jean Turgeon, Guy Lavallée et le toujours souriant Lucien Pitre.

Lors du fameux souper auquel j'avais invité le juge Gérard Larochelle, qui venait d'être nommé président de la Régie des transports. À sa gauche, Ted Holt, qui ne comprenait pas un mot de français, et Camille Archambault.

Ne devient pas membre honoraire du Club de la traction sur routes (Motor Truck Club) qui veut. Me voici, entouré des quatre autres membres qui ont reçu cette distinction en même temps que moi : Jean-Paul Boucher, Roger Tremblay, Pierre Paquette et Tom Kelly. À l'arrière plan, deux partisans inconditionnels, Lucien Pitre et Jean Lafontaine.

Ma fille Francine, son mari
Jean-Pierre et leurs 2 enfants,
Julie et Éric.

Pierre avec ses enfants
Annick et Philippe.
Ne partez pas de rumeur, Céline
Dion était l'invitée spéciale de
Transfret en 1995.

Lucie, la cadette de la famille,
une célibataire endurcie,
une fille positive et charmante.

Sylvain est fier de nous présenter sa charmante
épouse Ginette ainsi que son fils unique Pascal.

Une rencontre mémorable
Le capitaine John O'Creigton est considéré aux U.S.A. comme un génie. Il fait partie du petit groupe d'astronautes ayant voyagé dans l'espace pendant des jours, des semaines. Quel homme!

Nous avons fait des milles et des milles pour en voir un en Australie. Et bien, nous voilà. Les Koalas sont doux et très intelligents.

Mon groupe de sénateurs de Islesmere : Jacques Quintal, Maurice Dagenais, Armand Buissières, Gérard St-Denis, Maurice Dagenais, Bernard Gravel, Léo Rochon, Jean Marfoglia, Roger Lalande, Jean-Paul Charbonneau, Guy St-Laurent et Roland Girard. Des «Dans mon temps...» «Quand j'avais 10 d'handicap» il y en a à la tonne.

▲ À Ashville (États-Unis) lors d'un congrès de l'Association des camionneurs américains. Mon ami de toujours, Lionel Lefebvre, son épouse Rita et mon épouse Rita.

Rita m'accompagnait à l'invitation de Gilles Lefebvre, mon meilleur ami, et de sa conjointe Denise, aux courses de formules 1 de Montréal, à l'Ile Notre-Dame. ▲

On dit que c'est une merveille du monde. C'est un monument impressionnant, le Tadj Mahall, Mausolée érigée en 1631.

Poème de Lucie Groulx

Je sais la vie est difficile parfois
Mais ce qu'il y a d'bon c'est que l'on se soit retrouvé toi et moi
Et dans la vie rien n'est plus beau
Que de revoir son enfant au berceau
Je sais j'ai grandis
Et j'ai beaucoup appris
Toi les cheveux ton blanchit
Puis toi aussi tu as vieillis
Mais dans nos cœur rien ne peut changer
On doit toujours s'aimer
On a un petit bout de chemin à faire ensemble
Mais ce ne sera pas difficile car tu le sais on se ressemble
Nous rencontrerons plusieurs obstacles
Et je sais tu as assez de classe pour ne pas en faire un spectacle
On doit arriver au but fixer
Et ça en laissant tomber le passé
Puis maintenant
Tout ce qu'il y a d'important
C'est l'avenir
Et puis tenter de réussir
Non pas avec tout son entourage
Mais simplement avec son courage
Et la compréhension d'un père
Qui nous est très cher

Simplement pour toi
Papa

Bonjour   grand-papa
J'ai   eu   un beau bulletin.
Mon   amie Isabelle Reste
toujours ici.

Éric   glisse Dans la neige
avec   moi.
Joyeux Noël
XXXXXXXXXXXXX   Julie
                     Éric

In honor of
President and Mrs. George Bush,
Senator Don Nickles,
Chairman,
Republican Senatorial Inner Circle

cordially invites you to the

Inner Circle Spring Briefing

and the

Spring Gala Dinner Dance
at the Sheraton Washington Hotel

May second and third
One thousand nine hundered and ninety
in the City of Washington

R.S.V.P Enclosed   Business Attire

Senator Don Nickles

and

Senator John Heinz
Chairmen of the
Presidential Roundtable

cordially invite you
to a luncheon with

President George Bush

and to
the Presidential Roundtable
Post Summit Forum

Sunday and Monday
July 29 and 30, 1990

Capitol Hilton Hotel
1001 16th Street, N.W.
Washington, D.C.

R.S.V.P.
800-577-6776

The Republican Leadership

of the

United States Senate

cordially invites

Mr. Bernard Gravel

to become a member of the

Republican Senatorial Inner Circle

as nominated by

The Honorable Connie Mack

Un couple heureux qui a travaillé fort
pour atteindre ses objectifs.

La première maison que j'aie bâtie, en 1952, avec mon bois récupéré et mes clous arrachés un à un. Elle m'avait coûté 8 000 $.

On déménage chez les Anglais du West Island, ma chère! C'était ma façon à moi de leur dire qu'il y avait des Québécois qui pouvaient les côtoyer.

À Dollard-des-Ormeaux, ma plus belle maison et celle que j'ai aimée le plus. Cependant, comme pour Pointe-Claire, je n'ai pu refuser l'offre qu'on me faisait après cinq ans.

Avec les relations que je m'étais faites aux États-Unis, il fallait s'installer en grande pour recevoir le gratin. Ce fut merveilleux pendant 10 ans.

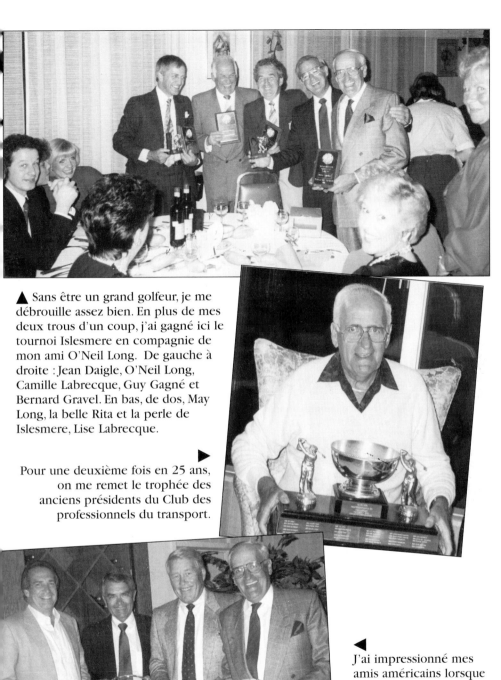

▲ Sans être un grand golfeur, je me débrouille assez bien. En plus de mes deux trous d'un coup, j'ai gagné ici le tournoi Islesmere en compagnie de mon ami O'Neil Long. De gauche à droite : Jean Daigle, O'Neil Long, Camille Labrecque, Guy Gagné et Bernard Gravel. En bas, de dos, May Long, la belle Rita et la perle de Islesmere, Lise Labrecque.

Pour une deuxième fois en 25 ans, on me remet le trophée des anciens présidents du Club des professionnels du transport. ▶

◀ J'ai impressionné mes amis américains lorsque j'ai remporté le trophée classe B en compagnie de mon ami Elmer. De gauche à droite : les gagnants de la classe A - B. Andress et Bill Conyer; les gagnants de la classe B - Elmer Demarest et Bernard Gravel.

C'est sérieux. Céline m'a offert de me donner des cours de chant. Je lui ai répondu : «tant qu'à travailler avec toi, je préférerais être ton imprésario.

En compagnie de mon grand ami, Mgr Jean-Marie Fortier, archevêque de Sherbrooke. Est-ce qu'on parlait de la souveraineté ou du prochain pape? En tout cas, la discussion était très animée.

Les dignes représentants du Québec au Congrès de l'Association du camionnage à Ashville, USA. De gauche à droite: Monsieur Serge Gagnon, Monsieur et Madame Jean Dufresne, Monsieur Pierre Mercure, Monsieur et Madame Lionel Lefebvre.

Le 28 juin 1997, plus de 100 personnes fêtaient le 35e anniversaire de mariage de mon ami Luc. Pauvre Pierrette, il me semble que... Faisaient partie du groupe: Paul L'Heureux, moi-même, Luc L'Heureux, Jean L'Heureux, Gilles Gallant, Gilles Ménard, Donald Tremblay, Roland Chartrand, le «maître» déménageur, Ghislain Arsenault et notre «Sherlock Holmes», Wilfrid Tremblay.

Deux couples importants sur la Croisière de l'Alaska.
Maître André Drouin, avocat et conseiller en loi de la Reine
et sa meilleure moitié Marielle, nous accompagnaient.

**CLUB des
PROFESSIONNELS du
TRANSPORT
(QUÉBEC) INC.**

**MOTOR
TRUCK
CLUB
(QUEBEC) INC.**

Il a fallu deux années de travail ardu au comité organisateur. En faisaient parti :

Bernard D'André,
  président du Conseil 1996
Jean-Pierre Marion,
  président du Conseil 1997
Claude Taillon,
  président 1997
Alain Plouffe,
  1er vice-président
Pierre Johnson, secrétaire
Roger Tremblay, trésorier

Membres honoraires
Albert Dionne
Bernard Gravel
Luc L'Heureux

Directeurs
Pierre Archambault
Réjean Bellemare
Richard Gauthier
Gilles Marseilles
Jean-Pierre Parent
Michel Tremblay

Cette photo a valeur historique. Réunir 24 anciens présidents du Club des Professionnels du Transport le même soir. Il faut le faire ! Nous fêtions le 50e anniversaire du Club le 26 avril 1997. Plus de 550 personnes y assistaient.

1948 - Frank Kenwood	1975 - Roger Tremblay	1988 - Jean-Guy Bernier
1957 - Peter Kenwood	1977 - Donald Tremblay	1989 - Yves Carmel
1962 - Art Gauthier	1979 - Jean-Marie Gagnon	1990 - Gilles Marseille
1964 - Bernard Gravel	1980 - Ralph Beck	1991 - Robert Quesnel
1971 - Tom Kelly	1982 - Jean-Guy Tondreau	1992 - Michel Spada
1972 - Ron Flannery	1983 - Albert Dionne	1994 - Pierre Mercure
1973 - Luc L'Heureux	1984 - Lucien Pitre	1995 - Bernard D'André
1974 - Ralph Warren	1986 - Guy Brossard	1996 - Jean-Pierre Marion
	1987 - Claude Thibert	1997 - Claude Taillon

Politicien dans l'âme

Après la vente de mon commerce et l'acquisition d'une propriété à Fort Myers, mes amis de Montréal ont pensé que je me retirais des affaires, de la politique et du social pour jouer au golf uniquement. C'était bien mal me connaître. En effet, en plus de m'engager dans le Conseil d'administration du Club de golf *The Forest*, je suis devenu très actif dans le Parti républicain de George Bush alors qu'il était président des États-Unis.

Le 13 mars 1990, je recevais une invitation du président Bush lui-même pour une soirée dansante les 2 et 3 mai. Le 16 mars de la même année, Bob Dole -candidat défait à la présidence des États-Unis en 1996- me confirmait mon statut de membre du Republican Senatorial Inner Circle. Le 22 juin 1990, le sénateur Don Nickles m'invitait à son tour à rencontrer George Bush le 30 juillet, «*As a new member of the President Round Table*». Le 5 juillet, le sénateur John Heinz me confirmait mon Membership of the Presidential Round Table pour le 29 juillet 1990. Le 10 août, nul autre que Dan Quayle, alors vice-président des États-Unis, m'invitait pour le 23 septembre à une assemblée du Inner Circle... Pour un «p'tit gars de Saint-Michel», c'est quand même bien, non?

Le monde du transport...

Même si j'ai quitté l'industrie depuis quelques années déjà, j'aime bien m'y replonger à l'occasion et c'est mon fils Pierre qui me donne l'occasion de le faire. Depuis le début des années quatre vingt-dix, par l'entremise de sa compagnie Les Éditions Bomart, il organise l'un des plus gros Salons des communications au Québec. L'événement réunit les plus grands du monde du transport, y compris les compagnies américaines.

En 1995, la réunion se déroulait à l'hôtel Bonaventure, et j'étais à la table d'honneur avec le maire Pierre Bourque ainsi que la talentueuse Céline Dion. Quelle grâce! Quelle simplicité! À la fermeture du congrès, elle nous a offert un spectacle d'une intensité incomparable. Les 1 500 personnes qui assistaient aux agapes de clôture lui ont servi une ovation debout; plusieurs pleuraient, c'était beau à voir, mais surtout, bon à entendre.

Dernier voyage de pêche

Au mois de juin 1996, je suis parti pour un voyage de pêche avec mon ami André Gougeon, Pierre Truchon et Clément Roy, au lac Kempt, à 95 kilomètres au nord de Saint-Michel-des-Saints. La seule façon de se rendre sur place, c'est par avion, le chalet étant trop loin de la civilisation. Malgré l'éloignement, nous disposions d'un chalet des plus modernes et des plus confortables.

La première journée de pêche nous annonçait un séjour des plus agréables; nous avons pris du doré et du brochet à profusion, de quoi nous faire un repas des plus copieux. Le lendemain, il pleuvait à boire debout, mais ce n'est pas la pluie qui arrête un vrai pêcheur. Tout le monde sait que c'est à ce moment-là que l'on fait les plus belles prises. Nous avons donc taquiné le poisson avec succès et une soirée chaleureuse nous attendait au chalet.

Vers 11 heures, fatigués et heureux de notre journée, nous nous préparions à passer une bonne nuit de sommeil, les lampes au propane étaient éteintes. Il m'est soudain venu l'idée de passer par la salle de bains, et je m'y suis dirigé dans une demi-obscurité d'une minuscule lampe de poche. Le passage pour la salle de bains était tout juste à côté de la porte qui menait à la cave, porte qu'on avait oublié de fermer...

J'ai littéralement «déboulé» les escaliers pour me retrouver huit pieds plus bas, à quelques pouces seulement d'un mur de ciment. Mes compagnons de pêche se sont bien sûr précipités pour m'aider, mais en pleine nuit, au milieu du bois, ils ne pouvaient pas faire grand chose. J'ai passé une nuit de martyr avant qu'on puisse communiquer avec la base de Saint-Michel et qu'on nous envoie un hydravion. On m'a d'abord conduit dans une clinique, puis à l'hôpital de Joliette en ambulance. Résultat de cet accident : l'humérus du bras gauche cassé, une entorse à la cheville et des ecchymoses sur tout le corps.

Comble de malheur, Rita était à Ottawa avec sa sœur Pierrette. J'ai donc dû passer une nuit chez les Gougeon qui ont eu l'amabilité de m'accueillir chez eux. Marie, l'épouse d'André, a été pour moi d'une gentillesse et d'une disponibilité que je n'oublierai jamais. J'ai passé trois mois le bras en écharpe, ce qui veut dire que j'ai été trois mois sans pouvoir conduire et que j'ai vu ma saison de golf était à l'eau. Tel a été mon dernier voyage de pêche.

Demain...

Au moment où je termine ce récit, je suis assis dans la bibliothèque du *S.S. Rotterdam* qui en est à sa dernière croisière. Il se retire pour devenir un musée, mais moi, je n'ai pas envie de m'empoussiérer.

Lorsque j'ai réalisé qu'il y avait déjà dix ans que j'habitais au même endroit, à Fort Myers, j'ai eu une petite discussion avec Rita, et je me suis décidé à mettre en vente cette propriété. Le 12 décembre 1996, j'ai vendu ma part du Club de golf *The Forest* à un certain John Whyte. Le 18 janvier 1997, j'ai vendu ma belle propriété de Fort Myers à un monsieur Bossé, et le 19 janvier, j'ai acheté une nouvelle propriété à l'intérieur du club de golf Boca Point, un des plus beaux clubs de golf de Boca Raton.

En nous inscrivant au Boca Raton Resort and Club, Rita et moi devenions voisins de notre grande amie de Islesmere, Solange Gagné, la Québécoise la plus connue de Boca Point. Elle possède une propriété qui fait l'envie de plusieurs. Elle s'occupe surtout d'œuvres bénévoles en plus de jouer ses trois ou quatre parties de golf par semaine. Bravo Solange!

Il y a quelques années, je suis allé rendre visite à des amis, Gilles Ménard et sa charmante épouse Thérèse, qui n'étaient pas au courant de toutes les transactions que j'avais réalisés dans le milieu immobilier. Gilles me disait fièrement qu'il habitait au même endroit depuis 32 ans, à Roxboro. Il me disait ne pas comprendre ces gens qui déménagent tout le temps, puisque déménager coûte tellement cher. Il me disait que la stabilité lui permettait d'économiser beaucoup d'argent et que par conséquent, il n'y avait sûrement pas d'argent à faire à toujours déménager. J'ai seulement esquissé un sourire et me suis contenté de lancer un clin d'oeil à Rita, en me proposant de lui envoyer un exemplaire de mon livre une fois qu'il serait terminé.

Comme je le disais un peu plus haut, je suis sur le *S.S. Rotterdam* pour son dernier tour du monde. Pour nous, c'est un périple de 40 jours de la Nouvelle-Zélande à Singapour en passant par Hong Kong et Sydney. Comme le départ de notre croisière se fait à Auckland, en Nouvelle-Zélande, nous avons pris l'avion de Fort Myers à Atlanta, d'Atlanta à Los Angeles et de Los Angeles à Auckland, un voyage d'une durée de 22 heures... Vivement un peu de repos!

Alors que nous nous reposions dans notre chambre de l'hôtel Carlton, une sirène s'est fait entendre à l'extérieur de l'immeuble et les détecteurs de fumée de l'hôtel se sont mis à hurler. En ouvrant la porte de la chambre pour voir ce qui se passait, j'ai pu constater qu'une épaisse fumée envahissait tout le bâtiment. L'hôtel a été évacué très rapidement; nous n'avons pas eu le temps de nous changer ni d'amener nos effets personnels avec nous. Deux heures plus tard, on nous a permis de remonter dans nos chambres, mais pour le repos, on repassera!

Nous avons donc entrepris notre grande croisière à Auckland et en Nouvelle-Zélande, un très grand pays, très propre et très discipliné. Ensuite, le voyage s'est poursuivi vers l'Australie et sa capitale, Sydney. Ce qui m'intéressait le plus, c'était de voir de près les kangourous, koalas, et autres animaux qu'on nous montre si souvent à la télévision.

Par la suite, le bateau a pris la route de Bali, un voyage en pleine mer qui a duré trois jours. Nous avons appris la venue prochaine d'un cyclone tropical. Il était là, quelque part dans les environs. Les passagers et l'équipage ont été avertis par haut-parleurs de prendre toutes les précautions nécessaires dans les cabines pour faire face à toute éventualité. Tout devait être sur le plancher. Dans les salles publiques, on solidifiait le bateau avec des barres de fer d'un pouce de diamètre; toutes les chaises et tous les parasols étaient remisés à l'intérieur ou solidement attachés. Le capitaine nous faisait rapport toutes les quatre heures; il fallait faire dévier le bateau de 320 kilomètres afin de contourner le cyclone. Parmi les passagers, c'était la panique; certains parlaient du Titanic. Puis, les vents se sont levés, les vagues aussi, tous les passagers devaient se rendre dans leur cabine pour la nuit; certains refusèrent et avaient décidé de s'installer plutôt dans les grandes salles. Les «sacs» étaient sortis et distribués... Quelle nuit d'enfer!

Le lendemain, le calme est revenu peu à peu et nous avons pu poursuivre notre route vers Hong Kong. L'activité à Hong Kong est indescriptible. Tout est toujours en mouvement, tout le monde fait de l'argent. Pas surprenant qu'il n'y ait que 2 % de chômeurs! Cependant, nous sentions que les gens étaient inquiets à l'approche du 1er juillet, date où Hong Kong devait quitter le giron britannique pour retourner à la Chine.

Notre prochaine étape a été la Thaïlande avec Bangkok et ses temples ainsi que les différentes cultures qu'elle abrite. La ville la plus impressionnante du voyage a été sans contredit Singapour. Là-bas, on vous colle une amende de mille dollars si vous laissez tomber un cigare ou un papier dans la rue... la ville est très propre. On ne peut pas en dire autant de nos villes nord-américaines. De Singapour, nous nous rendrons à Tokyo, et de là, à Los Angeles, puis à Atlanta avant de retourner à Fort Myers, un autre voyage de 24 heures sans arrêt...

Si ce voyage n'aura pas été de tout repos, il nous aura au moins permis de rencontrer des personnes intéressantes. Pendant les trois premières semaines de la croisière, Rita et moi avons eu le plaisir de partager notre table à la salle à manger avec l'astronaute américain John O'Creighton. Pour lui, ce devait être très peu de chose que ce «tour du monde», puisqu'il a déjà fait le tour de la terre 304 fois.

Je ne sais pas ce que l'avenir me réserve, mais ce dont je suis certain, c'est que j'ai bien l'intention de continuer à mordre pleinement dans la vie. Je continuerai sûrement à vendre et à acheter des maisons, car j'aime le changement et la vie mouvementée. Je continuerai sûrement à m'investir dans tous les clubs ou organisations dont je ferai partie, car j'aime savoir où je m'en vais et avoir le contrôle de ma vie. Je continuerai sûrement à voyager, car j'aime le dépaysement et la nouveauté.

En revoyant mon passé comme je viens de le faire, je constate que ma vie et ma carrière ont été bien remplies et je ne regrette pas grand chose. Je me suis engagé dans la société, car je croyais pouvoir faire plus en agissant qu'en restant tranquillement à ma place. J'espère avoir inculqué à mes enfants et à mes petits-enfants l'énergie et le goût d'en faire autant, parce que je crois que c'est la seule façon de faire avancer les choses.

Ma vie a beau être différente depuis que je suis à la retraite, je n'en garde pas moins l'oeil ouvert et l'esprit vif. Je ne sais pas encore ni où ni quand cela se produira, mais on entendra encore parler de Bernard Gravel, je peux le garantir.

En somme, la seule chose qui soit permanente dans la vie, c'est le changement.

FIN

ANNEXES

Correspondance

Montréal, le 14 août 1964.

Honorable Claire Kirkland-Casgrain MPP
Ministre d'État
133 - 4ième Avenue
Ville St-Pierre, P.Q.

Chère Claire,

Pour faire suite à notre conversation au cours de notre rencontre à l'hôtel Hilton, tu trouveras ci-joint, mémoire que j'ai préparé à la demande de Jean-Guy Bellemare, Président du Comité Économique de la Commission Politique de la Fédération Libérale Provinciale.

Je crois que tu puiseras dans ce mémoire une quantité de renseignements qui te seront utiles et je peux t'être d'aucune aide dans cette cause, il me fera toujours plaisir d'être à ta disposition.

Bien à toi,
Bernard Gravel.

BG/lm.
P.J.

Le 27 août, 1964
133, 4e Avenue,
Ville St-Pierre, P.Q.

Mémoire

Ce présent mémoire a été préparé pour présentation à la Commission politique de la Fédération libérale provinciale dont Maître Rolland Chauvin est le président ainsi que M. Jean-Guy Bellemare, président du Comité économique de la dite commission.

Ce mémoire a été fait dans l'intérêt général de l'industrie du transport routier par:

Bernard Gravel
Montréal, le 29 avril 1964.

Messieurs,

Je suis heureux de l'opportunité que vous me donnez d'exposer certains points qui vous démontreront l'importance vitale et essentielle de l'industrie du camionnage dans la province de Québec.

J'essaierai de vous faire comprendre qu'elle est la plus grande industrie que la province de Québec n'a jamais possédée; cette industrie a été développée généralement par nos citoyens canadiens-français du Québec. Aujourd'hui, nous savons qu'il y a 27 853 véhicules d'enregistrés avec permis de la Régie de la province de Québec à titre de service public et professionnel des routes et que chacun de ces véhicules emploie 1,9 employé, ce qui veut dire qu'il y a 52 920 personnes qui dépendent directement de cette industrie dans la province de Québec. Ces figures ne comprennent pas les camions possédés privément par les compagnies industrielles avec lesquelles ils font leur propre transport.

Si nous calculons que chacun de ces 27 853 véhicules parcoure en moyenne 25 000 milles par année, ces voitures effectuent 696 000 000 milles par année sur les routes du Québec. Nous savons que chacun de ces véhicules fait 6,5 au gallon en moyenne; nous trouvons alors qu'ils dépensent 107 000 000 gallons de gazoline par année, rapportant à la province de Québec, en taxes, .18X gallon, soit $19 282 000 de taxe directe par année. Nous pouvons continuer ces mêmes calculs pour la taxe de vente à l'achat, la taxe de licence, etc., et nous arriverons à des chiffres dépassant le 50 000 000 de taxes payées directement au gouvernement du Québec par l'industrie du transport routier du Québec.

Le Bureau fédéral des statistiques démontre aussi que l'industrie du transport est un facteur essentiel dans l'industrie canadienne en terme d'embauchage, de revenus et de placements :

A / Une personne sur 20 au Canada est employée dans l'industrie du transport;

B / Un dollar sur treize, qu'il s'agisse de gage, de salaire ou de revenus marginaux sur plan de travail, provient, pour les Canadiens, des secteurs du transport;

C / Un dollar sur sept investis va à l'industrie canadienne du transport.

Ces facteurs et statistiques, je vous les donne pour vous démontrer l'importance que l'on doit apporter à cette industrie plus québécoise et canadienne-française que les autres. C'est un fait que Québec, avec 30 % de la population du Canada, un territoire très vaste, ne possède que 11 % des lignes de chemin de fer, tandis que l'Ontario compte 2 fois plus de pourcentage et les provinces de l'Ouest en compte autant que l'Ontario. Ces chiffres apparaissent dans l'annuaire du Canada.

N'eut été l'industrie du camionnage au Québec, l'essor présent de l'industrie québécoise n'aurait sûrement pas eu lieu.

Il est essentiel d'ajouter que les 27 853 camions enregistrés au service du public représentent que 8,28 % du nombre de véhicules enregistrés dans la province de Québec, mais qu'ils transportent à eux seuls 54,9 % de toutes les marchandises produites et consommées dans la province de Québec, soit pour consommations locales, exportations ou importations. Le transport routier a suppléé à l'insuffisance des chemins de fer et c'est pour cette raison que son essor a été plus rapide que celle de l'Ontario. Toute cette évolution de l'industrie du transport routier s'est faite sans octroi ou subside public.

Toutefois, nous croyons aujourd'hui que les transporteurs routiers se dirigent vers un désastre économique certain vu le manque de direction et de contrôle qui existe dans cette industrie. Elle a besoin d'aide et cette aide doit être fondamentale et elle doit provenir du ministère qui en a la responsabilité et la direction.

Vous trouverez ci-après les causes économiques et politiques qui sont directement ou indirectement responsables du marasme économique de la plus grande industrie du Québec.

Causes directes et indirectes du marasme économique et politique dans la plus grande industrie de la province de Québec possédée en majorité par des Canadiens français.

Causes économiques :

L'ignorance et le manque d'instruction de la majorité des propriétaires empêchent le développement rationnel et économique de leur propre industrie.

Ce manque d'instruction fondamentale est la source de bien des maux, tels que :

L'absence de connaissance administratives essentielles, projections de caisses, prévisions bancaires, financement à taux raisonnables, prévision des revenus et dépenses, etc.

L'ignorance totale de leur coût d'opération.

Le manque absolu de figures comptables comparative, équivalentes dans ce domaine.

L'absence de système de prévention d'entretien de l'équipement, de système de vente, etc.

La carence d'hommes expérimentés et instruits.

La méfiance des propriétaires envers la Régie.

Ce sont, en résumé, les principales causes qui vouent cette industrie familiale à une disparition précipitée. Cet anéantissement est déjà commencé par l'absorption de plusieurs petites compagnies défaillantes par des cartels américains et canadiens.

Ce n'est que le début, mais à ce rythme-là, d'ici 10 ans, il ne restera que quelques grosses compagnies à capital étranger pour la plupart et c'en sera fait de la plus grande industrie canadienne-française.

Les petits et les moyens industriels routiers ne peuvent plus lutter contre ce pouvoir économique illimité de la grande finance américaine et canadienne. Qui peut les diriger, les protéger?

Causes politiques :

La Régie des Transports du Québec.

Que fait-elle pour aider cette industrie? N'a-t-elle pas été créée pour la protéger? Pourquoi est-elle donc si impuissante devant l'amoncellement des faillites de ses supposés protégés?

1) Voici en quelques mots les principales raisons :
L'insuffisance de personnel tout court.
Manque de budget pour en engager.

2) Leur incompétence notoire en tarification basée sur le coût d'opération de ses protégés due à l'absence totale de statistiques, de coûts d'opération comparés, etc.

3) Pas un seul département de statistiques dans cet organisme gouvernemental. Pas un seul coût d'opération rationnellement établi sur une multitude de camionneurs de même calibre.

4) La présence presque constante de la politique provinciale " patronale " dans l'émission des permis.

5) Émission de trop nombreux permis qui ont pour effet de réduire le marché du transport déjà existant et d'affaiblir les industries existantes.
Côte-Nord
Lac-St-Jean
Bas-du-fleuve
Québec-Montréal
Cantons de l'est

L'indécision et le refus continuel des régisseurs aux demandes d'augmentation de taux des camionneurs depuis les 5 dernières années. Ceci même après l'augmentation des taxes de licences, fuel et gazoline en 1961-62. (voir appendice " A ").

Le manque total d'une classification des marchandises basées sur des coûts d'opération au lieu que sur celles du chemin de fer ou même sur rien du tout.

La peur bleue inspirée aux régisseurs par les expéditeurs groupés en association futures des taux. Cette opposition est par lettre déposée à la Régie des transports, C.I.T.L.

L'absence complète de tout moyen de renseignements pour les régisseurs en font un corps quasi judiciaire d'une incompétence et ignorance sans égal, dans l'acceptation ou le refus des taux à être chargés aux expéditeurs par les camionneurs. Ils s'accordent ainsi à tort et à travers des baisses de taux de l'ordre de 50 % sans connaître le profit ou la perte possible d'un tel geste. Elle accorde donc des taux justes et raisonnables? Qu'est-ce qu'un taux juste et raisonnable? Est-ce un taux avec lequel le camionneur doit perdre 200 % ou encore faire 150 % de profit? Ce sont ces cas que nous rencontrons dans le moment avec la structure des taux que nous avons dans la province de Québec. Si le camionneur a la chance d'être dans la catégorie des expéditions profitables, il fait des profits; si au contraire il est dans d'autres catégories, il perd sa chemise. Qui peut le renseigner? Qui peut le protéger dans le moment?

Causes secondaires :

L'Association du camionnage.
Elle aussi souffre des mêmes maux, car elle est composée des mêmes camionneurs, en majorité sans instruction, qui ne savent quoi faire devant le désastre qui s'annonce.

Ces dirigeants sont aussi mal renseignés que les régisseurs de la Régie vu l'absence presque totale de figures de coût d'opération comparable, l'absence complète de standardisation dans la distribution des dépenses dans chaque compagnie, empêchant ainsi toute comparaison comptable.

Les Aviseurs en taux de transport Inc.
Compagnie formée pour la publication des tarifs au nom des camionneurs pour l'utilité du grand public expéditeur. Très connaissante en tarifs des chemins de fer, ignorante elle aussi du coût réel des opérations du camionneur.

Doit-on laisser faire?
Laisser passer aux mains des étrangers cette industrie canadienne-française.
Qui peut les aider?
De quelle façon?
Voilà autant de questions qui ne peuvent rester sans réponse?

Seul le ministère du Transport peut régler la situation présente en arrêtant à sa source l'hémorragie gigantesque de cette industrie.
Il doit refaire la structure de la Régie des transports de manière à ce que : il n'y ait plus deux régies, comme les camionneurs se plaisent à dire, celle de Montréal et celle de Québec. Ainsi, les camionneurs pourront être sûrs de ces décisions rendues. Dans le moment, celle de Montréal annule ou rectifie les décisions de celle de Québec. Quelle certitude en l'avenir!...

Que soit ajouté immédiatement le personnel nécessaire et compétent afin que la Régie puisse créer des départements tels que :

a) Une régie pour le camionnage seulement.

b) Standardisation des comptabilités des camionneurs et de la distribution de leurs dépenses.

c) Établissement du contrôle du coût d'opération dans plusieurs industries, ceci dans les principales villes de la province de Québec afin de pouvoir obtenir des coûts standards moyens.

d) Nomination de régisseurs spécifiquement attachés à la tarification et ne se mêlant pas de l'émission des permis; siégeant seulement sur les tarifs.

e) Établissement d'un département de recherches sur la nécessité économique et les causes des besoins pour l'émission de nouveaux permis.

f) Régisseurs siégeant seulement sur l'émission et le contrôle des permis.

g) Établissement d'une loi plus sévère, avec des amendes très élevées, sur les infractions au point de vue tarification et opération illégales.

h) Établissement d'un département d'inspecteurs compétents en tarification et permis.

i) Établissement de juges siégeant seulement sur les infractions condamnant les coupables s'il y en a.

Si la Régie n'est pas restructurée sur une base rationnelle, elle n'aura aucune autre utilité future que d'émettre des permis.

Le ministère du Transport doit être mis devant les faits et qu'il agisse vite!... Nous sommes disposés à fournir les preuves nécessaires à ce que nous venons d'avancer.

La barque n'a pas de gouvernail, elle s'en va sûrement sur les récifs.

Monsieur Bernard Gravel,
3585 est, rue Rachel,
Montréal, P.Q.

Mon cher Bernard,

J'accuse réception de ta lettre du 14 courant de même que la copie du mémoire présenté à la Commission Politique de la Fédération Libérale Provinciale.

Je te remercie beaucoup de m'avoir fait parvenir ce rapport; aussitôt que j'aurai une minute de temps libre, j'en prendrai connaissance et je suis certaine que son contenu me sera d'une grande utilité en temps opportun.

Je te prie d'accepter, mon cher Bernard, l'expression de mes meilleurs sentiments et de me croire,

Votre toute dévouée,

MCKC/mpl

M.C. KIRKLAND-CASGRAIN, M.P.P.
Ministre d'État

Québec, le 28 décembre 1964.

Monsieur Bernard Gravel,
Gérant général des ventes et du trafic,
DUMONT EXPRESS LTÉE,
3585 est, rue Rachel,
Montréal.

Cher Bernard,

J'accuse réception de ta lettre en date du 4 décembre 1964, et j'ai pris bonne note de son contenu.

Je te remercie bien sincèrement pour les bons vœux que tu m'as fait à l'occasion de ma récente nomination, et sois assuré que je ferai tout ce qui m'est possible, pour mener à bien cette nouvelle tâche.

Je profite de l'occasion pour t'offrir mes meilleurs vœux à l'occasion du Nouvel An.

Je te prie de me croire,

Ta bien dévouée,

M.-Claire Kirkland-Casgrain,
Ministre des Transports et
Communications

MCKC/nb

Montréal, le 2 mars 1965.

Honorable Claire Kirkland-Casgrain, M.P.P.
Ministre des Transports et Communications.
Hôtel du Gouvernement
Québec, P.Q.

Chère Claire,

Pour faire suite à ma visite, tel que mentionné ma suggestion serait de composer immédiatement une commission d'étude avec un pouvoir établi par un arrêté ministériel avec des frais de déplacement payables par le gouvernement provincial.

Cette commission aurait pour but d'enquêter la structure présente de la Régie des Transports afin de faire rapport au ministre du Transport des améliorations possibles pour le bien général de l'industrie du camionnage section " transport par camions ". Si toi et ton comité étiez d'accord à cette commission, voici de quelle façon je suggérerais qu'elle soit formée :

Premièrement, elle pourrait être présidée par M. Gérard Larochelle, président de la Régie des transports, son secrétaire pourrait être M. Robert Martin, s'il en avait le temps.

Cette commission pourrait se composer de :

Deux camionneurs :
A) Paul Dagenais, assistant Gérant du Trafic chez Kingsway Transport Limited. Il a au-delà de 20 ans d'expérience dans l'industrie du camionnage et surtout des taux et de la Régie. Il assiste depuis les 10 dernières années 2 ou 3 fois la semaine à toutes les assemblées qui se tiennent à la Régie. Il représente dans le moment une organisation strictement anglaise.

B) Bernard Gravel, Gérant Général des Ventes et du Trafic des maisons Dumont Express Ltée, Ball Bros Transport Ltd et Poulin Transport Ltée. Avec une expérience dans l'industrie du camionnage de 18 ans, fondateur du bureau des Aviseurs en Taux du Transport de la Province de Québec, actuellement Président du Club de la Traction sur Routes (Québec) Inc. et membre de La Chambre de Commerce de Montréal.

<u>Deux représentants de l'industrie expéditrice</u> :
A) René Aubé, Gérant Général du Trafic de la maison Dominion Oilcloth de Montréal depuis au moins 12 ou 15 ans. Ancien président pour la province de Québec du Canadian Industrial Traffic League (l'an dernier). À ce titre, il a eu à présenter différents mémoires à la Régie et à défendre certains droits pour l'industrie vis-à-vis celle-ci.

B) Jack Cunningham, Gérant Général du Trafic de la maison Allied Chemical, un des gérants de trafic reconnu comme étant des plus qualifiés à travers la Province de Québec; il a occupé plusieurs positions honorifiques au sein de l'industrie.

<u>Deux représentants de la Régie des Transports</u> qui pourraient être :
A) Lionel St-Jean de la Régie de Montréal.

B) René Bernier, chef du camionnage de la Régie division de la ville de Québec.

<u>Deux professionnels pourraient être sur cette commission</u> :
A) Maître Rolland Chauvin qui a déjà l'expérience de la Régie, des permis et des tarifs.

B) M. R. Lacasse C.A. qui a été pendant plusieurs années à l'emploi de la Régie des Transports et qui est encore aujourd'hui relié à cette industrie étant à l'emploi d'une subsidiaire de Provincial Transport.

<u>Un représentant du ministère du Transport</u> pourrait aussi être sur cette commission :
M. Roland Baribeau.

Cette commission aurait pour mission de se réunir au moins une fois la semaine soit pour une pleine journée de travail ou pour un après-midi et une soirée. Elle pourrait peut-être juger elle-même de se réunir deux fois à chaque semaine... Une date devrait être fixée d'avance pour que cette commission fasse un rapport au ministre pour cette date.

Il va sans dire que tous les noms précités le sont à titre confidentiel et qu'aucun de ces individus n'a été et ne sera approché de ma part en fonction de cette affaire.

Il me fera plaisir en tout temps de t'aider et de coopérer avec toi vis-à-vis tout travail futur concernant le bien-être de l'industrie du camionnage.

Bien à toi,

BG/lm.   Bernard Gravel.

Copies à MM. Roland Baribeau
            Robert Martin

Montréal, le 23 mars 1965.

Honorable Claire Kirkland-Casgrain, M.P.P.
Ministre des Transports et Communications,
Hôtel du Gouvernement,
Québec.

Chère Claire,

Un mot pour te tenir au courant que j'ai rencontré personnellement hier Albert Desrosiers, propriétaire de Montréal-Ottawa Express où j'ai travaillé pendant 10 ans. Lors de cette rencontre, Albert Desrosiers m'informa officiellement que son commerce venait d'être vendu à Maislin Brothers.

Il y a environ quatre ans, cette maison faisait un chiffre d'affaires d'environ $ 1 000 000 par année. Cette industrie était contrôlée à 100 % par des Canadiens français. Il est malheureux de voir une autre de nos belles industries canadiennes-françaises disparaître de la sorte. Albert Desrosiers m'a admit que devant certains problèmes, il n'avait pas le choix et qu'il avait été obligé de vendre son commerce.

J'ai cru bon attirer à ton attention cette nouvelle qui sera publique d'ici quelques jours.

Bien à toi,

BG/lm.   Bernard Gravel.

Montréal, le 5 mai 1965.

Honorable Claire Kirkland-Casgrain, M.P.P.
Ministre des Transports et Communications,
Hôtel du Gouvernement
Québec.

Chère Claire,

Je désirerais te rencontrer à tes bureaux de Québec d'ici quelques semaines si possible.

J'aurais des choses personnelles à discuter avec toi concernant ton ministère.

J'apprécierais que tu me laisses savoir la journée et l'heure que tu pourrais me recevoir.

Attendant de tes nouvelles, je demeure,

Ton tout dévoué,

BG/lm.   Bernard Gravel.

Québec, le 14 juin 1965.

Monsieur Bernard Gravel,
61, 4ième Avenue Nord
Roxboro, P.Q.

Cher Monsieur,

Monsieur Robert Martin, Conseiller Technique, m'a remis votre lettre adressée à l'Honorable M.-Claire Kirkland-Casgrain.

C'est dans cette lettre que vous faisiez des suggestions quant à la formation d'une commission d'étude sur la Régie des Transports.

Monsieur Martin me dit qu'il a discuté verbalement de tout ceci avec vous, mais avant de classer cette lettre, je désire en accuser réception et vous assurer que Madame Kirkland-Casgrain en a pris connaissance.

Je vous prie d'agréer, cher monsieur, l'expression de mes meilleurs sentiments.

Claude Bergeron,
Secrétaire Exécutif.

CB/gd

Montréal, 29 novembre 1965.

Honorable Claire Kirkland-Casgrain, M.P.P.
Ministre des Transports et Communications.
Hôtel du Gouvernement, Québec.

Chère Claire,

J'ai assisté lundi et mardi dernier au congrès des camionneurs à Toronto et j'avais une satisfaction personnelle de voir que je connaissais bien le distingué orateur de ce dîner du lundi, 22.

La raison de ce mot, c'est que je désire te laisser savoir que j'ai rencontré après ce mémorable repas au-delà d'une centaine de personnes demeurant dans l'Ontario ou l'Ouest du Canada qui ont qualifié ton discours de sensationnel, extraordinaire, quelque chose de jamais entendu auparavant, et je crois que ce discours a fait plus de bien à l'entente Québec/Canada avec ceux qui l'ont écouté que tous nos journalistes avec leurs écrits sans savoir de quoi ils parlaient depuis trop longtemps.

Certains sachant que je te connaissais personnellement me disaient que pour le bien du Québec, devant la situation, tu devrais faire une tournée dans les principales villes de l'Ontario avec ce même discours. Ce qui a été très frappant pour eux, c'est le fait que tu as commencé ton discours en français sur une assez longue partie. Dans le passé, les Canadiens français semblaient avoir peur de faire de telles choses, mais je crois que dans l'avenir, un précédent vient d'être créé et plusieurs autres agiront comme toi.

Je me permets de te féliciter chaleureusement en mon nom personnel et au nom de tous ceux que j'ai rencontré pour ce magnifique succès.

Tu comprendras par le fait même que, malheureusement, je n'ai pu assister à l'assemblée Libérale Provinciale très importante qui avait lieu le soir-même dans notre comté. Je m'en excuse et je ferai mon possible pour être présent à celles qui suivront.

Avec mes plus sincères amitiés,

BG/lm.   Bernard Gravel.

Québec, le 29 décembre 1965.
GP-12-45

Monsieur Bernard Gravel, directeur,
Dumont Express (1962) Ltée,
3585, rue Rachel est,
Montréal,
Qué.

Cher Bernard,

J'ai bien reçu ta lettre du 29 novembre 1965 et te remercie vivement pour les mots d'encouragement qu'elle contient.

Tu comprendras sûrement que le travail au sein d'un ministère en voie de réorganisation, en plus d'un session qui s'en vient rapidement, je ne puis suivre tes suggestions, mais j'apprécie la confiance que tu me témoignes et je suis très heureuse que ma conférence ait pu avoir les résultats que tu me soulignes.

Je profite de l'occasion pour t'offrir mes meilleurs vœux pour la nouvelle année, et je te prie d'agréer l'expression de mes meilleurs sentiments.

Ta bien dévouée,

M.-Claire Kirkland-Casgrain,
Ministre des Transports
et Communications.

MCKC/gp

UN LIVRE SUR VOUS !

Nous avons tous chez nous quelques livres sur des gens célèbres, des récits de personnages du passé comme de notre époque qui viendront rappeler, outre leurs grandes oeuvres ou faits particuliers, leurs traits de caractère ainsi que leur philosophie de vie. Il en va de même pour ceux et celles qui ont façonné le cours de l'histoire.

Qu'en est-il de nos proches? Combien de fois n'avons-nous pas entendu : *«Ah! quand j'écrirai mes mémoires..».* C'est pour répondre à ce besoin viscéral de transmettre, de génération en génération, les petits et grands moments d'une vie qu'a été fondée la maison *Éditions Histoire Vivante,* dont le concept remonte à 1979.

Le concept

Pour perpétuer l'histoire d'une vie, seul le livre pourra traverser le temps. Rien n'a été négligé pour créer un produit dont le sujet et sa descendance seront toujours fiers. *Histoire Vivante* rédige votre biographie à tirage limité (1, 2, 10 ou 20 copies). Nous nous occupons de tout, depuis les entrevues à domicile, les recherches, la rédaction, jusqu'à la livraison.

Les bouquins sont par ailleurs reliés par des artisans. Le titre est gravé or, la typographie et le papier, de haute qualité.

Les petits et grands moments de la vie de Monsieur et Madame Tout-le-monde

Votre livre transmettra ainsi à vos enfants et à leur descendance votre philosophie de vie, vos rêves, votre histoire familiale et professionnelle, comme vous l'avez toujours rêvé.

Mères de famille, anciens chauffeurs de tramways, vendeurs d'assurances, cultivateurs, ouvriers, infirmières, femmes et hommes d'affaires, politiciens, médecins, tous peuvent maintenant avoir leur biographie.

Quel beau cadeau à offrir à ses parents.

Le service offert par *Histoire Vivante* est complet : entrevues, recherches, rédaction, photographies d'époque reprises au laser, correction des épreuves, typographie professionnelle sur papier haut de gamme, reliure de luxe.

Les Éditions Histoire Vivante

Une constituante de
Communication Roger Desautels (CRD) inc.
C.P 322 Succursale Hudson Heights (Québec)
J0P 1J0

Pour renseignements:
(514) 458-1635

Fax: (514) 458-0357

Sur Internet :
http://www.cloxt.com/histoire-vivante

TRANSPORT, ENTREPOSAGE,
EMBALLAGE, EXPÉDITION.

ADRESSE TÉLÉGRAPHIQUE:
"BARGEONEX" MONTRÉAL.

SERVICE TOUTES VOIES
CAMION-AVION
CHEMIN DE FER
423, EST RUE ONTARIO
TÉLÉPHONE HArbour 6271*

TRANSPORT À LONGUE DISTANCE
SERVICE DE FRET RAPIDE
PROVINCE DE QUÉBEC
QUÉBEC – TORONTO

MONTREAL, CANADA le 24 mars 1949.

Monsieur B. Gravel,
a/s J.B. Baillargeon Express Limitée,
Montréal.

Cher monsieur,

      Le Comité d'organisation du banquet du
cinquantenaire croit qu'il serait opportun avant de
fermer son dossier de vous témoigner, par la présente,
toute sa reconnaissance pour l'aide que vous lui avez
apportée. Soyez assuré que le succès obtenu retombe
sur vous comme sur tous ceux qui ont pris part à cette
organisation.

      Encore une fois, nous vous remercions
et recevez l'expression de nos sentiments distingués.

        Vos tout dévoués,

     pour LE COMITE D'ORGANISATION DU
     BANQUET DU CINQUANTENAIRE

         P.A. Marchand,
         président.

PAM/RP

    Les membres du Comité

      P.A. Marchand, président   B. Paul, secrétaire
      L. Robert,   A. Lefebvre,
       A. Clermont,   A. Millette.

2,500,000 PIEDS CUBES D'ENTREPOTS À L'ÉPREUVE DU FEU

MEMBRE {ALLIED VAN LINES INC. OF U.S.A. — ALLIED VAN LINES LTD. OF CANADA.
CANADIAN STORAGE AND TRANSFERMEN'S ASSOCIATION. NATIONAL FURNITURE WAREHOUSEMEN'S ASSOCIATION
AMERICAN WAREHOUSEMEN'S ASSOCIATION. FURNITURE WAREHOUSEMEN & REMOVERS' ASSOCIATION, LIMITED.

J.B.B. Motor Express

Less than Truck Load Pick-up and Delivery rates.
Taux de levée et de livraison pour moins d'une charge entière de camion.

MONTREAL TARIFF / TARIF **No 4-5**

Cancels }
Annule } le précédent J. B. Baillargeon Express Ltd. 3 C 48

Governed, except as otherwise provided herein, by Canadian Freight Classification No. 19, supplements thereto or re-Issues
Régis, sauf où il est stipulé autrement, par la Canadian Freight Classification No. 19, ses suppléments ou ses nouvelles édition

BETWEEN / ENTRE { CARTIERVILLE, DOMINION, LACHINE, LASALLE, LONGUE-POINTE, MONTREAL, MONTREAL EAST, MONTREAL WEST, OUTREMONT, POINTE-AUX-TREMBLES, ST-LAURENT, TÉTRAULTVILLE, VAL ROYAL, VILLE ST-MICHEL, VILLE ST-PIERRE, WESTMOUNT.

Rates in cents per 100 lbs. — Les taux sont établis en cents par 100 lbs

AND / ET	COUNTY / COMTÉ	1	2	3	4
Almaville	Laviolette	70	62	54	44
Batiscan	Champlain	76	66	56	48
Beauceville	Beauce	**108	94	82	68
Beaumont	Bellechasse	**104	92	77	66
Beauport	Montmorency	89	77	68	56
Beaupré	Montmorency	**108	94	82	68
Bergerville	Québec	89	77	68	56
Berthier en Bas	Montmagny	**104	92	77	66
Berthierville	Berthier	52	44	39	32
Bienville	Lévis	85	76	64	54
Boischatel	Montmorency	** 98	86	76	62
Bourg-Royal	Québec	89	77	68	56
Breakeyville	Lévis	* 98	86	76	62
Cap-de-la-Madeleine	Champlain	70	62	54	44
Cap Rouge	Québec	85	76	64	54
Cap St-Ignace	Montmagny	**104	92	77	66
Cap Santé	Portneuf	85	76	64	54
Champigny	Québec	85	76	64	54
Champlain	Champlain	76	66	56	48
Charlemagne	L'Assomption	31	27	24	19
Charlesbourg	Québec	89	77	68	56
Charny	Lévis	85	76	64	54
Chateau Richer	Montmorency	** 98	86	76	62
Deschambault	Portneuf	80	70	62	49
Donnacona	Portneuf	85	76	64	54
Drummondville	Drummond	62	54	48	38
Giffard	Québec	89	77	68	56
Grand'Mère	Laviolette	70	62	54	44
Grondines	Portneuf	80	70	62	49
Gros Pins	Québec	89	77	68	56
Lac à la Tortue	Laviolette	70	62	54	44
Lac St-Charles	Québec	* 98	86	76	62
La Chevrotière	Portneuf	80	70	62	49
L'Ange Gardien	Montmorency	** 98	86	76	62
Lanoraie	Berthier	52	44	39	32
La Pérade Ste-Anne	Champlain	76	66	56	48
L'Assomption	L'Assomption	38	32	29	24
Lauzon	Lévis	85	76	64	54
Laval	Montmorency	89	77	68	56
Lavaltrie	Berthier	52	44	39	32
L'Epiphanie	L'Assomption	38	32	29	24
Les Ecureuils	Portneuf	85	76	64	54
Les Forges	St-Maurice	* 76	66	56	48
Les Saules	Québec	89	77	68	56
Lévis	Lévis	85	76	64	54
Limoilou	Québec	89	77	68	56
L'Islet Village	L'Islet	**108	94	82	68
Lorette Ancienne	Québec	89	77	68	56
Loretteville	Québec	89	77	68	56
L'Orme	Québec	89	77	68	56
L'Ormière	Québec	89	77	68	56
Louiseville	Maskinongé	66	58	49	42
Maskinongé	Maskinongé	66	58	49	42
Mastai	Québec	89	77	68	56
Montmagny	Montmagny	**104	92	77	66
Montmorency Falls	Québec	** 98	86	76	62
Neuville	Portneuf	85	76	64	54
New Liverpool	Lévis	85	76	64	54
Notre-Dame de Lévis	Lévis	85	76	64	54
Notre-Dame Laurentides	Québec	* 98	86	76	62

AND / ET	COUNTY / COMTÉ	1	2	3	4
Petit Village	Québec	89	77	68	56
Petite Rivière	Québec	89	77	68	56
Pintendre	Lévis	85	76	64	54
Pointe du Lac	St-Maurice	70	62	54	44
Pont de Québec	Québec	89	77	68	56
Pont Rouge	Portneuf	85	76	64	54
Portneuf	Portneuf	80	70	62	49
Québec	Québec	89	77	68	56
Ste-Anne de Beaupré	Montmorency	** 98	86	76	62
St-Anselme	Dorchester	**108	94	82	68
St-Augustin de Québec	Portneuf	85	76	64	54
St-Barthélémy	Berthier	56	49	42	36
St-Basile	Portneuf	85	76	64	54
St-Boniface	St-Maurice	70	62	54	44
St-Casimir	Portneuf	80	70	62	49
Ste-Croix	Lotbinière	**108	94	82	68
St-Cuthbert	Maskinongé	52	44	39	32
St-Edouard	Lotbinière	**108	94	82	68
St-Emile de Québec	Québec	* 98	86	76	62
Ste-Foy	Québec	89	77	68	56
Ste-Flore	St-Maurice	70	62	54	44
Ste-Geneviève de Batiscan	Champlain	76	66	56	48
St-Georges de Beauce	Beauce	**108	94	82	68
St-Georges de Champlain	Laviolette	76	66	56	48
St-Germain de Grantham	Drummond	56	49	42	36
St-Henri de Lévis	Lévis	**108	94	82	68
St-Isidore de Dorchester	Dorchester	**108	94	82	68
St-Joachim de Montmorency	Montmorency	** 98	86	76	62
St-Joseph de Beauce	Beauce	**108	94	82	68
St-Justin	Maskinongé	56	49	42	36
St-Louis de Courville	Québec	** 98	86	76	62
St-Louis de France	Champlain	70	62	54	44
St-Marc des Carrières	Portneuf	80	70	62	49
Ste-Marthe de Champlain	Champlain	76	66	56	48
Ste-Maurice	Champlain	76	66	56	48
Ste-Marie de Beauce	Beauce	**108	94	82	68
St-Michel de Bellechasse	Bellechasse	**104	92	77	66
St-Nicolas	Lévis	85	76	64	54
St-Norbert	Berthier	52	44	39	32
St-Paul l'Ermite	L'Assomption	31	27	24	19
St-Prosper de Dorchester	Dorchester	**108	94	82	68
St-Raymond	Portneuf	** 98	86	76	62
St-Romuald d'Etchemin	Lévis	85	76	64	54
St-Sulpice	L'Assomption	38	32	29	24
St-Vallier	Bellechasse	**104	92	77	66
St-Zacharie	Beauce	**108	94	82	68
Sault à la Puce	Montmorency	** 98	86	76	62
Scott Junction	Dorchester	**108	94	82	68
Shawinigan Falls	St-Maurice	70	62	54	44
Sillery	Québec	89	77	68	56
†Toronto	Ontario	98	94	82	68
5000 lbs. or over, et plus		84	84	82	68
Trois-Rivières	St-Maurice	70	62	54	44
Valcartier	Québec	89	77	68	56
Valley Junction	Beauce	**108	94	82	68
Valmont	Champlain	70	62	54	44
Val Rose	Québec	89	77	68	56
Yamachiche	St-Maurice	70	62	54	44

MINIMUM CHARGE — FRAIS MINIMUM

Minimum Charge per shipment .75 — Frais minimum par envoi .75
Except Points marked with (*) .85 (**) 1.00

(†) Including, incluant, Leaside, Long Branch, Mimico, Mount Dennis, New Toronto and Weston, Ont.

EFFECTIVE WITH SEPTEMBER 1, 1950
À COMPTER DU 1er SEPTEMBRE 1950

ENERAL OFFICE and TERMINAL
3001 Cote de Liesse Road
Ville St. Laurent, Montreal

Telephones
GENERAL OFFICE   AT 9435
PICK UP   AT 9431

INTER AND INTRA PROVINCIAL

CLASS TARIFF NO 7 - 52

(CANCELS TARIFF 6-51)

LESS THAN TRUCKLOAD UP TO 3000 LBS.

LESS THAN TRUCKLOAD 3000 LBS. AND OVER TO TRUCKLOAD

and

TRUCKLOAD RATES

between

MONTREAL, TROIS-RIVIERES, SHAWINIGAN FALLS, QUEBEC, DRUMMONDVILLE
and
POINTS IN THE PROVINCES OF ONTARIO AND QUEBEC
and named herein

GOVERNED, except as otherwise provided herein, by Canadian Freight Classification No. 19,
Supplements thereto or reissues thereof.

TERMINALS

	Address	Telephone
QUEBEC	231 Route de la Savanne	**MA 3-1506**
TROIS RIVIERES	2020 Notre Dame St.	**3210**
SHAWINIGAN FALLS	370-113 1ère Ave.	**4300**
DRUMMONDVILLE	136 Lindsay St.	**3740**
TORONTO	235 Queen's Quay West St.	**EMPIRE 6-8033**

COMPILED BY
B. GRAVEL
ASS'T. TRAFFIC MANAGER

ISSUED: APRIL 24th, 1952   EFFECTIVE: MAY 1st, 1952

Caisse Populaire Marie Reine de la Paix

Roxboro

SOCIÉTÉ COOPÉRATIVE RÉGIE PAR LA LOI DES SYNDICATS COOPÉRATIFS DE QUÉBEC

Roxboro,20 août 1958.

Monsieur Bernard Gravel, président,
Commission Scolaire Catholique de Roxboro,
Roxboro,P.Q.

Monsieur,

A une récente assemblée des directeurs de la Caisse Populaire Marie, Reine de la Paix, il a été porté à leur attention que vous-même et vos collègues seraient désireux d'instaurer les services de notre Caisse Populaire au sein de l'école de Roxboro.

C'est avec joie que nous apprécions votre geste et nous serons heureux de tenir une assemblée préliminaire avec vos membres, à laquelle assisterait le propagandiste des Caisses Scolaires de l'Union Régionale de Montréal, afin de donner les explications nécessaires à la mise en vigueur de ce mouvement.

Le temps à notre disposition avant l'ouverture des classes étant limité, nous vous saurions gré de bien vouloir communiquer avec nous le plus tôt possible, afin de déterminer la date qui vous serait favorable à la tenue de cette réunion.

Veuillez agréer, cher monsieur, l'expression de nos meilleurs sentiments,

La Caisse Populaire Marie, Reine de la Paix

J.L.P. Bertrand. Géran

pb/ld

N.B.: Monsieur le Directeur de l'école Mgr.Albert Valois, est également favorable à ce mouvement. En l'occurence nous pourrions tenir une assemblée conjointe à cet effet.

Charny, le 10 janvier, 1964.

Monsieur Bernard Gravel,
a/s Dumont Express Limitée,
3585 rue Rachel Est,
Montréal, P.Q.

Mon Cher Bernard,

Il me fait particulièrement plaisir de
t'apprendre ta nomination au poste de gérant général des ventes
de toute la compagnie, et ceci en vigueur le 11 janvier, 1964.

Nous avions besoin d'un homme d'expérience,
plein de jeunesse, de vitalité et d'optimisme pour joindre
sous une même direction l'expérience, les connaissances, les
renseignements et les efforts de tous les gérants de vente,
gérant-vendeurs et vendeurs de notre compagnie, afin qu'elle
puisse profiter à cent pour cent de ce potentiel humain extraordinaire. Ainsi, notre compagnie pourra atteindre avec aisance
et vitesse les objectifs de vente qu'elle s'est fixée pour
l'année 1964.

Tous les gérants de vente, les gérant-vendeurs
et les vendeurs devront te faire rapport de leurs activités et de
leurs succès!.. Connaissant leur dévouement à la compagnie et
l'estime qu'ils te portent, je suis persuadé à l'avance que tous,
sans exception, t'apporteront leur coopération spontanée et sans
restriction.

Cette nomination te laisse toujours la charge
de gérant des ventes de Montréal; sachant que tu la connais
déjà bien il te sera facile de te choisir un assistant qui pourra
voir aux choses routinières, ce qui te libèreras d'autant.

Du succès des ventes en 1964 dépend tout le
succès de notre compagnie. Point nécessaire d'amplifier les
responsabilités de ta nouvelle nomination!.. Nous te souhaitons
donc un franc succès pour toutes les années à venir.

Notre vice-président et gérant général de
Montréal "Pierre" aura la plaisante tâche d'annoncer au public,
par la voie des journaux, ta récente nomination.

Encore une fois 'Bonne Santé' et 'Bon Succès'.

DUMONT EXPRESS LIMITEE

Raymond Vachon, M.Sc.C.
Gérant Général.

RV/jm

RENÉ C. DESAUTELS

RÉSIDENCE 684-2625
BUREAU 842-6887

SUITE 800
1420 OUEST, RUE SHERBROOKE
MONTRÉAL 25, QUÉBEC

le 21 février 1964

Monsieur Bernard Gravel
Gérant Général des Ventes
DUMONT EXPRESS LIMITEE
3585 est, rue Rachel
Montréal
P.Q.

Mon cher Bernard,

J'apprends ce matin par les journaux ta nomination
au poste de Gérant Général des Ventes de DUMONT
EXPRESS LTEE. Permets-moi de te féliciter bien
sincèrement pour cet honneur qui t'échoit.

Ta compétence et ton expérience dans le domaine
de la vente seront un précieux atout pour ta compagnie
et contribueront certainement à son succès grandissant.

Agrée, je te prie, avec mes meilleurs voeux de réussite
l'expression de mes sentiments dévoués.

René C. Desautels

RCD/mm

VILLE DE MONTRÉAL
CABINET DU MAIRE

le 10 août, 1964

Monsieur Bernard Gravel,
61 - 4 ave N,
Roxboro, P.Q.

Cher monsieur Gravel,

      Le Conseil Municipal de Montréal a adopté à sa séance du 28 juillet, un règlement énonçant les conditions de l'union du territoire de Roxboro à celui de Montréal. Je vous en fais tenir une copie avec la présente. Vous y trouverez tous les renseignements officiels sur les avantages pour vous de la fusion de Roxboro à Montréal.

      La réunion d'un grand nombre de municipalités à la Ville de Montréal au cours des 75 dernières années a permis à Montréal de devenir la plus grande ville du Canada, de jouer un rôle de premier plan dans le développement du pays et a contribué grandement à l'accroissement de notre prospérité à tous. Ce qui a aussi rendu possible la création et l'organisation de services publics efficaces, essentiels à notre expansion.

      A l'heure où Montréal s'apprête à jouer un rôle international, dont nous serons tous les premiers à bénéficier, le moment est venu de mettre en commun nos vastes ressources pour organiser convenablement notre avenir et celui du milieu que nous laisserons à nos enfants.

      J'ai confiance que vous donnerez à ces brefs propos quelques instants de réflexion et vous prie de me croire,

Votre tout dévoué,

LE MAIRE DE MONTRÉAL

Jean Drapeau

CONSEIL EXÉCUTIF

QUÉBEC

Le 28 octobre 1964
133, 4e Avenue,
Ville St-Pierre, P.Q.

Monsieur Bernard Gravel,
61, 4e Avenue Nord,
Roxboro, P.Q.

Mon cher Bernard,

Je prends la liberté de t'envoyer une copie de pétition préparée par les Soeurs de Sainte-Marcelline qui dirigent présentement une école primaire à Saraguay. Elles aimeraient établir au même endroit une institution pour jeunes filles, qui serait un collège secondaire classique.

Dans le but d'obtenir le permis de construire ce collège, et pour donner plus de poids à leur requête, elles m'ont demandé de recueillir le plus de signatures possible de personnes intéressées à ce projet et demeurant dans cette partie de mon comté.

Ma fille fréquente l'école dirigée par ces religieuses à Westmount, et je peux personnellement répondre de la qualité de leur enseignement. J'apprécierais beaucoup que tu t'occupes de cette pétition en leur faveur.

Il n'est pas nécessaire que les signataires soient canadiens-français et catholiques; les religieuses dispensent leur enseignement à tous les enfants, sans distinction de langue ou de religion. Plusieurs sont de langue anglaise et protestants parmi les enfants qui vont à leur école actuellement.

Puis-je te demander de me retourner la pétition à mon bureau, à 133, 4e Avenue, Ville St-Pierre, lorsque tu en auras fini. Le plus tôt sera le mieux.

Je te remercie de ta bonne collaboration et te prie de me croire.

Votre toute dévouée,

M. Claire Kirkland-Casgrain
par *m. P. L.*

MCKC/mpl   M.C.KIRKLAND-CASGRAIN, M.P.P.

Le 20 novembre 1968

Monsieur Bernard Gravel
4246 est, Jean-Talon (suite 11)
Montréal 36, P. Q.

Cher monsieur Gravel,

Pour faire suite à notre rencontre
de l'autre jour, que j'ai trouvée fort intéressante, vous recevrez sous pli une copie de deux
causeries ayant trait aux conséquences économiques de l'indépendance.

J'espère que nous aurons encore
l'occasion de nous rencontrer bientôt.

Je vous prie d'agréer, cher monsieur Gravel, l'expression de mes meilleurs
sentiments.

ROBERT BOURASSA
Député de Mercier

pierre laporte   Souscription populaire, c.p. 155, St-Lambert, Co. Chambly

St-Lambert, 31 octobre 1969

Amis libéraux,   *Bernard*

Je viens vous proposer une˜expérience nouvelle. Elle est nouvelle car, pour la première fois au Québec, un candidat à la direction de son parti invite les militants et les citoyens en général à souscrire à sa campagne.

Pourquoi pareille initiative? Parce que justement, la politique c'est l'affaire de tout le monde.

Il appartenait au Parti libéral du Québec de poser ce geste inédit et j'ai cru aussi qu'il revenait à Pierre Laporte d'indiquer, de façon concrète, les réformes qu'il entend opérer. Un principe est en cause. Par votre contribution, si minime soit-elle, vous aiderez à revaloriser la politique au Québec. Et comme nous, vous savez que ça presse! Mais s'il vous est impossible de souscrire, je serai néanmoins fier de vous compter parmi mes supporteurs. Ne tardez pas à vous joindre à l'équipe qui pense nouveau, qui pense audace, qui pense 70.

Aidez-nous à bâtir un parti plus démocratique, une société plus compétente.

Je compte sur vous comme vous pourrez compter sur moi.

Pierre Laporte

Pierre Laporte

Le comité Pierre Laporte
Casier postal 155
Saint-Lambert, Comté Chambly

Oui! je désire faire partie de l'équipe.

Nom_____Tél._____

George Bush

March 13, 1990

Mr. Bernard Gravel
16560 Bear Cub Ct. SW
Fort Myers, FL 33908

Dear Mr. Gravel,

I have just been informed that at the last meeting of the membership committee of the Republican Senatorial Inner Circle your name was placed in nomination by Senator Connie Mack and you were accepted for membership.

Last year the Inner Circle had many outstanding members including Joe Coors, Estee Lauder, Arnold Schwarzenegger, George Shultz and Sam Walton. I know you will enjoy meeting your fellow members at Inner Circle functions in Washington and in other locations around the country.

Barbara and I are especially excited about the news of your nomination because we will have the chance to be with you at the Inner Circle's next gathering in Washington, D.C., on May 2nd and 3rd. At that time we will be attending the Inner Circle's Spring Dinner Dance and we certainly hope you can make it.

Your formal invitation will be mailed to you in a few days. I urge you to respond as soon as possible.

In closing, I want to congratulate you on your nomination and I hope that you will decide to accept membership in this most important organization. Barbara and I look forward to seeing you in Washington on May 3rd.

Sincerely,

George Bush

REPUBLICAN SENATORIAL INNER CIRCLE · 425 SECOND STREET, N.E. · WASHINGTON, D.C. 20002
PAID FOR AND AUTHORIZED BY THE NATIONAL REPUBLICAN SENATORIAL COMMITTEE.
CONTRIBUTIONS TO THE NATIONAL REPUBLICAN SENATORIAL COMMITTEE ARE NOT TAX DEDUCTIBLE AS CHARITABLE CONTRIBUTIONS
FOR FEDERAL INCOME TAX PURPOSES. NOT PRINTED AT GOVERNMENT EXPENSE.

BOB DOLE

March 16, 1990

Mr. Bernard Gravel
16560 Bear Cub Ct SW
Fort Myers, FL   33908

Dear Mr. Gravel:

On behalf of my colleagues in the United States
Senate, it is my privilege to invite you to accept
membership in the Republican Senatorial Inner Circle
and join President and Mrs. Bush for a special dinner
on May 3rd.

Senator Connie Mack placed your name in nomination
because he believes your accomplishments and commitment
to our nation prove you worthy of membership in this
prestigious organization.

The Republican Senatorial Inner Circle is made up
of individuals who get together on a regular basis to
discuss national and regional topics in a comfortable
mix of business and social gatherings.

Our next Inner Circle Briefing will be held in
Washington, D.C., on May 2nd and 3rd. The schedule for
this event includes a welcome reception, a full day of
closed-door briefings by key Washington officials, and
members-only luncheons featuring one of the Republican
Party's most noteworthy leaders, our invited keynote
speaker, Secretary of Commerce Robert Mosbacher.

These activities will be topped off by an elegant
dinner with President and Mrs. Bush, followed by a
special night of entertainment and dancing.

Also joining us for the evening's festivities will
be my Republican colleagues in the United States
Senate, Cabinet officers, Senior White House aides and
an assortment of noted celebrities from Hollywood and
the world of sports.

Since reservations to this event are limited, I

July 5, 1990

Mr. Bernard Gravel
16560 Bear Cub Ct SW
Fort Myers, FL 33908

Dear Mr. Gravel:

My colleague, Senator Don Nickles recently informed me that he has extended an invitation to you to join President Bush for a luncheon here in Washington, D.C., on July 30th.

As Co-chairman of the Presidential Roundtable, I too wanted to contact you to see if you will be accepting this invitation, and to ask that you RSVP immediately if you have not done so.

I hope that you are already making plans to be with us, because I firmly believe that this luncheon and the accompanying Post Summit Forum will be one of our most interesting Roundtable events ever.

In addition to the President, members attending this meeting will also hear from Senators Simpson, Helms and McConnell as well as our challenger candidates Larry Craig and Pat Saiki.

On Sunday evening, July 29th, you'll be welcomed into the Presidential Roundtable at a special reception with the Republican members of the U.S. Senate Foreign Relations Committee.

Please remember that Presidential Roundtable membership is limited to 400 individuals and there are very few of these positions available. Therefore, it is imperative that I hear from you immediately if you plan to join President Bush for lunch on July 30th.

To confirm your reservation, please complete the enclosed RSVP card and return it along with your membership commitment and conference fee in the enclosed envelope.

I look forward to welcoming you to the Presidential Roundtable.

Sincerely,

Senator John Heinz
Co-chairman

Dan Quayle

August 10, 1990

Mr. Bernard Gravel
16560 Bear Cub Ct. SW
Fort Myers, FL 33908

Dear Mr. Gravel,

It gives me great pleasure to inform you that at the last meeting of the membership committee of the Republican Senatorial Inner Circle, your name was placed in nomination by Senator Connie Mack and you were accepted for membership.

To welcome you to the Inner Circle, I would like to personally invite you to join me at a private reception for Inner Circle members. The reception will take place during our upcoming Fall Briefing on September 23rd and 24th.

Our official business meetings open the morning of September 24th when you'll be participating in closed-door strategy sessions that will give you an insider's look at the Bush Administration's legislative gameplan and the 1990 Senate elections. You'll also be invited to take part in something truly unique to the Inner Circle. You'll be our honored guest at a VIP dinner hosted by a Republican Senator, Cabinet member or Administration official.

Arnold Schwarzenegger, George Shultz, Sam Walton, and other distinguished Americans have already joined the Inner Circle. Like you, every one of them has demonstrated a truly exemplary commitment to our nation's ideals and principles.

Senator Bob Dole will be sending you your formal invitation to join the Inner Circle in a few days. I urge you to respond as soon as possible.

In closing, I want to congratulate you on your nomination and I hope that you will decide to accept membership in this most important organization. I look forward to seeing you in Washington on September 23rd.

Sincerely,

REPUBLICAN SENATORIAL INNER CIRCLE · 425 SECOND STREET, N.E. · WASHINGTON, D.C. 20002
PAID FOR AND AUTHORIZED BY THE NATIONAL REPUBLICAN SENATORIAL COMMITTEE.
CONTRIBUTIONS TO THE NATIONAL REPUBLICAN SENATORIAL COMMITTEE ARE NOT TAX DEDUCTIBLE AS CHARITABLE CONTRIBUTIONS
FOR FEDERAL INCOME TAX PURPOSES. NOT PRINTED AT GOVERNMENT EXPENSE.

Liste des personnes nommées dans ce livre

Lortie, Bob
Lortie, Paul
Maislin, Sydney
Male, Wilf
Maquignaz, Ed
Marchand, Jean
Marchand, P.A.
Marcheterre, Jos
Marcotte, Pierre
Marcoux, Léo
Marcoux, Rémi
Marie de Nazareth,
   religieuse
Marois, Françoise
Marois, Marcel
Marseille, Gilles
Martel, Hosanna
Martin, Robert
Martineau, Ralp
Masson, Roméo
Massy, Henri
Massy, Madeleine
Massy, Marcel
Massy, Rose-Anna
Mauroy, Pierre
Maxime, religieux
Maya, Virginie
Mayrand, Marc
McDonald,
   Catherine
Mélançon, Guy
Ménard, Gilles
Ménard, Thérèse
Mercure, Marcel
Mercure, Pierre
Millard, Murielle
Miller, Harry
Millette, A.
MIM
Miron, Gérard
Molson, famille
Monette, Marcel
Montmorency, Denis
Monty, religieux
Moore Robert
Moreau, Denis
Morin, Maurice
Morin, Rosaire
Morneau, famille
Mulroney, Brian
Murdoch, Lucille
Murray, famille

Nadeau, Gaston
Nadeau, Jean D.
Neveu, Paul
Nickles, Don
Noël, Earl
Noël, Roland
O'Brien Pat
O'Creighton, John
Palerme, famille
Papineau, Berthold
Papineau, Carmel
Papineau, Richard
Papineau, Robert
Paquette, Émile
Paquette, Pierre
Paquin, Larry
Paradis, famille
Parent, J.P.
Parenteau, Guy
Parenteau, Maurice
Parenteau, Wilfrid
Patenaude, Camille
Paul, Benoit
Pearson, Lester B.
Péladeau, Pierre
Pelletier, Gaston
Périard, Rita
Perkins, Joe
Perras, Robert
Perrault, Gilles
Perron, Jean-Marc
Pesant, Osias
Pesant, René
   religieux
Peters, George
Peters, Germaine
Peters, Hélène
Peters, Jimmy
Picard, Béatrice
Piché, Marcel
Pickett, William
Pigeon, André
Poiré, Simon
Portelance, Antonio
Poulin Josaphat
Pouliot, Lauréat
Poupart, Pierre
Provost, religieux
Quayle, Dan
Racette , Paul
Rajotte, Roger
Raymond, Rosaire

Raymonde
Renaud, Line
Richard, Henri
Richard, Maurice
Robert, Claude
Robert, Lionel
Robert, Réjeanne
Robert, Ulric
Robin, Joseph
Robitaille, André
Rochon, famille
Rodrigue, Albert
Romano, Cesar
Roy, Clément
Roy, famille
Roy, Georges
Roy, Léo
Ryan, Claude
Ryan, Yves
St-Hilaire, Lucien
St-Jacques, André
St-James, Jacqueline
St-James, Larry
St-Jean, Lionel
St-Laurent, Jean-Paul
St-Laurent,
   Louis-Stephen
St-Louis, Lorraine
St-Louis, Marcel
St-Maurice, famille
St-Pierre, Gérald
Sanscartier, Marcel
Saucier, Moe
Saucier, Philippe
Saulnier, Diane
Saulnier, Ginette
Sauvé, Lucien
Schroeder, famille
Seguin, Guy
Seguin, Paul-Émile
Slatkoff, Max
Slats
Smith, Harry
Smith M.
Smith, Raymond
Smith, Ted
Smith, W.
Spingola, famille
Staline, Joseph
Stermer, Irwin
Swor, David
Taylor, famille

Taylor, Tom
Thelesphore,
   religieux
Tellier, Gilles
Théophane,
   religieux
Thibert, Claude
Thibodeau, Lucien
Thibodeau, Pierre
Tondreau, Jean-Guy
Touchette, Réal
Tousignant, Bruno
Tousignant, Odette
Tremblay, Donald
Tremblay, Lucie
Tremblay, M.
Tremblay, Marcel
Tremblay, Roger
Treveno, Lee
Trottier, Yolande
Truchon, Pierre
Trudeau,
   Pierre-Elliott
Vaillancourt,
   Raymond
Vachon, L.A. Cardinal
Vachon, Louis
Vachon, Raymond
Valois, Lucien
   religieux
Venne, Pierrette
Vézina, Damas
Vézina,
   Émérentienne
Vézina, Germaine
Vézina, Jean-Paul
Vézina, Léo
Vézina, Osias
Vézina, Wilbrod
Villeneuve, Raymond
Villeneuve, Suzanne
Vincent, Claude
Ward, Frank
West Mike
Wolfe famille
Whyte John
Yvon religieux
Yale Ralph